L'ARGENT, VALEUR & VALEURS...

Revue de l'Université de Bruxelles
À la rencontre des contradictions

Direction : Jacques Sojcher
Responsable d'édition : Virginie Devillers

Rédaction :
Avenue F. D. Roosevelt, 50 – CP 175
B-1050 Bruxelles, Belgique
Tél. : 32 2 650 45 65
Fax : 32 2 650 45 64
E-mail : revulb@skynet.be

Couverture : Tertio
Image de couverture : Christian Carez,
La Lutte des Classes,
1981.

La Revue de l'Université de Bruxelles
reçoit l'aide du ministère de la Culture et
du ministère de l'Enseignement supérieur et
de la Recherche scientifique
de la Communauté française
(Wallonie-Bruxelles).

*Ministère
de la Communauté
française*

Revue de l'Université de Bruxelles 2002/2
© Éditions Complexe, 2004
SA Diffusion Promotion Information
24 rue de Bosnie - 1060 Bruxelles
ISBN 2-87027-985-X
D/1638/2004/4

L'ARGENT, VALEUR & VALEURS...

ÉDITÉ PAR
Virginie Devillers & Jacques Sojcher

REVUE DE L'UNIVERSITÉ DE BRUXELLES

SOMMAIRE

Argent, Histoire et histoires

Religion, Église, Argent

Vertige

« *Dépendance salariale, propriété de moyen de production, profit comme objectif économique ! Ce sont eux qui ont rendu malade toute la société et qui poussent toute la société humaine dans le gouffre !* »

Joseph BEUYS, *Qu'est-ce que l'argent ?*

PILE ET FACE

Claudio Pazienza

ÉLOGE DE LA DETTE

Face

« *J'avais tourné en rond… Ne pouvant dormir, possédé, presque heureux, je me disais qu'il n'y a rien de moins matériel que l'argent puisque toute monnaie (disons par exemple une pièce de vingt centimes) est, rigoureusement, un répertoire de futures possibilités. L'argent est abstrait, répétais-je, l'argent est du temps à venir.* »[1]

Pile

Ma famille avait coutume de contracter facilement des dettes. C'était inexplicable. Surtout pour nos voisins qui, aussi ouvriers et modestes que nous, étaient d'excellents gestionnaires. Mon père travaillait beaucoup. Ma mère aussi. On ne faisait pas de frasques. Mais les dettes resurgissaient de manière inattendue.

C'est lors des repas que ce gênant binôme (argent / dette) réapparaissait de manière féroce et houleuse car tous nos efforts pour échapper au réel pouvoir d'achat des salaires mensuels se traduisaient par de cuisants échecs, c'est-à-dire par des cris ou des pleurs, des insultes ou des insomnies, etc. Bref, pour moi, la dette a un « son » et il est calibré sur les timbres vocaux des miens.

Nous aurions pu contredire quotidiennement le concept de l'argent comme « désir stocké » tel que développé par Georg Simmel[2]. Nous aurions même pu figurer – comme certains Polynésiens – dans l'essai sur le don et le contre-don de Marcel Mauss[3] car nous avons – à notre insu – pratiqué moult formes d'échanges parallèles et pré-argentiques.

C'est de cette inadéquation chronique entre comptabilité domestique et désirs qu'est née l'idée d'un film que j'ai réalisé en 2002[4]. Film sous la forme d'une machine à repenser la persistance de notre malaise.

J'ai interrogé mes parents et convié différents spécialistes.

Les entretiens filmés visent à revenir à une enfance du savoir monétaire, à disséquer des notions complexes par un dispositif ludique et carnavalesque avec le secret espoir d'échapper à cet héritage-là.

Mais aucune explication scientifique, aucune initiative folklorique (voir par exemple le SIMEC – *SIMbolo EConometrico* – inventé par le professeur Giacinto Auriti) n'arrive à justifier les raisons de nos déséquilibres financiers. « Pourquoi aimions-nous les dettes ? » est au fond la question qui pourrait résumer ce documentaire. « C'est un moteur », dit mon père. « *La dette, c'est un dispositif sans lequel il n'y a pas de lien. Un dispositif à partir duquel le plaisir est possible. Pas tout plaisir...* », ajoute le philosophe Jean-Paul Curnier. Ces constats-là ouvrent sur le désir de manière plus décontractée, voire insolente et inattendue : la dette, c'est le coût du lien.

Face

Je te revois et t'entends hurler : « Cette fois, je n'y vais pas ! » Tu enchaînes aussitôt et me dis : « S'il te plaît, accompagne-moi. » Mon père – ton mari – expire sa colère et s'allonge et enfonce son nez dans les plis du divan. Et ainsi soit-il. D'une lâcheté tout horizontale. Oui, je te revois prendre ton sac. On marche, on marche. On arrive chez les Andriani. On prend place dans leur cuisine. L'hôtesse prépare un café. Son conjoint va chercher une bouteille de lait dans la véranda car je souhaite un lait russe.

Je vois et lis dans leurs yeux une méfiance certaine. Leurs gestes se succèdent comme dans un rite dont on a égaré le sens. Il décapsule la bouteille. Elle visse sa Bialetti.

« On a préféré l'aluminium au méranti », dit l'homme. Je regarde les châssis neufs et confirme : « C'est une belle finition. » Tu buvais, tu bois ton café et ne trouves rien d'aussi intéressant à dire.

Je regarde les nouvelles fenêtres en alu satiné. Je bois mon lait russe. Je pense pêle-mêle à l'assurance hautaine qu'on lit dans les yeux de notre banquier flamand et aux regards d'autres voisins italiens qu'on a sollicités de manière répétée et chez qui on ne retournera pas de si tôt. Aujourd'hui, c'est au tour des Andriani. Plus le silence s'installe, moins il est probable que surgisse ce minuscule prétexte / silence / abîme pour placer ta question fatidique. Je te vois hésiter, te vois avaler le café. Tu regardes le fond de ta tasse. Puis ton sac à main, par terre. Tu dis « oui, oui... » mais n'écoutes pas ce qu'on raconte. Je me dis : « Vas-y, vas-y, maman. » Mais tu demeures silencieuse. Puis tu t'illumines et sur un ton quasi héroïque tu dis : « Oh, c'est bien que Valnea ait réussi ses examens ! » Et l'hôtesse de s'insurger : « Mais Gina, pourquoi as-tu posé ton sac par terre ? Donne-le-moi ! » La voix de Maria est aiguë, hystérique. De quoi conjurer toute question inopportune. Se doute-t-elle de quelque chose ? Tu hésites. Le sac en skaï reste finalement là. Et rien ne vient à ton secours. Autre silence interminable. L'homme te regarde et tu précèdes aussitôt ses suspicions par un : « On passait par là. » Point. Passer par là. On se lève. On est déjà sur le pas de la porte. On tend notre main en guise d'au revoir. Eux la leur. On tourne le dos. On est sur le point de quitter les Andriani les mains moites et vides. « Pourriez-vous me prêter cinq mille francs ? », lâches-tu d'une voix fluette et basse. Oui, tellement basse que je doute qu'ils l'aient entendue. J'ai peur et froid et crains que tu ne rougisses davantage s'ils te demandent de répéter ta courte prière. Là, sur le pas de la porte. J'aurais pu me taper la tête contre un châtaignier ou un bouleau pour écrémer ma honte. J'aurais pu disparaître entre les plis de n'importe quelle écorce humide.

Nous marchons. Je te revois devant moi à un mètre. Nous aurions pu nous arrêter. Tu aurais pu pleurer devant moi sans gêne. Tu marchais droit. Assise dans ta cuisine, tu as posé les cinq billets de mille dans le tiroir où on range les médicaments et les passeports.

Pile

Apitoyer, mourir – un peu – de honte à chaque emprunt. Voilà ce qu'il nous arrivait de faire. C'était quasi un rituel. Un rituel dans lequel la dimension économique était aussi essentielle que marginale. C'était inextricable, un vrai paradoxe.

Remarquez : nous rendions assez vite les modiques sommes que nous empruntions, surtout aux personnes avec qui cela avait été particulièrement embarrassant. Probablement parce que le contrat tacite (je te donne car tu sais que tu ne peux pas ne pas me rendre) impliquait la promesse d'un lien, voire d'une amitié non souhaitée.

Aujourd'hui, il m'arrive de penser qu'on empruntait aussi pour être dans une nudité tout introductive à je ne sais qui. Peut-être cherchions-nous involontairement ce point de déséquilibre financier qui nous sortait de chez nous, qui nous sortait de nous. L'argent qu'on empruntait était alors le prétexte, l'outil pour faire l'expérience d'une altérité entraperçue et impossible à préfigurer autrement. Il y avait donc quelque chose de terrible et de structurant qui se produisait chez nous par ce rituel.

Coupables et honteux, on s'y reprenait régulièrement comme si on ne pouvait se passer de ces minuscules « sacrifices-de-soi ». Oui, mourir et renaître – un peu – et chaque fois à nouveau percevoir l'apitoiement chez l'autre. Dans ce cycle très christique, ma mère avait d'ailleurs l'habitude d'utiliser une expression éclairante : « Quels sacrifices ! » Parler de sacrifice, c'est évoquer ce cycle tourbillonnant de désir / blessure sans lequel n'être que cela – soi – était très frustrant. Mille, deux mille, cinq mille francs pour arrondir les fins de mois, pour percevoir dans le regard de l'autre un violent besoin de recentrage, un inexplicable besoin d'altérité.

Face

S'endetter. Être violemment face à quelqu'un, à l'autre, à soi. Ne pas arriver à se percevoir – à se voir – sans ces regards-là. Regards sans lesquels le « je » se dissout. S'endetter. Reconfirmer qu'être là passe par le lien intrinsèque à tout regard. Regarder, c'est déjà avoir une dette.

Claudio Pazienza est né à Roccascalegna (Italie) en 1962. Il arrive dans le Limbourg belge un an plus tard. Il suit un enseignement dans sa langue maternelle jusqu'à son bac, puis obtient (en 1985) un diplôme en ethnologie européenne à l'Université libre de Bruxelles, avec une étude sur le conte facétieux. Il a conçu pour ARTE deux soirées thématiques et il a également réalisé plusieurs documentaires dits de création (*Sottovoce* ; *Tableau avec chutes* ; *Panamarenko, portrait en son absence* ; *Esprit de bière* ; *L'Argent raconté aux enfants et à leurs parents*), des courts métrages de fiction, un programme culturel (*Mic Mac*) et des interventions filmiques pour l'Opéra royal de la Monnaie. Il continue de faire de la photo, de s'occuper de sa maison de production (Kòmplot films), de diriger des ateliers de réalisation dans une école helvète. Il milite pour un cinéma du *gai savoir*.

NOTES

[1] BORGES (Jorge Luis), *L'Aleph*, Paris, Gallimard, 1967, p. 136.

[2] SIMMEL (Georg), *Philosophie de l'argent* (1905), Paris, PUF, coll. « Quadrige », 1999.

[3] MAUSS (Marcel), *Sociologie et anthropologie*, Paris, PUF, coll. « Quadrige », 1999.

[4] *L'Argent raconté aux enfants et à leurs parents* (53 min), 2002, produit par ARTE, RTBF, Les films à Lou, Kòmplot films, etc.

ÊTRE ET AVOIR

Après l'argent...

Après mes études de philosophie, j'ai eu l'occasion de travailler dans une banque. C'était mon premier rapport à l'argent. Je touchais un salaire, je touchais aussi directement à l'argent. Pour moi, c'était du papier qu'on manipulait. Il n'avait pas de sens. C'était juste un objet. Je me souviens avoir eu des problèmes : j'avais oublié de faire signer un chèque d'un gros montant à un client, qui a malhonnêtement contesté par la suite. Il y a eu enquête. Ma « distraction » a rapidement été prise en compte. Tout le monde s'affolait, pas moi. Je n'étais pas très touchée. Il y avait tellement d'argent partout, alors un peu plus ou un peu moins... Quand je suis partie, le gérant m'a dit que l'argent n'était pas assez important à mes yeux pour un travail de ce genre...

*

J'ai ensuite travaillé dans une agence de production et de création d'événements. On travaillait beaucoup : la journée, le soir, parfois le week-end. Je gagnais peu par rapport au travail que j'abattais, mais le boulot était intéressant et diversifié. J'avais du plaisir à travailler. J'ai commencé à penser que ce n'était pas grave de ne pas bien gagner ma vie parce que je m'amusais. Malgré tout, était-ce normal de travailler autant et de gagner si peu par rapport à l'investissement physique, temporel ? En fait, cela correspondait à une façon de vivre que j'aimais, et ça, ça n'avait « pas de prix »... Pourtant, j'étais régulièrement confrontée à une situation qui me posait problème : la disproportion honteuse de tous ces budgets colossaux pour lancer des produits comme des cigarettes, des voitures... Je jonglais avec les millions sur le papier, un zéro par-ci, un zéro par-là. L'argent budgété était un chiffre sans autre signification.

J'ai quitté cet emploi parce que j'ai eu l'occasion de travailler aux Communautés européennes. Là, soudain, j'ai eu du temps (les horaires sont fixes), je me suis mise à gagner beaucoup d'argent, j'étais exempte d'impôt, beaucoup de mes frais étaient pris en charge. Au début, travailler aux « Communautés » correspondait à une justification sociale, à un statut : « On participe à quelque chose qui se construit ! » Cela justifiait ce salaire disproportionné qui « tombait » chaque mois sur mon compte en banque.

Je dépensais cet argent aussi vite que je le gagnais, j'avais même plus de dettes qu'avant. Tout était plus facile, plus accessible : les loisirs, les bouquins, les vacances. Je me souviens d'un de mes patrons qui s'était excusé de ne pouvoir nous offrir un verre à l'occasion des fêtes de Noël parce qu'il avait une fin de mois difficile, alors que nous savions qu'il gagnait 500 000 francs par mois ! Mais il avait deux maisons, trois voitures. Nous lui avons avancé l'argent !

Très vite, j'ai été rattrapée par la lourdeur administrative : ces tonnes de papiers à remplir pour tout et pour n'importe quoi, cette lenteur pour chaque décision à prendre, ces réunions qui me semblaient souvent vaines... C'était un défilé de projets : beaucoup étaient très sérieux mais beaucoup considéraient aussi la Commission comme une « vache à lait » à qui pomper de l'argent. Cela ne correspondait pas à mon sens profond, à ma vision de la vie. Ce flux d'argent, ce côté super-administratif, c'était anti-moi. J'ai envisagé de partir au bout de cinq ans mais je suis restée sept ans au total car il y avait l'argent. L'argent avait fini par me récupérer. Plus j'avais de l'argent et plus j'appréciais, tout en culpabilisant d'en avoir plus que d'autres. À l'époque, je n'évoquais d'ailleurs jamais mon salaire. J'étais « attachée » à l'argent, je m'étais créé des besoins.

*

Paradoxalement, j'ai toujours été interpellée par la pauvreté. Depuis longtemps, j'aide des gens pauvres au sein d'un organisme. Ces personnes sont au stade avant celui de sans-abri : elles ont encore un toit mais plus assez d'argent pour vivre décemment. Tous les samedis, on distribue de la nourriture, des vêtements, une aide matérielle, mais jamais d'argent. Le mardi, il faut faire des dossiers pour mieux connaître leur situation, leurs besoins, afin de savoir comment les aider au mieux. À l'époque des « Communautés », je faisais déjà partie de cet organisme. J'avais des scrupules par rapport à l'argent que je gagnais, alors j'en donnais. Je payais, par exemple, les fournitures scolaires de certaines familles, à la rentrée des classes. Je « gérais » ce que je donnais. C'était lié à l'émotif. Telle maman m'avait émue lors d'un entretien, alors je décidais secrètement de l'aider.

Je me suis vite rendu compte que la pauvreté était très relative. Certaines personnes avaient peu d'argent mais le géraient mieux que moi. Certaines personnes en étaient complètement détachées : « Je n'ai plus d'argent, on ne peut plus rien me prendre, il ne peut plus rien m'arriver, je suis tranquille. » Une de ces personnes est devenue mon ami. Il n'a rien. Juste une table, une chaise, un lit et surtout son chien. Il est pour moi un exemple de bonheur. Quand j'étais en plein travail, stressée, en retard, il venait parfois chez moi et me disait : « Je suis venu te délivrer de ton travail. Je suis ton sauveur parce que tu t'oublies dans le travail et que tu ne vas pas assez te promener. Fais-moi un café. » Ça me contrariait un peu mais je le remerciais quand il partait. Je le remerciais pour ces quelques instants essentiels. Il avait toujours un gentil petit sourire moqueur, qui semblait dire : « La pauvre, comme elle se donne du mal, alors que l'essentiel est gratuit. »

Il n'a pas d'argent mais, quand il en a, il fait des cadeaux. Aujourd'hui que je n'en ai plus non plus, il s'inquiète pour moi. Il m'en a glissé un jour sous la porte, alors qu'il a le strict minimum…

*

Quelle est la valeur de l'argent ? Pour moi qui suis passée de tant d'argent à rien, je m'interroge. Est-ce normal de ne plus en avoir, de dépendre de son mari sans avoir un centime à soi ? Pourtant, je ne suis pas pauvre.

*

En fait, je crois que l'argent est surtout une énergie : ça circule, ça va, ça vient. Mais cela circule mal. L'argent est concentré en certains endroits et absent ailleurs.

*

Il ne faut pas prendre l'argent pour ce qu'il n'est pas, une compensation. C'est ce que j'ai fait pendant des années. J'ai utilisé l'argent pour compenser plein de trous, plein de manques. L'argent ne compense rien, c'est une illusion – l'illusion de croire que « nous ne manquons de rien ». Acheter m'apaisait. Quand j'allais mal – et j'allais mal car je n'étais pas à ma place –, j'achetais et je donnais. Cela me « déscrupulisait ». Cela signifiait : « J'ai beaucoup d'argent mais j'en donne, il n'est plus à moi maintenant, il ne compte plus. » Cela calmait mes angoisses.

*

Aujourd'hui, j'essaie de comprendre et de supprimer ce mécanisme de compensation. Je vais dans mes « enfers », j'essaie de déchiffrer mes manques. D'où viennent-ils ? Pourquoi m'ont-ils fait, comme tout le monde, rechercher de fausses excuses ? Manque de quoi ? De l'essentiel. Manque de reconnaissance ? Non, mais j'ai à me reconnaître moi-même. Manque d'amour ? Non, mais j'ai à m'aimer. Ces manques peuvent nous entraîner dans l'amour passionné, dans le travail, dans la reconnaissance, dans l'argent, dans ce qui remplit. Nos manques nous poussent hors de nous, alors que c'est à l'intérieur qu'il faut aller voir. Aller à leur rencontre. Les combler plutôt que les compenser.

Aurais-je pu arriver à la même conclusion en ayant de l'argent ? Je ne le crois pas. Sans doute fallait-il que je passe par ce manque total d'argent pour accepter de voir mes « manques ». Aujourd'hui, je préfère la notion d'abondance à la notion d'argent. À partir de n'importe lequel de nos manques, on peut tenter de réparer nos blessures et non plus simplement boucher le trou par quelque chose. En réparant, on se dirige vers l'abondance, sous n'importe quelle forme. La nôtre. Nous sommes si riches de nous-mêmes !

*

L'argent a un statut bizarre dans nos sociétés : il est secret. On ne parle pas de ce qu'on gagne, de son compte en banque. On parle plus facilement de ses amants, de sa vie sexuelle, que de son argent, parce que, justement, cela touche à l'estime de soi. Si l'on gagne beaucoup et que l'on est mal à l'aise vis-à-vis des autres, cela signifie que l'on gagne trop par rapport à ce que l'on estime valoir. L'argent est lié à l'estime de soi-même, à ce que l'on pense valoir aux yeux des autres, de la société et de soi-même.

*

Quand je travaillais aux « Communautés », inconsciemment, on m'en voulait d'avoir tant d'argent. Quand je suis partie, je sais que cela a rassuré pas mal de monde.

Le malaise que j'éprouvais par rapport à l'argent que je gagnais me faisait faire des cadeaux toujours plus beaux, toujours plus grands. Je créais moi-même des besoins, pour moi et pour les autres. J'avais une générosité aussi spontanée que déculpabilisante. Pourtant, par mes cadeaux, je me rendais moi-même moins importante. C'est étonnant. On oubliait systématiquement mon anniversaire, les fêtes… Je recevais fort peu. Un jour, une amie m'a dit : « Mais Annette, on n'offre rien au Père Noël ! » J'ai compris que je galvaudais un tas de choses. À mes dépens. En achetant, je m'achetais moi-même.

*

Quand j'ai quitté les « Communautés », certains m'ont dit qu'ils admiraient ce que je faisais, qu'eux-mêmes n'oseraient jamais faire une chose pareille. Partir malgré le salaire, le statut, la sécurité, se libérer de cette énorme emprise, c'est pourtant aller vers ce que l'on est.

*

Aujourd'hui que je ne gagne plus beaucoup d'argent, j'ai un regard différent. Je pense qu'avoir de l'argent, c'est bien, dans la mesure où cela dispense de soucis encombrants qui parasitent la vie, mais que c'est seulement en allant vers ses manques, en partant de soi-même, que l'argent commence à avoir un sens.

*

Ce qui importe, ce n'est pas ce que je vais FAIRE pour avoir de l'argent mais ce que je vais ÊTRE pour en avoir. Savoir qui je suis et quelle est ma place, c'est cela qui est important. C'est au moment où j'ai regardé les choses à partir de moi et non plus à partir de la société, de mes devoirs envers elle, envers mes enfants, etc., donc au moment où ma démarche n'a plus été extérieure à moi mais intérieure, que j'ai été obligée de me reconsidérer et que je me suis demandé ce qui m'avait portée jusque-là : qu'avais-je à compenser, qu'avais-je à rassurer en pensant que l'essentiel était assuré ? Mais justement, l'essentiel n'était pas assuré.

Je n'ai jamais été en accord avec moi-même, jusqu'au jour où je me suis demandé pourquoi. Pour cela, il faut faire le vide en soi et, pour y arriver, il faut être démuni. Il faut être pauvre de quelque chose pour entrer en contact avec cet espace en soi et se demander : « Avec quoi vais-je le remplir ? » Cette descente en soi, dans « son rien », « son espace démuni », vidé de tout ce que l'on croyait rempli, est un passage épouvantable. On est démuni d'argent, bien sûr, mais de tout le reste aussi. On se retrouve tout nu et on ne peut plus mettre les mêmes vêtements. On se dit : « Voilà, ça, c'est moi. J'ai tout enlevé. Il me reste juste moi. »

Cela me fait penser à l'histoire de l'« élève » qui vient voir son maître tibétain pour lui demander de lui apprendre la sagesse. Pendant qu'il parle, il regarde le maître qui lui remplit une tasse de thé. Il parle ; la tasse se remplit. À un moment donné, il s'inquiète un peu parce que la tasse déborde et que le thé coule sur la table, tandis que le maître continue à verser. Alors l'élève dit au maître : « Mais, Maître, faites attention, vous débordez. » Et le maître lui répond : « Ce n'est pas moi qui déborde. Tu viens me demander de te remplir d'un savoir, alors que tu es comme cette tasse. Tu es déjà rempli d'autre chose. Il n'y a plus de place pour rien. »

Il faut donc commencer par désapprendre, par être tout nu, par vider sa tasse de ses connaissances. Le plus dur et le plus passionnant peut alors commencer. Quand tu es vide, le « travail » commence de lui-même. Tu es perdu de tout. Tu as de la place pour tout.

*

La tentation de trouver un boulot qui rapporte de l'argent est forte, parce que le désarroi de ne plus avoir d'argent est très perturbant. La tentation existe aussi de prendre n'importe quoi pour arrêter cette descente dans son vide intérieur. Vite le combler, vite l'oublier, vite le remplir.

*

Ce que j'ai en moi n'est pas de l'ordre de la reconnaissance sociale. Je crois que si on ne se reconnaît pas soi-même, si on ne connaît pas bien sa propre valeur, on va demander à un travail de nous apporter un statut, on va demander à l'autre d'être une sorte de miroir qui va nous reconnaître. On va demander que ce travail ou cette personne nous reconnaisse pour que nous soyons enfin. On sera professeur, commerçant, PDG, etc., et on sera reconnu comme tel par la société. J'ai aussi abandonné cette idée. Ce n'est pas à la société de me dire qui je suis, ni ce que je vaux. C'est à moi de le lui dire. Cela passe par le « pas sage » obligé du dénuement.

*

Aujourd'hui, je dois gagner de l'argent. Le temps de réflexion que je me suis accordé après les « Communautés » devait servir à réfléchir à ce que je voulais faire. Mais il n'a pas servi à cela. J'ai lu, j'ai expérimenté mille choses, mais je ne suis pas vraiment entrée en contact avec moi, avec ce que je veux vraiment. Cela s'impose aujourd'hui.

Je veux trouver ce qui m'habite depuis toujours. Je suis en phase de reconstruction. À partir du moment où l'on considère la vie comme une énergie, on sent où nos énergies se nourrissent et où elles s'épuisent.

Il est évident que moi seule, en tant que personne, en cercle fermé, sur une journée, je m'épuise.

C'est cette distance avec l'argent, et le fait de m'être retrouvée démunie psychologiquement aussi – car je me suis sentie très diminuée –, qui a permis que je fasse le pas de mes manques vers l'abondance. Et mon abondance n'est pas dans l'argent.

*

Est-ce que l'abondance, c'est écrire un livre ? Peindre ? Regarder un arbre ? Regarder l'autre d'une nouvelle manière ?

L'abondance, c'est être terriblement quelque chose. À la limite, être terriblement heureux ou malheureux. Tout cela est mouvant, va et vient dans une même vie. L'abondance, c'est l'anti-fadeur. Ce n'est pas forcément faire quelque chose de précis. Chez moi, ce sera « être dans ce qui coule ».

Être pauvre de soi, ce serait la fadeur. L'argent peut devenir un danger. Mais ne pas en avoir, c'est aussi un danger. Il faut retrouver la valeur de l'argent, son énergie, son rythme. Il faut se mettre dans le sens de « ce qui coule », de l'abondance. Sauf qu'elle ne vient plus de l'extérieur, mais de soi, de ce qu'on a trouvé à partir de ce stade de pauvreté.

Je commence à me remplir. De vieux rêves réapparaissent, des choses enfouies remontent.

L'énergie est partout. C'est moi qui gaspille la mienne. J'ai lu que la fatigue était un encombrement d'émotions. Ce sont les émotions qui épuisent.

Dans nos pays riches, il y a beaucoup de gens malheureux, dépressifs. On entretient un cercle vicieux : on travaille, on s'épuise, on court, on gagne de l'argent que l'on dépense aussitôt pour se soigner, se reposer, se détendre. Nous pensons être bien nantis parce que nous avons des hôpitaux, parce que nous avons accès aux soins de santé, alors que nous ne faisons que tourner dans la même spirale.

*

Est-ce qu'aimer l'argent est un problème ? Non, aimer le pouvoir est un problème. Comment « aimer le pouvoir » ne serait-il pas le reflet d'un manque ? Pouvoir sur qui ? Pouvoir sur quoi ? C'est un manque de courage que de ne pas affronter ses peurs en prenant le pouvoir. Cela donne une mainmise sur les gens et sur les choses. On « dirige » les autres, on les « paie », on les « utilise », on « décide » de ce qu'ils valent, etc. Qui est-on pour agir de la sorte ? Il y a des moments où ce réveil constant me fatigue. « Mais qui es-tu, toi ? » « Que vaux-tu pour toi ? » On ne peut pas demander aux autres ce que l'on vaut ni ce que l'on veut.

Dans notre société occidentale, tout s'achète, tout se vend, tout se jette. On devient soi-même monnaie d'échange : on se vend mieux si on est bien habillé, etc. On est dans l'ère du paraître. Mais ce n'est pas le fric qui intéresse les gens. Ce qui compte, c'est ce qui leur semble utile pour exister, c'est-à-dire pour être reconnus par les autres, à l'extérieur d'eux-mêmes. C'est cela qu'ils achètent.

*

Les jeunes vont mal, sont mal. Ils ont à supporter une telle pression sociale (faire des études pour réussir dans la vie) que, dès leur plus jeune âge, ils donnent à l'argent une valeur qu'il n'a pas. Ils s'orientent de plus en plus vers des secteurs où on « réussit socialement », où « on ne chôme pas », même si c'est très éloigné de ce qu'ils sont, de ce qu'ils souhaitent. J'ai arrêté de faire des discours à mes propres enfants. Aujourd'hui, ils n'ont pas de sens pour eux. Mais mon regard sur eux a changé. J'ai confiance. Je n'ai pas besoin de leur expliquer, car la vie se fout des explications que l'on peut donner. Ce qui est difficile, ce qui est compliqué n'est pas juste. Quand on est ajusté à soi, cela devient évident.

Ce sont mes résistances qui compliquent. Je tente de voir mes enfants comme ils sont. Ce qu'ils vont faire m'est égal. Bien sûr, j'espère qu'ils feront ce qu'ils aiment, mais ce n'est pas leur réussite sociale qui m'intéresse, c'est la réussite d'eux-mêmes. Ils me disent : « Tu es folle, mais tu es vivante. » Pour moi, c'est un compliment.

La jeune génération a devant elle l'exemple d'une société « riche » qui ne « marche » pas. C'est une société qui « fonctionne » mais qui rend les gens malheureux. Mes fils et leurs amis ne sont pas forcément heureux car ils manquent de beaucoup pour « être ». Ils se décarcassent dans une école qui n'est pas à la hauteur, qui a perdu ses repères, qui apprend essentiellement à reproduire, sans leur apprendre à « être ». Cela, ils l'apprendront s'ils ont la chance de tomber sur un professeur qui est passé par là, ils l'apprendront par ceux qui ont souffert de ne plus être, même si la souffrance n'est pas rédemptrice. Mais avant que la souffrance soit inutile, il faut passer par elle. Quand on se rend compte qu'elle est inutile, on peut l'abandonner.

*

J'ai beaucoup d'énergie. J'ai acquis une certaine force intérieure que je ne soupçonnais pas. On sait qu'on a de la force, mais on l'utilise surtout pour résister. On dit : « *Ce qui ne te tue pas te rend plus fort.* » On passe par des moments maudits et si nous ne sommes pas morts, si nous ne fuyons pas, alors nous devenons plus forts et plus riches.

*

J'ai abandonné les débats d'idées. Je SAIS que tout va mal. Éternellement mal. La Bourse, la faim, la terre, la pauvreté… Je ne me retire pas dans ma tour d'ivoire mais je m'éloigne des débats stériles, car nous n'avons aucun pouvoir au niveau où tout se décide : malgré nos attentes, nos revendications, nos manifestations, nos résistances, nos marches. En m'éloignant de cela, je me place ailleurs.

Lautréamont disait : « *Tout le monde est capable avec le courage et la force d'arriver à exprimer son énergie.* » Mais avant le courage, il faut le « déclic ». Et le « déclic » passe par une rencontre avec soi-même. C'est, par exemple, se dire « Mais qu'est-ce que je fais ici ? » quand notre patron nous fait une remarque. C'est oser se demander : « Mais qui suis-je devenu pour donner à une telle personne ce pouvoir sur moi ? » Cela commence à partir de son propre pouvoir. Nous avons tellement peur d'aller à notre propre rencontre que nous autorisons très vite les autres à avoir du pouvoir sur nous, à décider pour nous, de nos colères, de nos chagrins, de nos sourires… Quand on arrête ce processus, on se réapproprie le pouvoir.

Paradoxalement, quand on quitte un boulot, quand on abandonne un salaire, on reprend sa force. Mais le « déclic » qui manque souvent, c'est cet arrêt sur soi-même. Je crois pourtant que tout le monde l'a un jour. Encore faut-il s'accorder le temps nécessaire pour renaître, pour retrouver sa valeur.

ET la vraie valeur, c'est ce qui nous tient droit.

Janvier 2003
Propos recueillis par Jacques Sojcher, adaptés par Virginie Devillers.

Annette Paternostre est institutrice. Licenciée en philosophie (Université catholique de Louvain). Professeur de philosophie religieuse. Chargée de production dans une agence d'événements. Agent temporaire à la Commission européenne (sciences et culture). Collabore à Tetra (développement personnel transdisciplinaire). Travaille actuellement à l'élaboration de projets pour le respect des droits de l'homme. Membre actif d'Amnesty International. Elle prendra la présidence d'une association d'aide aux SDF en 2004. Passionnée par la culture et la spiritualité amérindiennes.

L'ARGENT N'A AUCUNE VALEUR

L'argent, pour moi, c'est du papier imprimé, cela n'a aucune valeur.

L'homme en a besoin car il fait tout à l'envers. Avant, durant la préhistoire, l'homme n'avait pas besoin de tout cela. Il y avait tout pour tout le monde. Il y a tout pour tout le monde depuis toujours.

Il me semble que tout ce que l'homme invente se retourne contre lui.

L'être humain est allé trop loin. L'homme croit qu'avec l'argent, avec la médecine, il peut remédier à tout. Par exemple, il pense qu'il peut lutter contre la mort. Or, s'il a une maladie, c'est sa nature qui en a décidé ainsi. S'il est en bonne santé, tant mieux pour lui. Mais si sa santé le lâche, c'est la vie. Se faire soigner ne sert qu'à se prolonger un peu. Quand son heure est là, elle est là. Il faut l'accepter et ne pas lutter inutilement. L'homme se croit immortel. Il veut lutter contre tout, même contre la mort. La médecine aide l'homme à se prolonger mais il va quand même mourir. Même les riches qui paient cher pour ne pas mourir trop vite vont y passer. J'ai été opéré du cœur après une crise cardiaque, mais je sais que c'est mal. Les médecins m'ont prolongé. J'aurais bien aimé partir. J'ai vu une belle lumière paisible pendant mon opération. Je savais qu'au bout, c'était la mort. À mon réveil, j'étais déçu d'être là. Le monde est mal foutu. Mourir, c'est naturel. C'est l'argent qui est contre nature.

Aujourd'hui, on achète tout, même le corps. Certaines femmes se vendent à n'importe qui. Elles sont malheureuses car au fond d'elles-mêmes, elles ont un profond dégoût. L'amour doit être gratuit. Mais y a-t-il de l'amour ici-bas ? Cela n'existe peut-être que dans l'au-delà. Ici, il n'y a ni paix ni calme. Quand je me promène, je regarde les gens dans la rue et je me dis : « Mais où vont-ils ? Après quoi courent-ils ? » Les gens s'agitent sans savoir où aller. Dans la nature, tout est juste : tu es bien, tu ne cours pas, tu existes.

Ma devise, c'est avoir le moins possible ou le strict nécessaire. Mon souhait est de n'être attaché à rien. Comme je n'ai rien, je suis tranquille… Mais, malgré tout, je ne suis pas vraiment libre. Je reste prisonnier de ce monde. Je paie un loyer, j'achète… En fait, je ne suis heureux que dans la nature. C'est ma seule place.

Même sans argent, je me débrouille. Quand on est dans la nature, on se débrouille, on ne pense à rien : on vit, tout simplement.

De quoi a-t-on besoin, sinon de se chauffer, de se nourrir ? Presque tout le reste est inutile. Rien de ce qui est matériel ne m'attire : ni voiture, ni maison, rien.

Pourquoi travailler ? Tu travailles, tu reçois de l'argent, tu le dépenses, on te le retire. C'est un cycle sans fin. Quand j'avais des petits boulots, on me prenait tout ce que j'avais. Tout partait en paiements. Travailler, recevoir de l'argent, payer des taxes, payer pour tout, même pour aller aux toilettes ! Et quand on n'arrive plus à payer le loyer, on vient saisir ce que l'on n'a plus !

La terre nous donne tout gratuitement. Pourquoi l'homme fait-il payer tout ce que la terre donne gratuitement ? C'est grâce à elle que tout a pu être construit. Si tout pouvait être redistribué normalement, il n'y aurait plus de malheureux.

Je suis pauvre, nous sommes tous pauvres, même les riches. Quand la vie s'arrête, c'est fini. Et ceux qui ont de l'argent n'emporteront rien avec eux. Avoir de l'argent n'est pas un gage de bonheur. Les riches ne sont pas forcément heureux. Je me dis que, même en dormant, ils pensent à leur argent : « Si je perds mon argent, si demain je meurs, à qui reviendra-t-il ?… »

Quand je mendie, parfois, les gens donnent. Certains ne donnent pas parce qu'ils ont tout. Pour eux, c'est une honte de mendier. Mais ils pourraient aussi se retrouver à la rue. C'est une honte pour eux de donner parce qu'ils ont peur de se retrouver un jour à mes côtés. J'ai vu beaucoup d'anciens riches à la rue.

Ma force, c'est la foi. Ma foi me porte. Les gens croient tout avoir. Ils pensent qu'ils n'ont pas besoin de croire en Dieu. Un pauvre croit plus facilement en Dieu qu'un riche. À quoi peut-il croire d'autre s'il n'a rien ? Je n'ai rien matériellement. Tout ce que je possède est spirituel.

Je n'ai jamais été riche. Quand on me donne, j'accepte, mais je ne dépense pas. Ce qui m'importe, c'est d'être le dernier pour être le premier. Je laisse faire les choses. Je vais de l'avant en restant sur place.

Peut-être suis-je un sage ?

Bruxelles, janvier 2003
Propos recueillis par Annette Paternostre, adaptés par Virginie Devillers.

Jean-Claude Henry. Abandonné par ses parents à sa naissance. Sept frères et sœurs qui ne se connaissent pas. Orphelinat à Brasschaat. Analphabète. Formation en jardinage. A été dans la rue pendant des années avec son chien. A travaillé dans des ateliers protégés où il s'est toujours fait renvoyer pour rébellion. Vit actuellement dans un logement social à Louvain.

Linda Lewkowicz

LE NAIN ET LA PUTAIN

Prénom : Sonia.

Date de naissance : 1951.

État civil : célibataire.

Profession : serveuse, hôtesse... (prostituée).

Nationalité : belge.

Milieu d'origine : aisé. « Ma mère travaillait dans des bureaux et je n'ai plus de nouvelles de mon père depuis mes quinze ans. »

Parcours scolaire : diplôme d'humanités inférieures. « Enceinte à l'âge de 18 ans, j'ai arrêté mes études. »

Frère(s), sœur(s) : « Mes sœurs et moi n'avons pas le même père, pas la même mère. En d'autres mots, je suis fille unique. »

Enfant : « Ma propre mère m'ayant contrainte à le faire adopter à la naissance, je ne suis donc plus la mère de mon fils. »

La prostitution est entourée de fascination, de mystère, de répulsion, de préjugés et de flou. De cette entrevue avec Sonia, mise en perspective par quelques extraits d'articles et d'entretiens avec des intervenants de terrain – Séverine Intini (Mouvement du Nid) et Fabian Drian (Espace « P ») –, restent la fascination, le mystère, la répulsion, les préjugés, le flou et cette question : « Pourquoi encore se lever pour gagner en un mois ce que certaines touchent en une semaine ? »

LINDA LEWKOWICZ – *Pourquoi avoir accepté de nous rencontrer ?*
SONIA – On dit tellement de conneries sur les prostituées !

Il y a autant de cas de figure qu'il y a de prostituées. On ne peut pas faire de généralités.
FABIAN D.

L'obsession du client : le sexe.
L'obsession de la prostituée : l'argent.
SÉVERINE I.

QUESTION DE VOCABULAIRE 1

Elle, fille de joie, pas fille de rue et pas poule de luxe. *Elle*, péripatéticienne, courtisane, pute et catin. *Elle*, libertine, geisha, thérapeute ou belle de jour. Elle, travailleuse du sexe, pas call-girl, escort-girl, cover-girl et certainement pas maquerelle. « Jamais, je n'ai pris l'argent d'une fille. »

Le 14 mai 2003, *Elle*, Sonia, cinquante-deux ans, a ouvert ses portes à la *Revue de l'ULB*. Une université qu'elle connaît pour y donner régulièrement des séminaires dans le cadre de cours donnés par son psychanalyste.

« Je n'aurais pas pu rester longtemps sans parler. J'ai fait une analyse et j'ai rencontré la célèbre catin révolutionnaire Grisélidis Réal, 74 ans...[1] Le week-end dernier, nous sommes allés à Genève pour filmer le moment où elle me passe le relais. »

*

– *Vous jouez votre propre rôle dans un film ?*

– C'est un documentaire[2] où, pour la première fois, j'apparais à visage découvert.

– *Grisélidis qui « passe le flambeau » à Sonia, c'est vous investir d'une mission...*

– Je m'occupe de la défense des droits des prostituées. Et je me bats contre ces « féministes talibanes » qui disent que la prostitution est toujours un esclavage, toujours une mise en danger de soi... Je ne suis pas conne, je sais ce que je fais.

– *À quel âge et dans quelles circonstances avez-vous commencé cette activité ?*

– À l'époque, amoureuse d'un garçon, je me suis liée d'amitié avec sa mère, une tenancière d'un bordel de la gare du Nord. Cette dame, adorable, m'a proposé d'être caissière.

– *Caissière dans un bordel, c'est...*

– Surveiller les filles. À l'époque, la moitié des gains était pour la patronne. Aujourd'hui, la tenancière demande un fixe, ce qui supprime la nécessité d'une « vérificatrice ».

– *Aujourd'hui, la caissière, c'est la dame de compagnie ?*

– Non. Dame de compagnie, j'ai trouvé ça génial...

– *C'est donc par plaisir que vous...*

– Disons que cela remplissait une série de petites cases. Les hommes me disaient que j'étais belle. On m'aimait et on me donnait de l'argent. Que demander de plus ? J'aime le sexe et je n'ai pas de problème avec mon corps. Je ne dis pas que je prends mon pied avec chaque client, mais cela ne me pose aucun problème. Quand j'ai commencé, ce sont les maquerelles qui m'ont appris le métier.

– *Et l'argent dans tout cela ?*

– C'est bon de bien gagner sa vie.

– *Quels autres métiers avez-vous exercés ?*

– J'ai été secrétaire, j'ai travaillé chez un avocat, j'ai vendu des groupes de rock, mais chaque fois, je revenais à la prostitution, dans les mêmes bars…

– *Dans ces bars où l'on fait boire le client ?*

– La nuit, on y boit beaucoup plus que le jour : les clients ont moins le temps…

– *Abuser un client, c'est un métier ?*

– Quand on est patronne, on n'a pas vraiment le choix…

– *Mais vous aviez le choix.*

« *[…] Un débat d'une rare violence oppose partisans et adversaires de la reconnaissance de la prostitution. […] Doit-on admettre les notions de "travail sexuel" et de "prostitution volontaire" pour reconnaître un minimum de droits sociaux à la prostituée, ou faut-il condamner la prostitution en soi comme une insupportable atteinte à la dignité humaine ?*

On sait que les Pays-Bas (2001) et l'Allemagne (2002) viennent d'opter pour la première solution et la Suède (1999) pour la seconde en choisissant de punir le client. […]

Légalisée, la prostitution est l'objet de nouvelles contraintes et n'entraîne pas la disparition du trafic clandestin. Réprimée, comme en Suède, elle est passée de l'extérieur à l'intérieur, dans des studios ou salons de massage, avec tous les risques afférents à la clandestinité. » [3]

« *La loi belge (du 21 août 1948) autorise la prostitution mais en interdit l'exploitation et octroie en outre aux victimes de la traite des êtres humains (TEH) une protection sociale et judiciaire spécifique tout en renforçant la lutte contre les réseaux de la traite.* »

En résumé, que défend cette loi ? D'entraîner, embaucher, détourner ou retenir quelqu'un, même avec son consentement, dans la prostitution ; de détenir une maison de prostitution ; d'exploiter la prostitution d'autrui, de racoler, de faire de la publicité visant la prostitution.

La loi de 1948 a été modifiée par la loi de 1995 qui autorise de louer ou de mettre à disposition aux fins de prostitution des chambres ou d'autres locaux, pour autant qu'un profit anormal ne soit pas réalisé[4].

– Faut gagner sa vie… (*Silence.*)

De toute façon, je n'aimais plus faire ce travail.

– *Pourquoi avoir choisi ce genre d'activité ?*

– C'est mon karma.

Question de vocabulaire 2

Sur le marché de l'emploi, *Elle*, une des rares à avoir un travail à temps plein et à durée indéterminée. « J'arrêterai quand je me sentirai ridicule. » Tous les jours, comme tout le monde… Sauf que tout le monde ne possède pas cette aptitude particulière à… Sonia va au boulot. Comme une fonctionnaire, le néon de sa vitrine s'éteint les week-ends et jours de fête. L'horaire ne faisant pas le moine, elle refuse que l'on considère son emploi comme une bonne planque. « C'est vite gagné, mais c'est pas facile ! » À ceux qui passent et la choisissent entre toutes, Sonia fait l'amour, offre un office, une séance ou une passe. « Le mot "passe" me dérange. Il ne fait référence qu'au sexe. »

– *Et ce que vous faites n'a rien à voir avec le sexe ?*

– Pas toujours. Je préfère le mot « rencontre ».

Ainsi, de rencontre en rencontre, son métier (de « salubrité publique ») est devenu un style de vie, pas un devoir, pas un business, pas un turbin, un travail comme un autre. Sauf que tout le monde…

*

– *On y va ?*

– Oui.

– *Tout ce que vous dites sera retenu contre vous. Vous n'êtes donc pas obligée de répondre à toutes les questions…*

– Je n'ai pas de tabous, sauf en ce qui concerne l'argent.

– *C'est bête, c'est le thème de notre entretien.*

L'Espace « P » est « néoréglementariste » : nous voulons des lois pour encadrer et organiser une prostitution reconnue. Nous interpellons le politique en lui demandant de prendre ses responsabilités. Nous lui demandons de ne pas faire comme si la prostitution n'existait pas.

FABIAN D.

Intarissables sur la question du sexe, ne vous aventurez pas sur le terrain de l'argent : vous ne saurez jamais ce qu'elles gagnent !

SÉVERINE I.

COMBIEN ÇA COÛTE ?

– *Comment se calcule le prix d'une rencontre ?*

– À la tête du client, préservatif inclus.

Les bons mois tournent autour des 7 500 à 10 000 euros. Mais là encore, comment savoir ? Est-ce qu'elles exagèrent ? Est-ce qu'elles mentent ? Nous, on gagne peut-être 1 240 euros par mois, ce qui n'est pas un gros salaire, mais un salaire qui se respecte. Elles, jamais ne se bougeront pour ce prix-là. Elles le disent toutes : « Tu te rends compte, il ne me reste que 1240 euros une fois que j'ai tout payé ! Je ne me lève pas pour ça ! » Eh bien moi, je me lève pour ça.

SÉVERINE I.

Le prix varie en fonction de la pratique. Les classiques sont : la pipe ; la pipe et l'amour ; la pipe, l'amour et la minette. Prix de base pour environ un quart d'heure : vingt-cinq euros dans une carrée (les plus âgées), cinquante euros dans les « bars » de la rue d'Arschot (les plus jeunes).

FABIAN D.

– *Le prix change-t-il en fonction de l'âge ?*

– Il varie plutôt en fonction de la pratique. J'adore les très vieux.

– *En fonction des saisons, des périodes festives, des périodes creuses ?*

– Non, non, non. J'ai mes prix.

– *Sont-ils affichés, comme les menus dans les restaurants ?*

– J'ai un prix en dessous duquel je ne descends jamais.

– *Qui est de ?*

– Quarante euros.

– *Carte de fidélité ? Réduction pour famille nombreuse ? Dixième passe gratuite ?*

– (*Rires.*) Je n'aime pas le mot « passe »…

– *Faites-vous crédit ?*

– (*Rires.*) Vous voulez rire ?

– *Avez-vous des objets érotiques à proposer au client ?*

– Quelques menottes, fouets et trucs dans le genre… Je pratique le SM soft.

– *C'est combien ?*

– Plus cher.

– De combien ?

– …

– *Dites-moi alors sur quelle base le prix se calcule…*

– En minutes.

– *Combien de minutes pour quarante euros ?*

– Un quart d'heure… Non, ça dépend.

– *De quoi ?*

> Il y a toujours de l'argent qui traîne quelque part, dans une poche ou ailleurs. L'argent est comme une drogue, il en faut toujours plus, plus vite, tout de suite. Séverine I.

– Il y a des clients qui partent après cinq minutes parce que je ne le supporte plus. D'autres que je garde plus longtemps, quand je les aime bien… Je sais que chez certaines, un quart d'heure, c'est autant, vingt minutes autant, une demi-heure…

– *Combien demandent-elles ?*

– Cinquante ? Je ne sais pas. Il y a un prix par position. Deux cent cinquante pour une heure ?

– *Louez-vous une chambre, un morceau de trottoir ?*

– Une carrée.

– *Qu'est-ce qu'une carrée ?*

– C'est un rez-de-chaussée avec deux pièces : la première avec vitrine et petite estrade, la seconde avec lit et lavabo.

> Chacun fait un peu ce qu'il veut, c'est un peu le foutoir. Un bail locatif peut aller jusqu'à environ 1 750 euros nets par mois, sans toilette ni point d'eau. C'est intolérable. Avec une loi, on pourrait obliger les propriétaires à installer un minimum de sanitaires. Il existe des lois pour les lieux de travail, mais comme la prostitution n'est pas reconnue, elle n'est pas soumise à ces lois-là. Fabian D.

« La carrée se loue au mois, comme un appartement classique. Le propriétaire ne se gêne pas pour réclamer un loyer exorbitant. Légalement, il est proxénète hôtelier et risquerait des ennuis avec la justice s'il n'avait la riche idée de réclamer la moitié du montant en noir (450 euros sur le bail et 450 autres sous la table). » [5]

– Quelle différence y a-t-il avec les vitrines de la rue d'Arschot ?
– Ces vitrines-là sont des bars, des lieux publics. On ne peut pas y faire l'amour… Les patronnes sont des tenancières, et leurs « serveuses » paient pour six heures de travail. Elles ont quatre filles, au minimum, parfois plus…

– Si on n'y fait pas l'amour, qu'est-ce qu'on y fait ?
– En Belgique, on peut demander de l'argent à un homme pour le baiser…
– Où est le problème, alors ?
– Il est illégal de profiter de quelqu'un qui fait le métier. Une tenancière qui reçoit de l'argent d'une fille qui fait l'amour dans son bar est donc dans l'illégalité.
– C'est pourquoi on ne fait pas l'amour derrière ces vitrines-là ?
– Officiellement. Dans une carrée, il n'y a qu'une personne qui travaille. On paie le loyer au même prix qu'un locataire normal…
– Quel est le prix de votre carrée ?
– Environ 420 euros par mois, ce n'est vraiment pas cher…
– Pas cher ? Pour un « deux pièces avec lavabo » dans un quartier où les rues sont aussi étroites que sales, les maisons aussi tristes que peu entretenues ?
– Pour les clandestines, les loyers montent jusqu'à 2 500 euros et 110 euros dans les bars pour une pause de six heures.
– Qu'est-ce qu'il faut bosser pour rembourser tout ça ! Quel pourcentage votre location représente-t-elle par rapport à ce que vous gagnez ?
– …

IMPÔTS, ASSURANCES, ETC.

– Avez-vous une feuille d'impôts à remplir ?
– Comme tout le monde.

Elles veulent les avantages de la reconnaissance, mais pas les inconvénients.
SÉVERINE I.

« Les prostituées louent un espace en vitrine (bar) le temps de leur pause, c'est-à-dire pendant les six heures durant lesquelles elles vont occuper les lieux. Le loyer pour ce laps de temps est d'environ 75 euros. Ce montant est versé au propriétaire de l'endroit. […] Ce personnage est souvent quelqu'un qui ne se mêle pas de la prostitution de la fille. Il se "contente" de réclamer un loyer pour le moins élevé (cela lui rapporterait plus ou moins 8 700 euros par mois). Ce propriétaire est donc ce que nous appelons un proxénète hôtelier. […] Il ne se mêle jamais du rythme, de la qualité ou de la quantité de travail de la fille à condition qu'il ait encaissé son loyer. » [6]

– *Sauf que tout le monde…*

– Cette année, pour la première fois, je suis une vraie prostituée indépendante. Enfin, il reste quand même préférable de se déclarer « hôtesse ».

– *Pourquoi ?*

– Si l'État accepte l'argent d'une prostituée, il devient proxénète, vous comprenez ? Il préfère donc l'argent d'une hôtesse…

– *Vous faites-vous rembourser vos frais professionnels ?*

– Je n'ai ni registre de commerce, ni numéro de TVA.

– *Aurez-vous droit à une pension ?*

– À une pension d'indépendante qui n'a pas toujours pu déclarer ses revenus, donc minime.

– *Avez-vous droit au chômage ?*

– Je ne veux pas d'ennuis. De ma vie, je n'ai jamais bénéficié du chômage ni du CPAS. Je ne coûte pas cher à l'État.

– *Prenez-vous des assurances particulières ?*

– Comme tout le monde : assurance incendie, auto…

– *Oui, sauf que tout le monde… Et que faites-vous en ce qui concerne les agressions ?*

– Je ne pense pas à cela.

– *Bénéficiez-vous de « protections particulières » ?*

– Mon ange gardien…

NB. Sur l'ensemble des prostituées qui travaillent en Belgique, 10 % sont des Belges (ou assimilées) consentantes et 90 % sont des victimes de la TEH (Traite des êtres humains).

Séverine I.

Le temps, c'est de l'argent

– *Combien de temps par client ?*

– Quinze minutes, deux heures, une après-midi…

– *Une après-midi dans une sordide carrée !*

– Elle n'est pas sordide, ma carrée, elle est aménagée ! C'est ravissant. J'ai peint les murs en rouge, il y a beaucoup de bougies…

– *Le quartier est si glauque…*

– Il faut voir les intérieurs. Chez certaines filles, ça pue, c'est moche… Il y a de tout. Mais pour le client, la carrée, c'est toujours mieux que le bar où la patronne met de vieux trucs que les filles démolissent. Certains clients se foutent du cadre…

– Et d'autres aiment le sordide...

– Oui, cela fait partie du jeu. Chez moi, c'est très baroque, une atmosphère de nuit en plein cœur du jour.

– À quelle heure vous levez-vous le matin ?

– Vers dix heures.

– À quelle heure vous couchez-vous ?

– Pas avant trois heures du matin. J'ai été insomniaque et, aujourd'hui, j'ai toujours peur, alors je retarde comme je le peux le moment de fermer les yeux.

– Combien de temps pour vous préparer le matin ?

– Deux heures.

– Vous n'avez pas de clients le matin ?

– On trouve des filles pour toutes les heures du jour et de la nuit. Moi, je travaille entre midi et six. Et, comme une fonctionnaire, les week-ends et les jours fériés, je ne travaille pas.

– L'horaire est-il différent quand vous ne travaillez pas ?

– L'heure du lever, non. La préparation, oui. En dehors du travail, je ne me maquille pas. Mon maquillage reste là-bas.

– À combien de minutes de votre lieu de travail habitez-vous ?

– Un petit quart d'heure.

– Est-ce tous les jours la même chose ?

– Sauf quand je n'en ai pas envie.

– Jusqu'à quel âge peut-on exercer ?

– Je connais une femme de 82 ans dans les carrées.

– Elle fait des clients... ?

– Mais oui. Il y a des gens âgés, timides ou handicapés qui se sentent plus en confiance avec des dames comme elle, qu'avec des pin-up qui les balancent dès qu'ils sont trop moches... Là, au moins, ils ont l'illusion d'être aimés.

– À quel âge peut-on commencer ?

– Dès qu'on est à même de se rendre compte si c'est vraiment un choix. Moi, j'ai commencé à 21 ans.

Pendant les fêtes, les filles disent que leurs clients ont moins d'argent. En mai et juin, c'est autre chose. Il fait beau, les vacances sont proches et le treizième mois est déjà en poche. Elles ont peu de clients pendant les grandes vacances mais pas mal de clients à l'entrée et à la sortie des bureaux, avant de rentrer chez Madame.

SÉVERINE I.

Dans la Convention de New York de 1949, il est dit que le corps ne peut être marchandisé. La Belgique ayant ratifié cette convention, elle s'interdit ainsi de reconnaître la prostitution comme un métier et ne peut donc l'organiser ni la réglementer. On a eu des suspensions de redressement fiscal grâce à cette ambiguïté. L'État n'a pas voulu se mouiller en taxant les prostituées, de peur de devenir proxénète. Fabian D.

– *Ces filles ne participent donc jamais à la vie de la société ?*
– En contrepartie, elles n'ont aucune sécurité sociale.
– *Peuvent-elles avoir une mutuelle ?*
– Oui, mais pas d'assurance en cas de grossesse, de maladie…
– *Et si elles se déclarent en tant que travailleuses indépendantes ?*
– Pour certaines, c'est : « Quand la loi reconnaîtra la prostitution, les prostituées reconnaîtront l'impôt. » Fabian D. (extrait de l'entretien)

Sa vie – Son quotidien – Son style

– *Dans quel quartier habitez-vous ?*
– Dans un quartier familial de Jette (*Bruxelles*).
– *Maison, appartement (locataire, propriétaire) ?*
– Une copropriété dans ce que l'on appelle une « maison de maître ». Quatre pièces. Une chambre et un grenier. Quelques meubles anciens achetés quand j'avais 25 ans, quelques objets Ikea et Habitat. Quelques pièces uniques, une partie de mon héritage…
– *Avez-vous beaucoup d'appareils électroménagers ?*
– J'ai une vidéo, Canal +, pas de DVD, pas de machine à laver la vaisselle (j'adore la faire), mais une machine à laver le linge. J'ai un ordinateur, que je n'utilise pas ; un GSM, que j'ai reçu. Je déteste tout cela.
– *Comment vous déplacez-vous ?*
– En Peugeot 205, d'occasion.
– *Partez-vous en vacances ?*
– Rarement. La dernière fois, j'étais en Provence. J'ai également été à l'Exposition universelle de Lisbonne, de Séville, puis en Toscane… Je voyage plutôt en Europe. De toute façon, après douze jours, Bruxelles me manque.

L'argent est là, dans le couple, dans la famille, avec les enfants… Ce sont elles qui paient pour la vieille maman malade, pour l'école des enfants, pour la maison… Il y a une énorme pression qui fait que l'on parle parfois de « famille proxénète ». Séverine I.

– *Exercez-vous encore pendant vos vacances ?*
– Jamais ! Pour exercer, j'ai besoin d'être dans mon univers.

– *Portez-vous vos richesses ?*

– Non. Je n'ai même pas de montre. Je sais qui je suis. Je n'ai plus besoin de cela. Je préfère l'être à l'avoir. Quand on est jeune, on aime frimer, on croit que les gens vont vous aimer davantage.

– *Là, vous êtes maquillée ?*

– Non. Et ce n'est pas non plus la coiffure du boulot. Je ne vais chez le coiffeur qu'une fois par mois. Je ne suis pas une femme de luxe, encore moins un phare.

– *Peut-être parce que vous avez vos néons ?*

– Les néons rouges, en pleine journée, ne changent rien.

– *Pourquoi donc les allumer ?*

– Le néon identifie le bordel.

– *Décrivez-moi la tenue type d'une prostituée.*

– Moi, je suis en robe, courte et jolie. Je ne montre pas mes dessous. J'ai des bas et des jarretelles. Toujours en noir. C'est ma marque de fabrique.

– *Vous sentez-vous déguisée ?*

– Pas plus qu'un acteur. Le maquillage me protège, me rend plus sûre de moi.

– *Portez-vous des dessous chic ?*

– « Chic » est un grand mot. Ce sont de jolis dessous simples (Dim ou Mexx), que j'achète à l'Inno.

– *Restez-vous en tenue entre deux séances ?*

– Oui.

– *Portez-vous vos « vêtements de travail » dès le matin ?*

– Non. Tout est là-bas.

– *Quels produits utilisez-vous pour votre toilette ?*

– Les produits pour la peau et le maquillage sont très chers. Un petit pot peut coûter jusqu'à 250 euros.

– *Utilisez-vous des produits qui facilitent la pratique (lubrifiants, désinfectants, excitants…) ?*

– Non. Je suis bien lubrifiée, même ménopausée. Il y a des clients énormes, mais ceux-là, même avec des produits, je ne les laisse pas entrer entièrement.

Il ne faut pas oublier que c'est une mécanique qui fonctionne en pilotage automatique. Cette mécanique-là a toujours besoin d'un lubrifiant.
SÉVERINE I.

Ces filles-là font très attention à leur corps. Elles sont dans l'apparat, toujours bien habillées, bien bronzées, avec de beaux longs ongles, une teinture blond platine, de beaux bijoux et un petit chien. Attention, quand je dis toujours, il ne faut pas le prendre au pied de la lettre. On ne peut jamais généraliser.
SÉVERINE I.

– *Pratiquez-vous un sport qui facilite votre activité ?*

– Non.

– *Que mangez-vous le plus souvent ?*

– Les animaux sont mes amis, je ne mange pas mes amis. Je suis végétarienne.

– *Préparez-vous vos repas vous-même ? Mangez-vous bio ?*

– Oui, je prépare mes repas et je mange le plus souvent bio.

– *Consommez-vous des drogues dures ou douces pour vous mettre en condition ?*

– Plus maintenant, ou alors du thé, des cigarettes, du haschisch, du chocolat. Il est clair que la jeune Sonia a vécu. J'ai fait une tentative de suicide, je suis restée dans un coma profond et depuis, je vais mieux… Cela fait cinq ou six ans que je suis en paix. Il y a dix ans, j'ai commencé une thérapie…

« Nos propositions s'inscrivent dans la perspective d'une réglementation du travail du sexe en opposition au système abolitionniste et au système prohibitionniste, [...] systèmes qui cultivent l'utopie d'un projet de société sans prostitution [...]. Non, nous ne croyons pas à la possibilité d'une soumission totale des pulsions sexuelles à la raison et à la Loi ! Non, nous ne voulons ni d'un système de tolérance passive qui favorise l'exploitation et l'insécurité, ni d'un système répressif qui moralise et "clandestinise". Se prostituer n'est pas un délit. »[7]

« Le Nid est persuadé que les lois en vigueur constituent actuellement un moyen efficace de protéger les personnes qui se prostituent tout en luttant contre leur exploitation, pour autant que l'application du dispositif législatif se fasse de manière cohérente et systématique et que des moyens soient mis à la disposition des intervenants de terrain. Le Nid préconise d'urgence que les initiatives et ressources soient articulées autour d'une amélioration de la loi existante… »[8]

– *Avez-vous une femme, un homme de ménage ?*

– Non.

– *Dans quelle poubelle met-on les préservatifs ?*

– Dans mon quartier, à Saint-Josse, ils ne font pas le tri. Je mets donc tout dans la même poubelle.

– *Quelles sont vos lectures favorites ?*

– Adolescente, je lisais beaucoup… J'ai une culture littéraire très éclectique. Aujourd'hui, je lis quatre quotidiens par jour pour constituer mes revues de presse concernant la prostitution.

– *Pratiquez-vous un culte ?*

– Mon Dieu Jésus, non. Si Dieu n'a pas fait les hommes parfaits, ce n'est pas ma faute. Il n'avait pas à me créer. Eh ! mais, Marie-Madeleine, ce n'est pas une… ?

Le protecteur — le proxénète et la police

« D'après Interpol, une personne prostituée rapporterait en moyenne 107 000 euros par an à son proxénète. »[9]

– La prostitution est un métier qui ne doit jamais être fait sous contrainte physique ou psychique.

– *Si les contraintes physiques ou économiques peuvent être repérables, comment s'y retrouver avec l'insidieuse contrainte psychique ?*

– Il y a des contraintes psychologiques qui s'exercent en séquestrant la famille, les enfants... Et des contraintes psychologiques liées à l'affectif (« Ma chérie, je t'aime », etc.). On trouve beaucoup de prostituées paumées dont le maquereau fait figure de père.

– *Un mauvais père...*

– Que l'on aime quand même.

– *Avez-vous un / une accompagnateur / trice ?*

– Non.

– *Avez-vous un / une protecteur / trice ?*

– Non.

– *C'est possible de travailler sans ?*

– La preuve.

– *Vous ne ressentez pas le besoin d'être protégée ?*

– Je ne prends aucun risque. Si je sens que le client peut me poser problème, je ne l'accepte pas. Les autres...

– *Les victimes de la traite des êtres humains ?*

– Et celles qui sont maquées... Celles-là sont obligées de prendre tout ce qui passe. Moi, je ne fais pas de vagues, je suis modératrice. Il y a des filles qui promettent ce qu'elles ne donnent pas ou qui changent les prix en cours de négociation... Moi, j'ai un prix...

– *Qui est de ?*

– (Silence.) Et s'ils veulent rester plus longtemps, on change le prix.

– *C'est-à-dire ?*

– ...

– *Que pensez-vous du rôle du protecteur ?*

– Vous parlez du maquereau ? Pour moi, le mac est un substitut du père. Certaines filles sont tellement paumées, que, quand un gars leur porte assez d'attention pour qu'elles se sentent reconnues, il obtient d'elles tout ce qu'il veut.

– *Et si la fille apprend qu'il y a d'autres filles ?*

– Son but sera alors d'être la préférée et de bosser de plus en plus...

– *Que pensez-vous des hommes qui endossent ce rôle ?*

– Je ne supporte pas les macs.

– *Et les maquerelles ?*

– Elles sont pires.

– *Pourquoi ?*

– Parce que ce sont des femmes vieillissantes, qui le font payer aux plus jeunes.

– *Je ne comprends pas.*

– Une maquerelle doit être sévère.

– *Je ne comprends toujours pas…*

– Dans les rapports de pouvoir et d'argent, si !

– *Que pensez-vous du rôle de la police ?*

– Pas grand-chose. Elle me fout la paix.

« *Dans tous les cas de figure, l'affection n'était pas au rendez-vous. Ces femmes n'ont jamais été valorisées. Elles s'imaginent souvent ne pas mériter d'amour gratuit ; pour elles, l'amour n'est pas un droit. Elles achètent l'amour d'autrui, paient la présence de l'autre. […] La plupart de ces jeunes femmes ont connu une carence affective durant leur enfance. Un manque d'affection, d'amour et de valorisations narcissiques. […] Cette fragilité affective, cette faille dans le narcissisme ne contribuent pas à la construction d'une image positive de sa féminité. Ces femmes ont souvent un rapport difficile au père. Il leur a manqué le père et son rôle symbolique permettant à la petite fille de se positionner comme femme, indépendante et ouverte sur l'extérieur.* »[10]

Le client

– Combien de clients faites-vous sur la journée ?

– Minimum zéro.

– *Maximum ?*

– …

– *Votre meilleur souvenir ?*

– Un client avec lequel j'ai passé des soirées entières à boire du champagne…

De l'ouvrier à l'étudiant en passant par le cadre supérieur ou l'homme d'affaires… Il y a de tout… Et même des hommes extrêmement riches, de ceux qui aiment quand la prostitution s'affiche. Car si c'est pour avoir une prostituée qui ne ressemble pas à une prostituée…
Séverine I.

– *Votre meilleur souvenir : un client qui offrait beaucoup de bouteilles de champagne…*

– C'est important qu'il paie bien, oui. Mais, ce n'est pas le plus important. Avec cet homme, il y avait une complicité intellectuelle. C'était comme passer la soirée avec son meilleur ami…

– *Décrivez-nous un client type ?*

– Tous les hommes de la rue sont des clients potentiels. Il y en a de très beaux, de très vieux, de très jeunes, des timides, des pervers, des veufs, des frustrés, des handicapés, des impuissants, des trop gros, des trop cons, des qui viennent chercher un peu de réconfort, une écoute… Il y en a qui aiment faire la file, d'autres qui veulent être les premiers…

– Combien de clients fidèles avez-vous ?

– Je ne sais pas. J'ai certains clients depuis vingt ans… Je les ai connus à l'école, mariés, pères, divorcés, remariés.

– Leurs femmes sont au courant ?

– Ce n'est pas nécessaire.

– Acceptez-vous les très jeunes… ?

– Si je me sens pédophile, je refuse. C'est toujours une question d'intuition.

– Acceptez-vous les très musulmans ?

– Ça leur arrive si rarement d'être considérés qu'avec moi, ils sont charmants. Ils sont chauds et cela va très vite. Mais je vois qui je fais entrer.

– Acceptez-vous les très noirs ?

– J'en ai très peu. Ils préfèrent les noires.

– Acceptez-vous des clients chez vous ?

– Parfois, par facilité, lorsque je prends un jour de congé et que c'est un bon client. Mais je n'arrive pas à être pute chez moi. Je ne suis pas disponible.

– Lavez-vous vos clients ?

– Si le client sent mauvais, je lui demande de se laver. La première chose que je fais (il ne bande pas encore), c'est lui mettre une capote. Je ne touche pas le sexe sans capote.

– À quoi reconnaissez-vous une tête qui ne vous convient pas ?

– À quelque chose dans le regard… Une intuition, un instinct de survie…

– Refusez-vous des clients ?

– Ceux qui sont trop sales, pas nets. Ceux qui ont trop bu : c'est trop long, c'est trop mou, c'est… Oh non !

> Le prix fort est parfois utilisé comme une arme pour faire fuir le client indésirable.
> Séverine I.

– Comment faites-vous pour les refuser sans dommage ?

– Je ne dis pas « non ». Je dis que je ne suis pas libre, que j'attends quelqu'un, que je suis trop vieille (quand ils sont jeunes)… Il y a toujours moyen de le faire humainement.

– Votre souvenir le plus difficile ?

– Sûrement ces moments où des clients m'ont manqué de respect. Mais je les repère de plus en plus vite. Maintenant, dès que le client entre, je me place en sujet. Je ne laisse rien passer. Quand on fait l'amour, je suis évidemment objet, mais dès que c'est terminé, on éclate de rire… Il y a des clients avec lesquels ça ne se passe pas comme ça : ceux-là, je n'accepte même pas une seule seconde.

> Ce que l'on voit souvent, ce sont des prostituées qui abusent des clients amoureux d'elles.
> Séverine I.

– *Prenez-vous une pause entre chaque client ?*

– La ruée, les hommes qui font la file, c'est plutôt rare. Mais quand ça arrive, c'est assez stressant.

– *Vous manquer de respect, c'est vous battre ?*

– Jamais aucun client n'a levé la main sur moi. Le client qui bat est un mythe. Il est lié à un manque de vigilance. L'argent vient au second plan.

– *Personne ne force la porte ?*

– C'est gérable. D'ailleurs, je fais toujours semblant de ne pas être seule. Celui qui insiste me voit parler tout haut à quelqu'un qui n'existe pas.

– *Que pensez-vous de vos clients ?*

– Je les comprends (pas tous) et je ne les déteste pas. Je les aime plutôt bien.

– *Que comprenez-vous ?*

– Ils me parlent beaucoup. La « passe », le passage à l'acte, est ce qui dure le moins longtemps. Je suis à leur écoute pour savoir ce qui les amène chez moi, pour leur donner exactement ce qu'ils attendent. J'aime l'humain.

– *Et pourquoi viennent-ils chez vous ?*

– On a toujours dit aux femmes qu'elles pouvaient pleurer et aux hommes qu'ils devaient être forts. Ce n'est pas parce qu'ils ne pleurent pas qu'ils n'ont pas envie de pleurer…

– *Ils viennent donc pleurer chez vous ?*

– Ils n'ont que peu d'endroits où ils peuvent enlever leur peau.

– *Comme des petits bébés…*

– Oh, mais je suis assez salope sur ce plan-là. J'identifie très vite la demande et je les prends dans mes bras, je blague avec eux, je caresse leur visage, je les mets en confiance…

– *Vous les embrassez ?*

– Jamais !

– *Malgré le fait que vous cherchez d'autres rapports…*

> « Moi, je jouis trois fois : quand le client entre, quand il paie et quand il sort. »
> Séverine I.

– Ils ne le demandent pas, ils savent qu'on n'embrasse pas. Embrasser, c'est comme faire l'amour sans préservatif.

– *Comment expliquent-ils leur désir, besoin, envie… ?*

– C'est leur corps qui parle. En caressant l'un ou l'autre endroit du corps, on voit comment ils réagissent et repère vite ce qu'ils aiment… On comprend vite s'ils aiment être dominés ou pas.

– *À quoi le voit-on ?*

– À la façon dont ils se déshabillent, dont ils s'asseyent… Tout passe par les doigts.

– *Il y a deux catégories : dominés et pas dominés ?*

– Pas seulement. Certains veulent de la tendresse, d'autres que l'on soit vicieuse ; d'autres encore aiment être un peu brutalisés.

– *Avez-vous beaucoup de puceaux ?*

– Quelques-uns. Je ne fais rien qui puisse alors les dégoûter de la femme. L'un d'eux m'a dit une des plus belles choses : « Toi, je ne t'oublierai jamais. »

– *Pour le coup, vous vous en souvenez aussi...*

– Dix minutes dans une vie, qu'est-ce que c'est ? Mais là, c'était pour une vie.

– *Les clients de la nuit sont-ils les mêmes que le jour ?*

– La nuit, ils sont encore plus paumés que le jour...

– *Et donc plus faciles à abuser ?*

– Certaines femmes sont vraiment graves dans ce domaine...

– *De vraies putes !*

– En ce sens, moi, je n'ai jamais été une bonne pute. Je n'ai jamais ruiné un client...

« *De même, dans une affaire célèbre, le Conseil d'État français a déclaré contraires à la dignité humaine les spectacles et les compétitions de "lancer de nains" qui se développaient il y a quelques années dans certaines boîtes de nuit (Arrêt du 27 octobre 1995).*

C'était pourtant les nains eux-mêmes, en l'occurrence, qui tentaient de faire annuler des décisions municipales interdisant ces spectacles, qu'ils considéraient quant à eux comme leur seul gagne-pain possible. Le Conseil d'État a cependant rappelé que le concept de dignité humaine relevait de l'ordre public, ce qui implique que les individus, même d'accord entre eux, ne peuvent passer aucune transaction qui y serait contraire. »[11]

– *Cela fait pourtant partie de votre fonction, non ?*

– Non, sauf pour l'entraîneuse. Mais les hommes qui entrent dans ces bars doivent savoir ce qui les attend...

– *De la même façon, la prostituée fait croire à chaque client qu'il est « le coup de l'année, une bonne affaire, un sexe de Dieu »...*

– Mais ça leur fait du bien. Ça fait partie du jeu. Ils aiment y croire.

– *Le croient-ils vraiment ?*

– Qu'est-ce que cela change ? Sur ce

« *En effet, dans la prostitution, les personnes sont habituées à l'immédiateté, c'est-à-dire que le client paie immédiatement. Il faut donc travailler avec ces personnes la question du retard de la gratification et l'adapter au travail social. L'aspect du mensonge a également été relevé. En effet, les personnes suivies mentant assez facilement. La première chose à faire est de briser cette habitude qui est en fait un mécanisme de défense.* »[12]

terrain-là, il m'est arrivé d'être une bonne pute.

– *Vous voulez dire une « belle menteuse » ?*

– Je ne mens pas bien avec l'argent, mais bien avec le sexe.

– À quoi reconnaissez-vous un bon client ?

– Financièrement, c'est celui qui donne le double du prix qu'on lui demande. Pour moi, un bon client, c'est quelqu'un d'agréable dont je peux dire que je suis mieux après son départ qu'avant son arrivée…

– Comment vous paient-ils ?

– Certains paient avec des chèques-repas. Mais je suis suffisamment claire avec ce que je fais pour comprendre que ces chèques sont de l'argent et que je ne suis pas un repas. D'autres (les plus vieux) glissent l'argent dans le corsage, d'autres encore le posent rapidement sur la table, comme pour oublier qu'ils ont payé.

– Où conservez-vous cet argent ?

– Je le cache avant de commencer.

– Vivez-vous cachée ?

– Seulement pour mes voisins.

– Et vous n'irez pas leur dire avant la projection du documentaire ?

À la fin de la journée, elles ont du liquide dans leur sac. Parfois beaucoup. Et cet argent brûle. Aussitôt gagné, aussitôt dépensé, et aussitôt regagné. C'est une spirale sans fin.

Séverine I.

– Je vais d'abord leur dire que je m'occupe de la défense des prostituées et voir leurs réactions. Ensuite, je vais les éduquer…

– À savoir ?

– Leur dire : certaines personnes disent que toutes les prostituées sont des victimes ; elles mentent. D'autres disent que toutes les prostituées sont heureuses ; elles mentent aussi. La vérité est ailleurs.

Remarques

– Les notes signées Séverine I. sont extraites de l'entretien que j'ai eu avec elle le 7 mai 2003. Séverine Intini est « intervenante de terrain » pour le Mouvement du Nid (Bruxelles), une association qui propose une aide psycho-médico-sociale aux prostituées qui le demandent. Il s'agit d'un accompagnement et non d'une prise en charge, l'objectif étant l'autonomisation et la normalisation de la personne. La réhabilitation s'adresse aux personnes qui exercent la prostitution en général.

– Les notes signées Fabian D. sont extraites de l'entretien que j'ai eu avec lui le 23 mai 2003. Fabian Drian est « intervenant de terrain » pour l'Espace « P » (Bruxelles). « L'Espace "P" est un centre d'aide médico-psycho-sociale pour personnes prostituées dont l'objectif est d'adapter les droits sociaux des travailleurs du sexe à la réalité de leur travail, de créer un cadre législatif et social. Il ne s'agit pas de banaliser ou d'enjoliver la réalité du travail impliquant la sexualité mais de repenser les conditions de travail d'un secteur aujourd'hui livré à lui-même et à l'arbitraire. » (Extrait du Manifeste pour une approche plus juste du travail du sexe.)

Linda Lewkowicz est écrivain. Textes publiés aux Éditions Lansman, Groupe Aven, Alternatives Théâtrales, Cahiers universitaires de Louvain-la-Neuve, Cahiers de Prospero. Elle a écrit une correspondance avec Marcel Moreau : *L'amour est le plus beau des dialogues de sourds* (Éd. ULB Création), 2001.

NOTES

[1] Grisélidis Réal, prostituée suisse, née en 1927. Auteur de *Le noir est une couleur* (Balland, 1974) ; *La Passe imaginaire* (Manya / L'Aire, 1992) ; *Grisélidis Courtisane* (livre-vidéo), en collaboration avec Jean-Luc Henning.

[2] Ce documentaire est réalisé par Nathalie Delaunnoy, une jeune réalisatrice belge.

[3] BADINTER (Élisabeth), « Rendons la parole aux prostituées », in *Le Monde*, 31 juillet 2002.

[4] Extrait du *Manifeste pour une approche plus juste du travail du sexe*, une initiative de l'asbl Espace « P ».

[5] « Prostitution. À l'écoute des intervenants de terrain », in *Info Nid*, avril-juin 2002.

[6] *Ibid.*

[7] Extrait du *Manifeste pour une approche plus juste du travail du sexe*.

[8] *Rapport d'activité du Mouvement du Nid*, 2001.

[9] « Prostitution. À l'écoute des intervenants de terrain », *op. cit.*

[10] « Prostitution, quelles alternatives ? », in *Info Nid*, octobre-décembre 2001.

[11] *Prostitution. Réflexions & pistes d'action des Femmes prévoyantes socialistes*, novembre 2002.

[12] « Prostitution, quelles alternatives ? », *op. cit.*

Nathalie Gassel

L'ARGENT OU L'ODEUR INSISTANTE DU POUVOIR

L'argent me permettrait en ce moment de faire venir une compagnie charnelle dont j'ai grandement besoin. L'argent ne m'imposerait ni de prendre le temps de faire connaissance, ni de séduire, ni d'en venir à établir une relation au sein de laquelle je puisse demander tel ou tel service en échange de tel ou tel autre. L'argent permet ce raccourci où, d'emblée, je dis ce que je souhaite, comment, sous quelles formes précises, sans me soucier de répondre à mon tour à un besoin qui contrecarrerait la spontanéité du mien. Je peux immédiatement m'octroyer ce qu'il me plaît d'avoir. L'autre est là, je le choisis parce qu'il me séduira, c'est son travail, son talent reconnu, je l'aurai sur-le-champ, servi sur un plateau d'argent. Je pourrai dire : « Fais ceci, fais cela », sa chair me sera disponible dans ce rapport particulier où il s'agit précisément de mise à disposition, où tout se passe à ma manière. Une volonté importe, celle de celui qui achète. Le profit bien sûr est partagé. Cette monnaie d'échange permet à celui qui est acheté d'aller à son tour acheter, et à celui qui sert d'être ensuite servi. La relation se crée avec le vecteur argent, service, matière, achat, réversiblement, l'un s'octroyant ensuite ce qu'il vient d'octroyer en matière d'utilité, sous une autre forme. Plutôt qu'un échange longuement établi entre deux parties, on va droit au but. Lorsqu'on ne veut pas passer le temps de la tractation, de l'échange, de la délibération pour savoir ce que les parties peuvent s'apporter mutuellement, ce que la rencontre donne à l'un et à l'autre, on passe volontiers par la médiation de l'argent, qui remplace le bénéfice de l'une des parties. Si je paie pour du sexe, je sais que je peux y aller d'emblée, sans autre considération que mon plaisir. Je sais que je peux gagner ce temps important pour que mon appétit soit abrupt, le plus possible en adéquation avec l'immédiateté de la sensation. Je sais aussi que cela se passera dans l'ordre de mes conceptions, dès le départ acceptées par l'autre, dans la mesure où il en retire sa part de monnaie, de bénéfice direct. Tout cela serait possible dans un contexte de gratuité matérielle mais demanderait une élaboration particulière (alors que l'argent est déjà conceptualisé *a priori*, de façon générique). Cela demanderait de la complicité, plus de temps, plus de liens, on ne pourrait se limiter à quelques affinités sélectives précisément délimitées et définies. L'argent permet de ne pas focaliser mon attention sur des préliminaires, bref, de la concentrer sur mon plaisir. Il permet de sauter des étapes, d'aller immédiatement et essentiellement plus loin dans l'accomplissement d'une pulsion.

L'argent est un médiateur, un outil universel de troc. À force de condenser sur lui cette accumulation possible et virtuelle des avoirs, on le regarde avec des émotions diverses de dégoût, envie, convoitise, rejet, culpabilité, suspicion, il devient étrangement ambigu. Emblème symbolique de pouvoir, d'agent neutre, il se colore, prend des odeurs et fait figure.

Bien des passions ont fait passer l'argent loin de mes regards. J'ai porté ma vue sur différentes ivresses, qui n'offraient pas en échange de mon intérêt ce cher moyen universel de médiation. Je m'éloignais de lui avec indifférence et quelque agacement, mais son importance dans nos vies s'impose. Que de portes ouvertes pour des sens voluptueux, avides et capricieux, que d'orgies en perspective qui pourraient difficilement se concevoir autrement ! Culte esthétique ou passion ardente pour la beauté des corps, là aussi, l'entretien, le vêtement, le décorum, tout peut être transmué, amélioré, embelli par l'argent. L'argent peut donner amplitude à la beauté. Il maintient la santé par des soins performants, la génétique sera présente pour modifier au prorata d'actions coûteuses la longévité et son confort de vie. L'argent octroie la sensualité d'objets précieux. La richesse a permis des projets gigantesques : sans la fortune excessive des riches, pas de monuments, ni d'armées pour conquérir des terres avec le sang des pauvres. Avec l'argent, des villes ont été construites et dressées des architectures flamboyantes que seul l'argent peut encore entretenir.

Vecteur triste et gai. Il produit libertés et esclavages, et bâtit sur de sauvages extractions. Il sape, nourrit son pouvoir et sa séduction des inégalités. Que serait-ce qu'avoir de l'argent, si tout le monde en avait de façon équivalente ? Nous sortirions de la construction de cette identification à la valeur, toujours comparative, abandonnerions le système de surenchère et son prestige par surévaluations et conquêtes.

L'argent est beau et laid, et probablement à certains égards, ne peut-il rien. Parfois, maladie, tristesse et solitude ne sont pas de son ressort. Néanmoins, il peut souvent en freiner la chute vertigineuse. Malade, il est préférable d'être riche ; seul, on est apte à se payer les plus belles compagnies ; triste, on est capable de s'accorder les meilleures cures.

L'argent n'est véritablement mauvais que pour ceux qui n'en ont pas. Il n'est nuisible qu'à ceux que l'on en prive. L'argent détruit là où il manque. Mais aussi, il altère tout acte qui l'aurait pour finalité exclusive, en un effondrement intérieur. Les bâtiments dont la fortune n'a pas servi la beauté ou le culte d'une grandeur savamment inspirée, mais les seuls gains, s'enfoncent dans la disgrâce. En contrepartie, une humanité est restée confinée dans une absence à posséder ses projets propres. Parallèlement peuvent exister dans la pauvreté et parmi les privations des objectifs qui trouvent des chemins d'une envergure plus éclatante. L'argent est un système, un vecteur vide, seules des intentions et des réalisations lui donnent figures et expressions. Il est un métal, nous y imprimons des faces.

J'appréhende ses coups bas et sa jalousie. Il exige du temps, ses manières arrogantes énervent, il maintient un lien celé, nous harcèle afin que nous nous en occupions. J'aime mon autonomie, mais à lui, elle se donne comme une esclave.

L'argent, richesse et pouvoir, fait sauter les portes blindées. Il est représentation, sert celui qui le possède au détriment des autres, il a cette fonction magique. Il crée des scissions et des accointances, creuse des gouffres qui séparent, représente une somme d'audaces qui sert l'ego de ses détenteurs. Plaisir, magnétisme.

Braquer mon regard sur la matérialité fastidieuse des choses m'ennuyait, le résultat ne fut pas glorieux. Quoi ! celui qui possède l'argent prescrit davantage ses valeurs ou ses caprices ? Relative autarcie où l'on dirige plutôt que d'être dirigé, où l'on impose plutôt que d'être imposé. « *L'argent est la seule voie capable de conduire au premier rang une nullité. Je ne suis peut-être pas une nullité, mais je sais par exemple, par les miroirs, que mon extérieur me nuit, parce que j'ai le visage ordinaire. Mais si j'étais riche comme Rothschild, qui donc s'inquiéterait de mon visage ? Je n'aurais qu'à siffler et des milliers de femmes courraient à moi avec leurs "beautés". Je suis même convaincu que très sincèrement, elles finiraient par me croire beau. Je suis peut-être même intelligent. Mais si j'avais un front de sept pouces, il s'en trouverait vite un de huit, et je serais perdu. Tandis que si j'étais Rothschild, est-ce que ce sage de huit pouces aurait la moindre valeur à côté de moi ? On ne le laisserait même pas ouvrir la bouche ! Je suis peut-être spirituel ; oui, mais à côté de moi il y a Talleyrand, Piron, et me voilà éclipsé : tandis que si j'étais Rothschild, où seraient les Piron et peut-être même les Talleyrand ? L'argent sans doute est une puissance despotique, mais c'est en même temps la suprême égalité, et là est sa grande force. L'argent nivelle toutes les inégalités.* »[1]

L'argent se transforme en toute chose, un propulseur. Symbole du pouvoir d'acquérir, là où l'instinct dit : « Je veux », le moyen d'action de l'argent tente de répondre.

L'argent pèse du côté de l'être et du paraître – marque d'un tremblement et d'une sonorité scintillante. Il fait frissonner, pure image et miroir renvoyés à nos rêves. Les corps se vendent et se négocient jusqu'aux organes.

Derrière lui, *Nous* : désir de puissance ou de partage, pouvoir ou modération, intérêts ou idéaux. Il peut tout ce que nous avons inséré en lui, comme si, à un être, s'ajoutait cette dimension prodigieuse, voire féerique, d'un surcroît d'être.

« *L'idée dangereuse et exceptionnelle qu'il est un futur homme extraordinaire l'occupe depuis l'enfance* [...] *même si, finalement, il n'est pas extraordinaire, mais très ordinaire, l'argent lui donnera tout, c'est-à-dire le pouvoir et le droit de mépriser.* »[2]

Nathalie Gassel est écrivain. Autodidacte. Elle a écrit *Éros androgyne* (2001) ; *Musculatures* (2001) ; *Stratégie et passion* (à paraître, 2004) ; *Poétique du corps sportif* (à paraître, 2004). http ://www.nathaliegassel.fr.fm

NOTES

[1] DOSTOÏEVSKI (Fiodor Mikhaïlovitch), *L'Adolescent*, Pléiade, p. 94.
[2] DOSTOÏEVSKI (Fiodor Mikhaïlovitch), *Note pour L'Adolescent*, Pléiade, p. 13.

L'ARGENT PLUS FORT QUE L'ART

L'histoire se déroule dans les années cinquante ou soixante, à Montparnasse. Le galeriste Adrien Maeght raconte que, lors d'une visite de l'atelier d'Alberto Giacometti par un collectionneur américain, ce dernier tomba en arrêt devant un plâtre pour lequel il offrit à l'artiste une somme astronomique. Le lendemain, la sculpture était détruite. Giacometti avait été dérangé par la présence de cette pièce qui représentait tant d'argent et l'empêchait finalement de travailler. Elle avait été vidée de son sens artistique pour obéir à une réalité plus matérielle. Certainement, aux yeux de Giacometti, dans le couple contre nature art / argent[1], l'art devait avoir le dernier mot. L'œuvre méritait donc l'anéantissement.

Les historiens de l'art situent le grand bouleversement dans l'art du xxᵉ siècle à l'intervention de Marcel Duchamp. Pourtant, à y regarder de plus près et contrairement aux apparences, ce dernier avait des positions plus qu'orthodoxes dans son rapport au marché et à la création. Celui qui mit en place le concept selon lequel un porte-bouteilles ou une pissotière peut être une œuvre d'art du seul fait de la décision de l'artiste racontait à propos des années treize-quatorze, celles du début de sa carrière :

> « Ce fut un moment très important de mon existence. Je dus prendre de graves décisions ; la plus dure fut de me dire : Marcel, plus de peinture ; cherche du travail. Et je me mis à la recherche d'un emploi afin d'être à même de peindre pour moi. Je trouvai une place de bibliothécaire à Sainte-Geneviève, à Paris. C'était un emploi remarquable en ce sens qu'il me laissait de nombreuses heures de loisir.
>
> – Quand vous dites peindre pour vous-même, vous entendez ne plus peindre seulement pour plaire aux autres ?

– Très exactement. Cela me conduisit tout droit à la conclusion qu'il existe deux sortes d'artistes : les peintres professionnels qui, travaillant avec la société, ne peuvent éviter de s'y intégrer, et les autres, les francs-tireurs, libres d'obligations et d'entraves. [...] Peut-être vous faudra-t-il attendre cinquante ou cent ans pour toucher votre vrai public, mais c'est celui-là seul qui m'intéresse. »

À l'époque, il existait donc encore pour lui une sorte d'esprit de « pureté » relatif à l'idée de ne pas se laisser corrompre par l'argent. C'est certainement avec Andy Warhol que les choses ont pris un nouveau tournant. Non seulement Warhol veut avoir du succès immédiatement, mais surtout le succès et la célébrité sont la clef de son travail. La célébrité est même au centre de sa production – ses sujets de prédilection sont des portraits de stars – comme elle est, selon lui, au centre de la société. Il remarque :

« À l'heure actuelle, même si vous êtes un escroc, vous restez une vedette. Vous pouvez écrire des livres, passer à la télé, donner des interviews : vous êtes une célébrité et nul ne vous méprise parce que vous êtes un escroc, vous êtes quand même au firmament. C'est parce que les gens veulent avant tout des stars. »

Et après tout, quoi de plus starifié que l'argent dans la société capitaliste ? Le symbole de l'argent va, par l'intermédiaire de l'artiste, revêtir lui-même une valeur marchande. Warhol peint toute une déclinaison de sujets relatifs à la devise américaine. Il exécute des « dollar sign » (signe du dollar) et des « dollar bill » (dollar en billet) représentés en nombres variables et dans différentes couleurs. Officiellement, sa volonté est transparente. Rien de plus important que l'argent :

« Supposons que vous soyez sur le point d'acheter un tableau à 200 000 dollars. À mon avis, vous feriez mieux de prendre cet argent, d'en faire une liasse et de l'accrocher au mur. Quand on vous rendrait visite, la première chose qu'on verrait serait l'argent au mur. »

Mais plus loin qu'une simple provocation, on peut lire dans ces propos un désir chez Warhol de désincarner l'art selon sa notion classique, comme Duchamp l'avait fait avant lui dans une autre sphère. Il va trouver à l'art de nouveaux contours, une nouvelle acception. L'argent, établi en maître de la création, peut largement y contribuer. Un autre outil remarquable utilisé à cette fin est l'abolition du caractère unique de l'œuvre. À partir de la période pop, au milieu des années soixante, toutes les œuvres peintes de Warhol sont exécutées à l'aide d'un pochoir qui permet de répéter une image à l'infini sur des fonds différents. Le pochoir peut être réalisé dans des tailles diverses. L'intervention directe et continue de l'artiste n'est plus nécessaire. Il suffit qu'il ait eu l'idée de l'œuvre et que, peut-être, il ait jeté un regard sur elle avant de la signer.

> « *Si je peins de cette manière, c'est parce que je voudrais être une machine et quand je travaille comme une machine, je sens que j'aimerais faire exactement ce que je suis en train de faire.* »

Une machine, oui, mais une machine pensante. Warhol signe et livre des œuvres qui ont l'apparence de la peinture classique – une toile, une représentation – mais qui n'en sont pas. Il a ouvert le chemin à une infinité d'artistes et à un marché de l'art différent. En évacuant le caractère artisanal de la production du peintre – fait de sa main –, il a permis un développement colossal du marché de l'art, organisé comme un marché de biens de luxe. Plus de quarante ans plus tard, ses principes sont appliqués de manière confondante et sans trop d'innovations par ceux qu'on appelle désormais des « plasticiens ».

L'un des artistes les plus en vogue actuellement est le Japonais Takashi Murakami, qui vit entre Tokyo et New York. Il a marqué l'actualité récente des ventes aux enchères internationales par un prix record obtenu en mai 2001, à New York, pour une sculpture en fibre de verre représentant un personnage féminin d'inspiration manga : 421 078 euros. On peut lire dans le catalogue de l'exposition dont il a été l'objet pendant l'été 2002 à la Fondation Cartier, à Paris :

> « *Mon ambition était de faire un mélange d'Anselm Kiefer et de Jeff Koons. [...] Lorsque de nouveaux artistes prometteurs font leur apparition sur le marché, plusieurs facteurs peuvent justifier leur lancement : ils vendent bien, ils font quelque chose de radicalement nouveau, ils ont du potentiel. [...] La scène artistique possède un marché de distribution réduit, qui se compose de quelques gens aisés et de musées [...].* »

Ou encore, lorsqu'il justifie l'installation de son atelier new-yorkais après celui de Tokyo, animé par plus d'une dizaine de petites mains :

> « *J'ignorais complètement le dynamisme et les conditions concrètes qui caractérisaient le marché américain : les personnes qui faisaient bouger les choses au niveau des galeries, la provenance des financements, les tendances qui orientaient le marché dans telle ou telle direction et qui changeaient tous les six mois, notamment lors des ventes aux enchères. Je me suis rendu compte qu'à défaut d'être au courant de tout cela, j'allais vite être dépassé, et que posséder une base à New York était nécessaire afin de récolter toutes ces informations.* »

En termes de marketing, Murakami a orchestré sa carrière comme le ferait un manager de *boys band*. Il n'y a rien de mal à cela. La société est en demande de ce genre de « produits ». Murakami appartient, selon la classification de Duchamp, à la catégorie des artistes professionnels. Il intervient dans la conception de l'œuvre et au stade de sa réalisation comme le manager d'une petite entreprise. Finalement, on peut se demander si l'artiste professionnel du XXIe siècle n'incarne pas tout simplement la disparition de l'artiste. Une disparition orchestrée par le marché lui-même.

QU'EN EST-IL DE L'ŒUVRE D'ART ?

Depuis qu'elle a été privée de son prétexte spirituel – de tout temps l'artiste créa à la gloire de Dieu –, l'œuvre d'art est en quête permanente de nouvelles références. Recherche du beau, recherche du grandiose, recherche de l'émotion, recherche d'une idée choc, recherche de la transgression. Pourquoi créer ? Finalement, pour le peintre, supprimer Dieu comme source d'inspiration ultime revient à faire de « l'art pour l'Art ». Mais pour nombre d'amateurs et donc d'acheteurs, « l'art pour l'Art » n'est pas une raison suffisante… C'est alors qu'entre en jeu le culte de l'argent. Faire de l'art « pour l'argent » ou plutôt « contre de l'argent », c'est donner un critère tangible de valeur, un étalon. C'est rendre l'art accessible à l'homme, afin que l'homme se prenne un peu pour Dieu.

Les premiers pas de la sécularisation de l'art ont été faits, selon les spécialistes, au moment de la Révolution française. Tableaux, sculptures et même églises furent détachés de leur vocation première pour devenir des œuvres simplement mais sublimement esthétiques. Dès lors, les critères d'appréciation devenaient relatifs…

Ce « fétichisme de la valeur » s'exprime d'autant mieux que l'œuvre se dématérialise. Cette « intangibilité » de l'art actuel utilise deux vecteurs de prédilection : d'une part, les œuvres conceptuelles et, d'autre part, les œuvres en série limitée.

Le « concept » est à la base d'une large partie de la production artistique actuelle. Son principe : « *Visant à la dématérialisation de l'art, libéré de toute contrainte technique ou de genre, il apparaît comme une tendance protéiforme de l'avant-garde, aux frontières mal définies.* »[2] Autrement dit, il consiste à vendre une idée. Monnayer une idée artistique, c'est un peu monnayer du vent – elle n'est pas vouée à une application technique par exemple – ou une trace écrite, illustrée, etc. de cette idée sur un papier, ou sur une toile, ou dans un espace. Mais finalement, dans une société loin d'être détachée des valeurs matérielles, la trace la plus tangible de ce concept mis en place par l'artiste sera celle de l'argent contre lequel il est échangé.

Le visage paradoxal de ce type d'œuvres se révèle lors de leur mise aux enchères. En mai 1999, par exemple, dans la vente d'art contemporain de Christie's New York, le lot le plus important était une toile de l'Américain Robert Ryman, peinte en 1966. Intitulée *Signet 20*, elle représente sur une toile carrée de 157,5 cm par 157,5 cm des bandes blanches horizontales sur un fond blanc. Bien que la toile (estimée à 1,5 million de dollars) n'ait pas été vendue, j'ai choisi d'en parler pour l'intérêt du texte de catalogue qui l'accompagnait. Transformée en théoricienne de l'art, la société commerciale Christie's n'hésitait pas, loin de toute préoccupation matérielle, à déclarer :

> « *Les toiles de Ryman ne sont pas des tableaux, elles ne représentent rien du tout, même pas une abstraction, en fait pas comme le terme est usuellement entendu. Elles ne sont pas des signes ou des expressions, elles sont des expériences.* »

Ce non-tableau en blanc sur blanc resta invendu. Mais depuis lors, le 15 mai 2002, *Uncle up*, une autre toile ancienne de Ryman, a été adjugée pour 1,8 million de dollars. Le marché a-t-il mûri ? À l'heure actuelle, l'artiste américain est considéré comme l'un des très grands dans ce lieu trouble de l'art qui se situe entre art conceptuel et art minimal.

De manière tout aussi complexe, d'autres modes d'expression contemporains viennent remettre en question l'identité de l'œuvre d'art classique. Il s'agit le plus souvent d'images photographiques, dignes héritières des préceptes mis en place par Andy Warhol. Le principe vaut pour la photographie dite plasticienne (par opposition à la photographie de photographe), qui tend à se rapprocher du tableau par son grand format et par son tirage très limité. Trois ou six exemplaires ? Juste assez pour faire monter les prix et faire envie aux voisins par le biais du catalogue de vente. Les amateurs, acteurs du marché de l'art actuel, ont dépassé le stade de la recherche de l'œuvre unique. Ils veulent non pas ce que personne n'a, mais plutôt ce que la personne qu'ils jalousent, ou l'institution qu'ils prennent pour référence, possède déjà. C'est comme cela que des adjudications records ont été atteintes.

En 1936, Walter Benjamin assimilait déjà l'importance accordée à l'original à un fétichisme bourgeois.

Le marché de l'art nage en plein paradoxe. Alors que l'œuvre contemporaine est en voie de dématérialisation du fait, entre autres, de son hyper-reproductibilité, son prix, grâce à l'intervention marketing des maisons de vente, n'a jamais été aussi élevé. Disparition de l'artiste, disparition de l'œuvre d'art... Seul semble rester l'argent, en attendant une remise en question des cotations.

Cela dit et pour conclure par une note plus optimiste sur l'existence d'un art par lui-même, on trouve aussi actuellement dans l'art contemporain reconnu et à la mode une autre alternative qui table peut-être moins sur les notions de succès et d'argent. Pierre Huyghe, un des derniers représentants de la France à la Biennale de Venise, récent lauréat du Hugo Boss Prize décerné par le Guggenheim Museum de New York, conte une petite anecdote relative à la possession de l'œuvre d'art[3] :

> « *Un collectionneur voulait posséder une œuvre de Michael Asher tout en pensant que le travail de Michael Asher ne pouvait s'acheter. [...] Le travail de Michael Asher consista à bouger le mur mitoyen qui séparait la propriété du collectionneur de celle de son voisin en le déplaçant vers la maison du collectionneur. Le collectionneur possède donc le mur, cette limite, cette séparation qui lui prend de l'espace et en quelque sorte l'emmure. En revanche, le voisin gagne l'espace de ce mur. Le point intéressant de cette histoire, c'est que le collectionneur perd de la place dans sa propriété par le désir de posséder. Gagnant un espace mental d'un côté, il perd un espace physique et matériel de l'autre.* »

À partir de cet exemple, il conviendrait de développer l'idée d'une œuvre d'art qui ne peut s'acheter. Il s'agirait du plus bel avatar produit par la société capitaliste.

Judith Benhamou-Huet est diplômée en droit et en sciences politiques, responsable de la rubrique « Marché de l'art » du quotidien économique *Les Échos* et du mensuel artistique *Artpress*. En 2001, elle a écrit un livre sur les rapports entre l'art et l'argent, publié aux éditions Assouline : *Art Business. Le marché de l'art ou l'art du marché.*

NOTES

[1] Je parle de couple contre nature, car la notion d'œuvre d'art pour exister *a priori* ne doit pas être liée de manière inévitable avec sa valeur marchande. Selon une définition idéale, l'œuvre d'art est un objet par essence unique qui a conquis une valeur intrinsèque, indépendante de sa signification religieuse, de son usage pratique ou de son poids en métal précieux. Un symbole de liberté. Une vue de l'esprit, une transcription de l'âme...

[2] *Dictionnaire de l'art moderne et contemporain*, Hazan, 1992.

[3] Publié dans *Collections d'artistes, collection Lambert*, Actes Sud, 2001.

UNE ÉTHIQUE DE L'AR[

L'ARGENT :
ÉTHIQUE ET RÉALITÉ

JACQUES SOJCHER – *Qu'est-ce qu'une valeur ? L'argent est une valeur, mais que signifie le mot « valeur » ?*

ÉTIENNE DAVIGNON – La réponse est complexe dès lors qu'on évoque une chose aussi centrale. Car l'argent est devenu une préoccupation centrale dans la vie de chacun, et non plus un simple instrument de l'échange. Toute structure qui néglige l'importance économique de l'argent se trompe et toute structure qui fait de l'argent l'armature centrale de l'organisation sociétale se trompe de la même manière. L'argent répond à une série de besoins qui ne peuvent être satisfaits simplement par le jeu de la vie économique. Nos sociétés actuelles se rendent bien compte que l'argent qui entre dans les caisses de l'État par le biais de la fiscalité doit être réinjecté par l'État dans l'organisation de la société.

J'hésite à dire que l'argent est une valeur philosophique. Mais est-ce une valeur sociale ? La réponse est « oui ». Par le jeu qui prévaut dans nos sociétés sophistiquées et dans lequel l'argent n'est pas seulement l'instrument de l'échange économique, mais aussi celui de l'organisation sociétale (*cf.* l'enseignement, les soins de santé, etc.). Qu'on le veuille ou non – n'en déplaise à ceux qui rêvent d'une société dématérialisée –, l'argent est un facteur important de l'organisation de la vie sociale, et le bon fonctionnement de la réalité économique permet de satisfaire des besoins essentiels qui ne le seraient pas autrement – comme on le voit dans les pays pauvres qui n'arrivent pas à créer de la croissance. Tout cela afin de rendre la vie en commun à la fois tolérable et aussi juste que possible.

– *Est-ce que l'argent n'est pas aussi une valeur au sens concret d'une valeur monétaire ? Beaucoup de petits épargnants manifestent de l'angoisse face aux « accidents » de la Bourse, par exemple. La valeur « argent » n'est pas toujours la même, il y a une fluctuation de la valeur monétaire qui ne semble pas entièrement régulée, à moins que ce ne soient des accidents de parcours...*

– Cette réflexion est tout à fait juste, d'autant plus dans la société d'aujourd'hui, qui a connu une stabilité monétaire en quelque sorte trompeuse. En effet, on a fini par croire qu'un investissement dans une société cotée en Bourse conduisait nécessairement à une augmentation régulière de cette valeur. Or, comment pourrait-elle augmenter de manière régulière puisqu'elle est soumise aux aléas de l'économie ? Chacun sait que l'économie actuelle est dépendante d'un certain nombre d'éléments que personne ne contrôle, parce que la croissance n'est pas continue. Mais la plupart des gens ont oublié cet aspect de précarité. Deux chiffres très simples vont le faire apparaître : 1° Dans nos pays, l'économie croît entre zéro et trois pour cent ; 2° Les bénéfices des sociétés, pour permettre l'augmentation de la valeur de l'investissement, ont grimpé en moyenne de plus de dix pour cent au cours des dernières années. Où trouve-t-on cette valeur supplémentaire ? Si une entreprise dégage des bénéfices plus importants que la hausse de la consommation ou de la croissance économique réelle, elle doit la trouver en cherchant dans trois directions. La première, c'est en améliorant son travail afin d'apporter une qualité de produit ou de service supérieure à un prix moindre. La deuxième, c'est en découvrant quelque chose de neuf, grâce à l'apport des technologies nouvelles, de manière à satisfaire des besoins qui ne l'étaient pas antérieurement. La troisième, enfin, c'est tout simplement en pénétrant de nouveaux marchés. Ces trois facteurs ne sont pas extensibles à l'infini. On ne peut pas accroître la productivité indéfiniment, puisqu'il y a une relation entre les produits ou les services que l'on propose et ce que cela coûte. Quant à la technologie, elle fonctionne par vagues, et elle détruit aussi de la valeur en condamnant les services devenus obsolètes. C'est la théorie de la destruction constructive, selon laquelle le résultat net est supérieur à la situation préexistante, même si l'on se rend compte qu'il ne se répartit pas selon une moyenne : il y a des gagnants et des perdants.

En ce qui concerne l'attraction du gain (je ne parle pas de celle du lucre), je pense qu'à un moment donné, une certaine prudence a disparu. Certains ont oublié que ce qui monte peut descendre et que, même quand cela monte d'une manière régulière, cela peut toujours descendre. Dans un tel contexte, le risque est plus grand pour certaines personnes que pour d'autres. Il est clair que si votre épargne est petite, votre risque est plus grand de la voir disparaître que si, pour votre épargne, vous jouissez d'un « superflu ». C'est pour cela que nos sociétés ont construit des systèmes de pensions, d'assurances, qui sont évidemment moins attractifs que les gros gains que l'on peut obtenir de manière spéculative, mais qui ne provoquent pas l'angoisse de l'épargnant.

– Je voudrais aborder la question de l'argent comme facteur de progrès social. En théorie, si la croissance augmente, même les plus pauvres en

bénéficieront, mais – pourrait dire Pascal Bruckner – ce ne sont que des miettes qui tombent et la disparité entre pays riches et pays pauvres augmente. C'est l'une des questions qui ont été posées à la conférence de Johannesburg. Y a-t-il un remède ? Y a-t-il des plans fiables pour qu'en 2015, en 2020, il y ait moins de pauvreté dans le monde et, par conséquent, moins d'injustice sociale ?

– Tout d'abord, je voudrais réagir à propos de cette idée de « miettes », que je trouve un peu facile. Si on y regarde de plus près et qu'on fait l'analyse de ce qu'étaient nos sociétés au sortir de la guerre, pour prendre un élément de rupture, et où elles en sont aujourd'hui, force est de constater que les changements sont extraordinaires en ce qui concerne le niveau de bien-être…

– Vous parlez de l'Occident ?!

– Je parle des autres pays aussi. Car il faut bien reconnaître que la capacité de s'occuper d'autrui est inéluctablement fonction de la capacité à avoir satisfait d'abord ses propres besoins essentiels. Je ne pense pas qu'une situation dans laquelle tout le monde serait pauvre, mais à un niveau moindre, permettrait de répondre à des besoins de solidarité à moyen ou à long terme. Si l'on considère les changements opérés en une cinquantaine d'années dans nos pays occidentaux, que ce soit au niveau du bien-être, de la solidarité ou des garanties, on est face à deux mondes différents. De même, si on regarde les statistiques concernant le niveau des infrastructures, des écoles, des terrains de sport, des piscines, ou la qualité des maisons. Il y a eu une évolution extraordinaire. Je ne crois donc pas que l'on puisse déduire de la manière dont notre société s'est organisée que la promotion sociale n'a pas été extrêmement importante. Est-elle suffisante ? Par définition, jamais.

– Ma question portait principalement sur les pays du Tiers Monde…

– Cette question-là est nécessairement complexe, et le tableau se doit d'être nuancé. Vous avez une série de pays qui n'ont pas de richesses : ils sont géographiquement mal placés, ils n'ont pas d'accès vers l'extérieur ni de ressources naturelles ; ce sont des pays handicapés. Paradoxalement, il est intéressant de noter qu'une série de ces pays, grâce à la qualité de la gouvernance qui s'est mise en place, ont fait plus de progrès que d'autres qui disposent de ressources mais qui les ont mal utilisées. Un certain nombre d'États africains entrent, hélas, dans cette deuxième catégorie. Le Congo ou le Nigeria, par exemple, ont des capacités réelles de développement. Seulement, compte tenu de leur histoire, ils n'ont pas été capables de gérer le pays dans une orthodoxie suffisante pour aboutir à une redistribution des moyens, et il y a donc eu un appauvrissement généralisé. Cette situation n'a cependant rien à voir avec le fait que d'autres pays ont poursuivi leur expansion. Est-il vrai que les pays riches sont devenus plus riches et qu'un certain nombre de pays pauvres sont devenus plus pauvres ? Les statistiques sont là pour le prouver. Mais peut-on en déduire qu'ils sont devenus plus pauvres parce que d'autres pays sont devenus plus riches ? La réponse est « non ». Et je mets quiconque au défi d'avoir un débat sérieux et non philosophique sur cette question. Je ne me prononce pas sur le caractère désastreux du tableau que je viens de brosser, et l'adjectif que j'emploie montre bien ce que j'en pense, mais en inférer que la richesse des uns est la cause de la pauvreté des autres est inexact.

Si, comme l'Union européenne l'a fait avec des États africains, vous accordez des privilèges à un pays sans rien demander en contrepartie, dans une relation tout à fait différente de la négociation commerciale entre égaux, et que ce pays ne tire pas avantage de ces privilèges, c'est en grande partie que son organisation n'est pas bonne. Un élément qui est souvent passé sous silence, c'est que les pays qui ont le mieux appliqué les règles d'orthodoxie, quelles que soient leurs richesses réelles, ont généralement prospéré davantage que ceux qui ne l'ont pas fait. L'un des points difficiles est donc, outre le décalage entre pays riches et pays pauvres, la disparité qui existe à l'intérieur même de ces pays entre ceux qui ont et ceux qui n'ont pas. Une issue est possible, mais à long terme et sans concessions. Nous avons découvert dans nos propres sociétés que la solidarité n'impliquait pas un soutien sans contrepartie : chacun doit, en quelque sorte, se prendre en main, et ne pas compter simplement sur une assistance extérieure, qui permet de se dégager de ses propres responsabilités… Certes, il faut de la solidarité ; certes, il faut du soutien et de l'aide, mais là où je suis en désaccord avec certains, c'est lorsqu'on dit : « S'il y a une contrepartie à la solidarité, c'est inacceptable. » L'idée de contrepartie n'a rien à voir avec une quelconque pression politique ou économique scandaleuse ; il faut simplement créer les conditions adéquates pour s'assurer que cet élan de solidarité n'est pas détourné de son objectif et qu'il est injecté dans des structures à long terme qui requièrent une gouvernance acceptable.

– Il y a des conceptions différentes de la mondialisation et du grand marché. Dans quelle mesure une certaine éthique du marché mondial est-elle possible ? Le « démon » souvent montré du doigt, c'est le capitalisme incarné par la politique américaine : son absence à Johannesburg, son désintérêt pour la couche d'ozone, pour le problème de l'eau… Bref, un capitalisme dur, éloigné de toute préoccupation sociale. Personne, sauf quelques rêveurs, ne conteste l'idée même de mondialisation, mais des conceptions très différentes s'affrontent aujourd'hui…

– Je crois que ce que vous venez d'indiquer est une caractéristique de ce qu'est la vie en société. Moi, je suis très proche de ce qu'exprime quelqu'un comme Pascal Lamy, à la Commission : nous avons pris du retard à l'allumage. Non pas sur le développement de la mondialisation, qui est une chance pour tout le monde – vous l'avez dit, seuls les rêveurs ne s'en rendent pas compte – mais bien sur les règles de gouvernance de cette nouvelle société. On ne va pas revenir à une économie de subsistance pour tous ; il faut donc donner à chacun les atouts que les pays développés donnent aux pays moins développés. On se rend compte immédiatement de la complexité de cette question aux fortes réactions qui se manifestent dans les pays développés lorsque des pays qui le sont moins leur prennent des marchés. Certains disent : « Ils ont un avantage, leurs salaires sont moins élevés – exactement comme les nôtres étaient moins élevés il y a cent ans – donc, il ne faut pas leur accorder cet avantage. » Ils ont droit à cet avantage, au contraire, parce que c'est ce qui leur permettra d'augmenter les salaires au fil du temps, compte tenu des ressources nouvelles et du degré de développement qu'ils auront obtenu.

Où se situe le problème, alors ? Comme je l'ai dit plus haut, nous sommes en retard sur les règles de gouvernance de cette nouvelle société. Nous les cherchons encore, ce qui n'est pas facile. Il est évident que l'évolution du monde requiert aussi des changements dans la manière de le gouverner. Et c'est là que l'on tombe sur un paradoxe : les structures internationales sont critiquées par un certain nombre d'acteurs et de commentateurs, alors qu'elles sont par définition la réponse même au problème posé. On met en cause l'Organisation mondiale du commerce, alors qu'elle représente tout de même un formidable progrès par rapport à ce qui existait auparavant. Pourquoi ? Parce qu'elle gère un certain nombre de règles que l'ensemble des États a acceptées. Hier, un conflit commercial entre le Nicaragua et les États-Unis se serait réglé en fonction du rapport de force entre les deux pays (cela aurait donc été vite réglé !). Aujourd'hui, le différend est porté devant l'Organisation mondiale du commerce : si celle-ci reconnaît que la thèse du Nicaragua est juste et que celle des États-Unis est fausse, le Nicaragua obtient une compensation pour la perte qu'il a subie. Sans cette organisation internationale, rien de tout cela ne pourrait se produire. Voyez les grandes crises financières qui ont frappé l'Argentine ou d'autres pays... On critique la manière dont on essaie de sortir ces pays de la crise, mais on ne critique pas le fait qu'ils aient pu en arriver à une telle situation, c'est-à-dire l'incapacité d'intervenir à temps lorsqu'un État s'engage dans une politique qui, à l'évidence, va s'avérer catastrophique à terme (c'est le cas de l'Argentine). Pour casser l'inflation, l'État argentin a décidé à un moment donné d'imposer la parité entre sa devise et la devise américaine. Par la suite, ce qui était une bonne idée ne l'a plus été et il aurait fallu avoir le courage d'adapter la monnaie et de prendre les mesures d'accompagnement qui s'imposaient. Cela n'a pas été fait, si bien qu'au lieu de se retrouver face à une difficulté, on s'est retrouvé face à un cataclysme !

À l'heure actuelle, la structure internationale n'est pas capable d'intervenir lorsque la difficulté se profile à l'horizon ; elle ne peut intervenir que quand la crise se produit, avec toutes les complications et tous les coûts supplémentaires que cela implique. Nous sommes à la recherche d'une structuration de la gouvernance, que la mondialisation réclame. Nous n'y sommes pas encore, c'est une chose compliquée. Lorsqu'on sait combien la construction européenne entre des pays comparables a été difficile, on imagine bien que ce sera plus difficile encore avec des pays qui n'ont pas cette histoire et qui ont en outre des difficultés de gestion. Mais je ne suis pas pessimiste...

– N'y a-t-il pas des incompréhensions ou des révoltes nationales par rapport à l'Europe ? Les agriculteurs français ne sont pas toujours heureux des décisions européennes... Et si on se place à l'échelle du monde, les nationaux n'ont-ils pas une certaine difficulté à comprendre ce qui se fait à un échelon supérieur ? L'économie n'apparaît-elle pas comme quelque chose d'opaque, d'occulte ? Je ne dirais pas que c'est la main de Dieu, comme dans le libéralisme du XIXᵉ siècle, mais le citoyen ne comprend pas très bien ce qui se passe et il est souvent frustré.

– C'est une constatation inéluctable et le cas de l'agriculture, que vous venez de citer, est un très bon exemple. Nous avons décidé, dans l'équilibre de notre société, que l'agriculture était importante et qu'il fallait donc mettre en place un système de soutien aux agriculteurs, compte tenu du fait qu'il n'était pas toujours évident que les produits qu'ils mettaient sur le marché fussent concurrentiels avec des produits que d'autres, bénéficiant de meilleures conditions d'exploitation, pouvaient proposer. En toute logique, nous avons décidé – c'est ce que nous disions tout à l'heure concernant la répartition des ressources publiques – de donner à cette catégorie de la population, pour diverses raisons, un élément de soutien et de renfort. Mais est-ce que cet élément peut être explicitement financé par la fermeture de nos marchés à d'autres agriculteurs du monde qui ont la capacité de produire de manière plus efficace que nous ? Comment, d'une part, assurer un appui à nos agriculteurs et, d'autre part, ne pas priver de ressources d'autres États qui, eux, n'ont pas la faculté de les remplacer par d'autres revenus ? C'est tout le débat.

Le point sur lequel vous mettez l'accent, c'est qu'il faut pouvoir expliquer les enjeux et les décisions. Aujourd'hui, l'égoïsme des dirigeants politiques consiste, en quelque sorte, à prendre des décisions cohérentes avec une approche plus générale des problèmes, mais à refuser d'en assumer la responsabilité et l'explication en s'abritant derrière une autorité dont ils font semblant qu'elle leur échappe. Cette attitude ne peut que susciter de la frustration. Or, il est tout à fait évident que des décisions prises au niveau européen ne peuvent pas l'être si les gouvernements ne sont pas d'accord.

« C'est pas nous, c'est l'Europe » est une explication médiocre et fausse. Médiocre parce que fausse : si un consensus ou un accord ne peut pas être atteint, la décision ne se prend pas. Je pense que les dirigeants politiques font là une erreur de calcul énorme, parce que cette frustration qui augmente, elle devra un jour être gérée. Il faudra donc un jour expliquer comment et pourquoi certaines mesures se substituent à d'autres. S'il y a moins de poissons, il faut réduire le nombre de bateaux qui les pêchent, sinon tout le monde risque d'en subir les conséquences. Ce n'est pas une autorité abstraite et bureaucratique qui, tout à coup, décide : « Tiens, je trouve qu'il y a trop de soles ou trop de cabillauds, on va arrêter ça. » Il y a une raison. Je crois que nos systèmes actuels pèchent par un refus d'assumer la responsabilité d'actions menées pour des motifs de caractère général, et pas simplement de caractère particulier.

– *Une économie de marché pousse à la consommation. La valeur des produits, même de ceux dont on n'a pas besoin, devient considérable. Le risque, c'est que, le produit ayant une valeur en lui-même, les consommateurs deviennent eux-mêmes un produit. N'y a-t-il pas là une dérive dangereuse ? Comment peut-on la contrer ?*

– Aucun système n'est parfait. L'économie de marché a l'avantage de privilégier l'initiative, donc la créativité, l'esprit d'entreprise et le talent des personnes. Si votre société n'est pas structurée en fonction d'une prime qui récompense ceux qui « en veulent » par rapport à ceux qui « n'en veulent pas », votre société stagne. La difficulté consiste à protéger le consommateur, qui ne s'est pas nécessairement fait sa propre religion de ce qui vaut la peine et de ce qui n'en vaut pas. C'est vrai pour l'économie ; c'est vrai pour tout. On met en place des structures contre l'endettement excessif, pour protéger le consommateur de ses propres excès. Mais c'est un exercice délicat parce que cela suppose qu'une entité publique se substitue au bon sens et à l'esprit de raison de l'individu. Et on en revient alors à des questions essentielles : notre société est-elle suffisamment éduquée ? L'éducation permet-elle aux gens d'atteindre au discernement ? C'est l'exercice le plus important. Le reste, c'est des garde-fous pour éviter certaines conséquences involontaires d'un système par ailleurs meilleur que les autres. Force est de constater que les pays à économie de marché ont obtenu de meilleurs résultats que les autres, y compris au niveau de la réalité objective de leur développement. L'échec des régimes totalitaires communistes est révélateur à cet égard, surtout si l'on considère la situation dans laquelle se trouvent, à l'issue d'un système communiste, certains États qui étaient auparavant comparables aux nôtres. Il n'y avait aucune raison objective pour que l'Allemagne de l'Est diverge autant de l'Allemagne de l'Ouest dans la satisfaction d'un certain nombre de besoins essentiels. La difficulté, c'est qu'il y a du rattrapage à faire par la suite et qu'il n'y a pas de baguette magique pour éliminer en six mois ce qui s'est fait – mal – pendant trente ans.

– *La faillite des grandes idéologies et le recul de l'emprise religieuse en Europe n'entraînent-ils pas, avec le développement du marché des libertés individuelles, de l'individualisme, une sorte de matérialisme généralisé sans grand horizon de satisfaction spirituelle ? Le danger ne réside-t-il pas dans une « déspiritualisation », dont l'économisme serait en partie responsable ?*

– C'est certainement l'un des malaises des sociétés riches ; c'est une maladie de riches. Il y a quelques années, nous avons réalisé une enquête auprès du personnel de la banque pour connaître le nombre de personnes qui souhaitaient travailler moins et pour savoir comment il fallait s'organiser, à la fois par rapport à nos clients et par rapport à nos structures. Nous avons été surpris par le nombre considérable de personnes, hommes et femmes – et pas seulement femmes –, qui étaient désireuses de travailler moins et d'en accepter la conséquence économique, parce que leur manière de vivre leur paraissait plus essentielle que la satisfaction matérielle qu'elles pouvaient tirer d'une activité plus importante. De même, des gens disent, à un moment donné : « Non, je ne suis pas intéressé par une promotion car, si je la prends, je serai moins à la maison, je verrai moins grandir mes enfants, etc. » Imaginer que nos sociétés suivent une espèce de parcours tout tracé reviendrait à dire que tout le monde est toujours dans la même situation et ne vise à voir améliorée que sa situation matérielle. Je crois que des corrections interviennent, mais peut-être moins au niveau d'une pensée idéologique prônant d'autres valeurs qu'en fonction de l'importance accordée à la vie tout court par rapport à une activité purement professionnelle.

– *Dans tout l'entretien, apparaît chez vous le réalisme d'un homme d'action, d'un gestionnaire qui se méfie des rêves creux et irresponsables, mais aussi une sorte d'éthique de l'argent. L'argent est un moyen. Pouvez-vous, en guise de conclusion, dire un mot sur votre éthique de l'argent, dans l'entreprise et pour vous-même, à titre privé…*

– C'est un aspect tout à fait essentiel. L'argent est un moyen, ce n'est pas un Dieu, ce n'est pas le seul véhicule. Il faut combiner la nécessaire réussite de l'entreprise, parce que c'est la garantie de sa pérennité, avec la notion que le gain supplémentaire en lui-même ne suffit pas. Si vos entreprises ne sont pas saines, vous n'apportez pas la stabilité requise à ceux dont vous avez la responsabilité. D'un autre côté, si vous oubliez que l'argent n'est qu'un moyen et pas un objectif en soi, vous passez à côté de l'autre responsabilité qui est la vôtre, celle que vous avez par rapport à la société et à l'environnement dans lequel vous vivez. Dès lors qu'une entreprise représente une structure significative dans son environnement (pas dans le sens écologique du terme, mais dans un sens beaucoup plus large), il est clair qu'elle a une responsabilité vis-à-vis de la société dans laquelle elle vit, et ce fait doit être intégré dans son modèle de gestion. Cela s'applique également à chacun, individuellement : est-ce que, compte tenu des responsabilités que vous assumez et du temps que vous y passez, vous avez un sentiment de gêne par rapport au salaire qui vous est consenti, pour autant qu'il reste raisonnable ? Je n'en ai pas, mais cela signifie aussi que je suis hostile à toutes les exagérations qui ont pu se produire. S'il est logique d'intéresser le personnel et les cadres aux résultats de l'entreprise, il est inacceptable de pousser ce système à l'absurde.

Entretien réalisé par Jacques Sojcher, 2002.

Étienne Davignon est président de la Société générale de Belgique ; il y est entré en 1985 comme administrateur et en est devenu le président le 11 avril 1989. Il a commencé sa carrière en 1959 au ministère des Affaires étrangères et a été chef de cabinet des ministres P.-H. Spaak et P. Harmel. À partir de 1969, il a assumé la responsabilité de directeur général de la politique, jusqu'à son départ en 1977. Il a ensuite été nommé vice-président de la Commission des Communautés européennes, chargé des Affaires industrielles, de l'Énergie et de la Recherche, jusque fin 1984.

Baudouin Velge

Les entreprises sacrifient-elles tout au veau d'or ?

L'image de l'entreprise en termes d'éthique n'est pas toujours très favorable. La responsabilité de l'existence du chômage, considéré à juste titre comme un fléau, est parfois imputée aux entreprises, puisque ce sont elles qui licencient. Le fait qu'elles sont surtout à la base de l'emploi n'est pas toujours mis en évidence. On reproche aux entreprises de ne penser qu'au profit, peu importe le coût sociétal. Pour reprendre l'image biblique : elles fondent tous les métaux précieux disponibles pour ériger un veau d'or, qu'elles se mettent à considérer comme l'Être suprême. Ce texte va tenter de cerner le comportement des entreprises. À la base, ce comportement est régi par les nécessités économiques. On verra dans quelle mesure ces dernières peuvent être complémentaires à des considérations d'ordre supérieur.

Dans son sens le plus restrictif, le but de l'entreprise est de maximiser le rendement des capitaux investis par les propriétaires. Il est cependant évident que cette définition nécessite quelques précisions.

Légitimité de l'activité

Tout d'abord, toute activité qui permet de rentabiliser des capitaux n'est pas licite. Ainsi, le trafic de drogue, d'êtres humains, de biens volés, en bref toute activité faisant partie de la sphère criminelle n'est évidemment pas acceptable.

S'il s'agit d'une évidence dans les exemples énoncés, il existe beaucoup de cas moins clairs. Certaines pratiques, par exemple, sont légitimes dans une série de pays, alors qu'elles sont réprimées dans d'autres. Le cas le plus connu est celui de la mise au travail des enfants, évidemment interdite dans la plupart des pays, mais permise dans certains. Une entreprise qui ne se soumettrait qu'aux lois locales est-elle condamnable si ces lois s'éloignent fort des pratiques courantes dans son pays d'origine ? Spontanément, en reprenant l'exemple du travail des enfants, on a tendance à répondre par l'affirmative. Pourtant, le cas est, comme souvent, plus difficile qu'il n'y paraît. En effet, à quel âge cesse-t-on d'être un enfant ? Et l'apprentissage par le travail n'est-il pas préférable au vagabondage dans la rue ? Chaque cas est donc un cas d'espèce. Le contexte jouera un rôle important, mais les normes éthiques aussi. L'un estimera acceptable et légitime ce qu'un autre rejettera. Juger sera difficile de façon absolue car, dans ce domaine comme dans d'autres, les réponses ne sont pas toujours univoques. L'éthique fait donc bien partie intégrante de la vie des affaires, comme de toute activité humaine. C'est pourquoi on trouvera des pratiques fort différentes d'une entreprise à l'autre. En la matière, les généralisations sont réductrices et inappropriées.

SHAREHOLDER ET STAKEHOLDER

Il importe tout d'abord d'élargir le champ d'action. C'est ici qu'apparaît la différence entre *shareholder* et *stakeholder*. Dans la définition citée en début de texte, l'actionnaire était le seul ayant droit d'une entreprise. Dans une vision plus large, toutes les personnes qui entrent en contact avec une entreprise sont concernées par sa manière d'agir. L'entreprise doit donc se soucier également de leur sort.

Mais comment et jusqu'où ?

On pourrait estimer qu'une entreprise doive faire en sorte que son activité ne nuise pas à ses *stakeholders*. Bien que cette définition paraisse peu ambitieuse, son application n'est pas toujours aisée. L'entreprise, par exemple, tente de présenter les meilleurs produits possibles au meilleur prix à ses clients potentiels. Cette recherche du meilleur prix l'amène bien entendu à minimiser ses coûts. Elle mettra donc la pression sur ses fournisseurs pour qu'ils livrent, eux aussi, le meilleur produit possible dans les meilleurs délais et aux prix les plus serrés. L'intérêt du client final passe donc par une négociation, souvent difficile, avec le fournisseur. Le même raisonnement prévaut dans la relation entre l'employeur et ses employés. Mais la relation est subtile. Ainsi, une bonne compréhension entre client et fournisseur peut amener ce dernier à améliorer le produit ou le service livré, et donc à donner un avantage compétitif bien supérieur à celui d'un prix un peu plus bas. De la même façon, une bonne atmosphère de travail dans une entreprise, liée à un climat social paisible, peut mener à l'amélioration de petits détails « qui font la différence ». C'est ainsi qu'il apparaît qu'il y a par-

fois osmose entre « valeur » et « valeurs ». Un « bon » patron n'est pas seulement généreux. Il inspire aussi ses collaborateurs et arrive, de cette manière,
à ce qu'ils donnent le meilleur d'eux-mêmes. Mais nous entrons là dans la
sphère du charisme, de la relation humaine, de cet élément impalpable qui
fait qu'avec certains, ça marche, et avec d'autres pas. Ces hommes ont-ils
plus de valeurs ? Une fois de plus, la réponse doit être nuancée. Il est probable que les hommes qui arrivent à instaurer de bonnes relations humaines
dans leur entreprise le font au départ de valeurs. Mais avoir des valeurs est
loin d'être suffisant pour garantir de bons contacts humains.

L'ENTREPRISE DANS LA COMMUNAUTÉ

Il fut courant dans notre pays, avant que la Sécurité sociale ne se développe, que des entreprises prissent en charge une partie de l'éducation, de
la santé, des activités récréatives et sportives de leurs travailleurs et de leurs
familles. Il s'agissait là clairement de se préoccuper du sort de la communauté entourant l'entreprise, au-delà de son intérêt immédiat. Il est cependant évident que le *good will* créé en faveur de l'entreprise, ainsi que
l'élévation du niveau d'instruction et de santé, bénéficiait aux entrepreneurs
agissant de la sorte. La rentabilité des capitaux investis, la qualité de l'emploi fourni et les relations avec la communauté dans son ensemble peuvent
donc être parfaitement complémentaires. Dans la version moderne de ce
tableau, on ajoutera la préoccupation pour l'environnement, avec le développement de nouveaux systèmes de production écologiquement meilleurs,
qui augmentent à la fois l'*output* et l'agrément pour les travailleurs et les
riverains. Le coût supplémentaire encouru est compensé par une meilleure
productivité générale. Mais l'équilibre est délicat. Et une politique sociale
ou environnementale qui rendrait l'entreprise non compétitive serait la pire
qui soit, puisqu'elle pousserait les employés au chômage, les actionnaires à
la ruine et la communauté environnante à un appauvrissement général.

DÉLOCALISATIONS

Cela nous mène à un cas relativement fréquent et difficile à gérer en
termes d'éthique : les délocalisations. La réaction spontanée par rapport à
des pertes d'emploi, surtout si elles sont suivies de délocalisation, est de
crier au manque d'éthique, au non-respect des *stakeholders*. Une fois de
plus, l'analyse est délicate. Aucune entreprise ne délocalise ou ne licencie
par plaisir. Il y a bien sûr l'aspect humain de mettre en difficulté des gens

que l'on connaît bien et qui n'ont, la plupart du temps, pas démérité. Il y a, de façon plus prosaïque, les coûts élevés liés aux licenciements et à l'amortissement accéléré d'actifs. Les pertes d'emploi sont liées à un manque d'activité rentable : soit le produit ou le service proposé ne plaît pas ou plaît insuffisamment, soit il est offert à un prix trop élevé. En tout cas, le maintien de l'activité telle quelle risquerait de mettre l'ensemble de l'entreprise en péril. Si celle-ci décide de réduire l'activité dans le site d'origine et de la développer ailleurs, donc de délocaliser, il s'agit souvent de la meilleure façon de faire survivre l'ensemble de l'entreprise. Très souvent, des emplois sont ainsi maintenus qui, sinon, auraient péri avec l'ensemble, aussi bien à l'intérieur qu'à l'extérieur de l'entreprise. C'est pourquoi, d'ailleurs, les entreprises ne doivent pas attendre d'être en perte pour agir. Une entreprise doit fournir les meilleurs produits et services possibles au juste prix. Celui-ci incorpore une marge bénéficiaire suffisante pour garantir une rémunération compétitive aux pourvoyeurs de capital (qui sinon iront ailleurs) et une rétention de bénéfices suffisante pour assurer le développement de l'entreprise. Si cela n'est plus possible, il faut prendre des mesures au plus vite. Autrement, c'est la pérennité de l'entreprise qui ne sera plus assurée.

Mais au niveau éthique, il y a plus. Les talents et compétences sont répartis de façon inégale à travers le monde. La théorie des avantages comparatifs nous apprend que chacun doit développer les compétences dans lesquelles il est comparativement le meilleur, même s'il ne l'est pas de façon absolue. De cette façon, toutes les ressources disponibles sur terre sont utilisées au mieux. Ce n'est pas seulement intéressant au niveau économique, mais aussi et surtout au niveau sociétal. Ainsi, les délocalisations apportent du travail dans des régions qui n'en avaient pas ou peu. L'enrichissement qui en résulte bénéficie à l'ensemble de la communauté locale, les nouveaux *stakeholders*. On rétorquera que cela s'est fait sur le dos des travailleurs, fournisseurs et riverains du pays d'origine. La théorie et la pratique économiques prouvent sans équivoque que l'utilité totale au niveau mondial a progressé.

Mais le problème de l'adaptation locale est bien réel. Le rôle de la communauté dans son ensemble est primordial en la matière. En effet, l'entreprise ne porte pas de responsabilité d'ensemble. Elle doit tenter de remplir au mieux son rôle, soit utiliser les ressources disponibles de la meilleure façon possible. C'est aux autorités locales de préparer les habitants à être capables de soutenir le niveau de vie le plus haut possible. Car plus ce niveau de vie est élevé, plus est importante la valeur ajoutée que chaque habitant doit être capable de générer. En termes industriels, c'est dans les métiers à haute valeur ajoutée que réside notre avantage concurrentiel. Un des exemples les plus éclairants dans notre pays provient de l'industrie de la confection. La majorité des entreprises ont délocalisé la production de base vers des pays à bas salaires. Sont restés chez nous la conception, le design, le marketing et la confection de pièces délicates, telles que celles de haute couture. Ces délocalisations ont créé des milliers d'emplois dans des pays en voie de développement, tout en générant chez nous des emplois de création bien rémunérés. La tâche des autorités est d'amener nos jeunes au meilleur niveau de formation possible et d'inciter les moins jeunes à parfaire leur formation tout au long de leur carrière. Elles doivent par ailleurs aider les entreprises à créer le plus possible d'emplois de haut niveau.

FORMATION ET COMMUNICATION

L'entreprise n'a-t-elle donc aucun rôle à jouer en la matière ? S'il est évident qu'on ne peut lui imputer la responsabilité de l'ensemble de l'environnement économique, il serait inexact d'affirmer qu'elle ne peut rien faire. La responsabilité première de l'entreprise en matière de gestion est d'anticiper correctement les évolutions du marché et de s'y préparer. Cela inclut bien sûr le développement de nouveaux produits, la recherche de nouveaux marchés, l'adaptation des techniques de production et des modes d'organisation. Mais cela inclut aussi la préparation des personnes employées dans l'entreprise aux défis de demain. Cette préparation passe par la formation permanente, ainsi que par une information la plus correcte possible sur les développements prévisibles.

C'est sur ce point que le rôle d'un autre acteur de l'entreprise est primordial : les syndicats. Ceux-ci ont été créés pour défendre l'intérêt des travailleurs. Cela se traduit bien sûr par la recherche de la meilleure rémunération et des meilleures conditions de travail. Mais cela se traduit aussi par la nécessité de communiquer la réalité de la vie économique. On dit souvent que la force des PME réside dans la communication directe qui existe entre le patron et ses employés. Ce lien très proche permet, en effet, de faire vivre à l'ensemble des personnes travaillant dans l'entreprise la réalité du terrain. Dans les grandes entreprises, ce contact direct est plus difficile. C'est là que les syndicats ont un rôle de courroie de transmission. Trop souvent, cette responsabilité d'information est oubliée ou mise à l'arrière-plan. Cela empêche parfois les travailleurs de se rendre compte en temps utile des changements qui s'opèrent et de s'y préparer à temps. L'époque de l'emploi à vie dans la même entreprise est largement révolue. Mais si l'entreprise ne peut plus garantir l'emploi, elle peut aider ses employés à se préparer au monde de demain. La formation permanente permet non seulement de se préparer à des fonctions dans l'entreprise même, mais aussi dans d'autres entreprises demain, si nécessaire. Ainsi le travailleur est-il préparé à la mobilité dont il devra peut-être faire preuve plus tard. Cela aussi, c'est une attitude éthique, et qui n'est pas en contradiction avec le but premier de l'entreprise.

RÉMUNÉRATIONS

Il est un autre domaine où la controverse sur ce qui est éthiquement acceptable fait rage, c'est la rémunération. Quand y a-t-il juste rémunération ? Si on peut légitimement s'interroger sur l'opportunité de la hauteur des rémunérations de certains chefs d'entreprises américaines, on peut tout aussi bien s'interroger sur l'éthique d'un effort supérieur non récompensé. Il est vrai que la rémunération n'est pas le seul moteur de la motivation. La plupart des études prouvent d'ailleurs qu'elle n'est de loin pas le premier. Un bon environnement de travail et la reconnaissance de la tâche bien accomplie sont souvent considérés comme plus importants. Il n'empêche qu'instinctivement, la plupart des gens estiment normal qu'un effort supérieur soit récompensé. Et l'argent est de loin le moyen le plus efficace de récompenser quelqu'un, puisqu'il permet à celui qui en bénéficie de l'utiliser à sa meilleure convenance.

Un manque de rémunération des plus performants est d'ailleurs néfaste pour une économie. Le risque de perte de talents est réel. D'abord, parce que certains choisissent l'expatriation vers des pays plus rémunérateurs – et il s'agit souvent des meilleurs, car ils allient talent pur et courage de tourner le dos aux facilités de rester au pays. Il est ainsi symptomatique de noter qu'un très grand nombre de prix Nobel sont associés à des universités américaines, quelle que soit leur nationalité. Ensuite, parce que certains préfèrent mettre en veilleuse leurs compétences plutôt que de subir les inconforts de boulots plus exigeants. Plusieurs chefs du personnel rapportent que des cadres refusent des promotions parce qu'elles ne rapporteraient quasiment rien en termes pécuniaires, vu l'énormité des prélèvements fiscaux et parafiscaux, alors qu'elles nécessiteraient d'importants efforts en termes de voyages et de responsabilités.

Cette double perte de talents est grave. En effet, ce sont ces talents qui peuvent être à la base de nouvelles et brillantes idées, qui créent de très nombreux emplois pour les moins doués d'entre nous. Cela aussi, c'est de l'éthique : mettre en place les conditions pour stimuler la vraie création de nouvelles richesses.

CONCLUSION

L'entreprise est au centre de notre société mais n'est pas notre société. Elle ne porte donc pas prioritairement la responsabilité de résoudre les difficultés auxquelles est confrontée cette société. Cela incombe d'abord et avant tout à la société elle-même, qui doit s'organiser en conséquence. C'est le domaine de la politique, et de mauvaises décisions politiques sont malheureusement souvent à la base des difficultés d'une société. Cela ne signifie pas, en revanche, que l'entreprise ne peut et ne doit pas contribuer à alléger les difficultés de la société. Le fait que ce sera – indirectement – à son avantage peut aider à inciter l'entreprise à ce comportement altruiste. On ne peut pas attendre des entreprises qu'elles se comportent comme des saintes. Cela risquerait d'ailleurs de les mener à la ruine, ce qui causerait énormément de tort à tous ceux qui sont directement et indirectement en contact avec elles. Mais l'entreprise peut s'inscrire dans sa communauté. Elle peut aider cette dernière à prospérer et à préparer l'avenir. On a démontré que l'équilibre est délicat, que les choix sont liés à la personnalité des hommes et que la communication entre les dirigeants, les employés et la communauté environnante est la clé du succès. Il est cependant clair qu'une entreprise qui sacrifierait tout au veau d'or n'agirait ni dans l'intérêt de ses employés ni dans celui de ses actionnaires.

Baudouin Velge est licencié en sciences économiques (KULeuven) et bachelier en philosophie (KULeuven). Il est, entre autres, directeur du département économique de la Fédération des entreprises de Belgique (FEB).

RÉSISTANCES

Michel Deguy

Parlez-moi d'argent (chanson)

Quoi de neuf depuis Marx ? Exploitation, domination, toujours ; « comme si la servitude ne devait jamais cesser ». Et la lutte des classes ? Mais en quoi sont changées les classes ? L'Argent abolit les classes sociales et « la distinction » – mais pas l'esclavage ; au contraire.

*

Pour parler de l'argent, il faudrait relire Péguy. Et *L'Argent, suite.* Suite sans fin. (« *La prochaine fois,* dit Plume, *j'interviendrai* [...]. ») Je relirai Péguy. Parler de l'argent – ce qui n'est pas la même chose que parler d'argent – même Diogène le peut, ou François d'Assise. Ils n'en ont pas le goût, et, du reste, on ne les écouterait pas, c'est bien dommage.

Mais nous, c'est notre préoccupation : à la jointure de l'économique et du social.

Mon propos ? Lancer quelques missiles paradoxaux contre le Mur des stéréotypes argentés, percer le bas de laine des idées avaricieuses.

Du capitalisme considéré comme désordre

Un des vices du capitalisme, dont l'aggravation et la contagion emporteront le « système » à se réformer sous peine d'une catastrophe (qu'on la tienne pour accident exogène, rencontre d'une force et d'un mur, ou pour pathologie endogène, n'a pas d'importance), est celui de l'abyssale disparité qu'il crée chez les hommes entre riches et pauvres au sein d'une homogé-néisation croissante des mentalités, d'une monotonie stupéfiante des désirs et des représentations. Je ne fais pas ici d'économie politique, je parle de l'Argent, comme l'appelait Péguy ; j'appelle salaire ou rétribution tout uni-ment ce qu'un individu perçoit, possède en propre sur son compte en banque, quels qu'en soient le mode de provenance et l'opacité du calcul. Et pour la brachylogie de ces notes, je n'y vais pas par les chemins du raison-nement mais par l'exemple qui installe l'hypothèse.

La grossière, absurde, injustifiable disparité des rémunérations qui *sépare* l'employé de base du haut responsable, « cadre supérieur » ou directeur (etc.) d'une PME, fera éclater le système. J'ajoute (parce que je les prends ensemble, on l'a vu) étant donné les fins de cet argent tenu pour moyen ; des *fins* qui sont les mêmes de chaque côté de la séparation.

Bien entendu, je n'ignore pas que l'âge d'or du capitalisme (avant l'ar-gent ?), au XIXᵉ siècle, creusait un abîme insensé (« d'un autre ordre ») entre Mr Frick et le cocher du fiacre de province. Je parle aujourd'hui de deux populations innombrables qui se côtoient, se partagent un même monde (de représentations), se comparent, se connaissent, se toisent, se disputent sur mille questions dans la sphère politique, *font société*... À savoir, celle des smicards (salaire de base) et celle des directeurs. Je ne parle pas de l'écart entre Bill Gates et le SDF. Et je martèle : l'écart devenu excessif, hyperbo-lique (ou contre-productif) entre les 8 000 francs mensuels des premiers et les 80 000 des autres, et non pas les 800 000 de Messier, compte tenu de ses « avantages », hors salaire – écart tant irrationnel qu'il est la seule cause du *secret* qu'on fait régner sur « ce que gagne vraiment M. X », secret des-tiné à brider l'envie, à prévenir l'incendie des convoitises – cet écart fera sauter la machine si « on » ne le réduit pas.

Cet écart tend à devenir d'autant plus déraisonnable, disons ridicule, que les bénéficiaires le justifient. Car il n'y a aucune « raison », intéressant la pensée, qui fonde en justesse et justice la mesure d'une somme d'argent pour une capacité, qui « proportionne » un mérite et un salaire, la valeur morale et la rétribution, une responsabilité et son paiement, etc. Inutile de protester ; « au fond », comme on dit, vous n'en trouverez pas, sauf à faire un tour du côté de la prédestination et de l'insondable plan divin pour le salut des uns et la damnation des autres. Je me débarrasse des objections avec un exemple : si le pilote de ligne tient pour « normal » de « gagner 100 000 francs par mois » parce qu'il est responsable de deux cents vies, combien devrons-nous payer le commandant du sous-marin atomique (du *Koursk*, par exemple) qui a sous le doigt de quoi faire périr quelques mil-lions d'humains – ou, dans l'autre sens, pourquoi ne pas « récompenser » d'une somme presque égale le conducteur du car de tourisme qui, lui aussi, etc. ? Un des effets secondaires de cette situation, c'est que la masse de l'idéologie inconsistante de « justifications » du capitalisme, presque aussi grosse que celle de la théodicée, augmente le poids du mensonge et de la stupidité sur et dans le monde.

Autre effet : vous ne pourrez pas empêcher les « salariés » d'une entreprise au bord de la faillite (c'est tous les jours, partout, de grande ou de petite taille) de CROIRE (et d'autant plus obstinément qu'ils n'ont pas le savoir) que *si* les gros (dans le langage de feu le parti communiste) maigrissaient, par exemple en divisant le « profit » (que la revendication assimile aux « gains personnels ») par dix ou par deux, pour qu'il soit reversé dans l'entreprise, celle-ci pourrait « marcher ».

À bas les gros. Raisonnement transférable par analogie à l'échelle du monde. Maintenant, le point important, je veux dire nouveau et critique, est le suivant. Je l'exemplifie par l'anecdote. C'est celle de Pierre Bergé s'écriant que depuis (c'est récent) que les milliardaires qui le sont devenus par le sport, le show, le jeu, la corruption, l'intermédiarat en général, s'exhibaient tous en jeans et Adidas dans les quatre étoiles, la haute couture et la haute mode étaient condamnées. Transposition généralisante : une même « culture » mondiale de convoitise et d'images, surexcitées par les mêmes films et les mêmes mises en scène « culturelles » des mêmes idoles (jet privé, piscine, valets, grands restos, filles, soleil... La liste n'en est pas copieuse, et les consommateurs, parrains, stars, footballeurs, ministres, grands PDG, ont les mêmes goûts), cette culture, très « en gros » américaine, simplifie le champ, le monotonise et le polarise (en avoir ou pas), ce qui doit, « normalement », je veux dire selon le schéma girardien du désir mimétique, augmenter la violence. Comment réduire cette vraie « fracture » entre les plus mortels et les moins mortels, à l'échelle géopolitique entre Sud et Nord, c'est la question. La redistribution par la fiscalité est impuissante ; la mondialisation du grand marché libéral, un leurre dissimulant l'appauvrissement, l'esclavage de milliards d'humains. La « fracture » s'élargit...

DE LA CORRUPTION ET DU PROFIT

Les deux thèmes les plus intéressants de l'époque (pas seulement récurrents, mais obsédants) sont la *corruption* et le *profit*. Si j'étais organisateur de colloques, j'en préparerais deux : I. De la corruption ; II. Du profit ; les plus transdisciplinaires qui soient. J'inviterais historiens, juristes, philosophes, économistes, écrivains, sociologues, naturalistes, médecins, etc.

De la corruption : elle ne peut être pensée sans son corrélat, son contrepôle complémentaire, soit l'*incorruptible*. Le pur, l'intègre, l'immortel, l'agathoïde (dirait un platonicien) : *par rapport à quoi* tout est corruption, « phtisis », c'est-à-dire corps. Le corps se corrompt et corrompt alentour. La corruption est *physique* : on commencerait par Aristote, comme d'habitude.

Du profit : il y a deux profits. Le profit du profiteur, avec l'illimitation de son appétit qui est une des plus grandes énigmes qui soient : « à la limite », en effet, pourquoi Mobutu (n'importe quel nom conviendrait), qui a tout, en veut plus ? Qu'est-ce qui est plus que le tout ? Ce ressort humain est beaucoup plus incompréhensible que l'inverse, celui de l'ascète jaïnite (ou de Robespierre). La deuxième signification est celle d'une *différence* – entre le coût (ne pas prononcer « coutte ») et la vente, qui permet l'accumulation, la circulation, le marché ! C'est l'investissement, le travail, la production, tout *Le Temps du crédit*, comme titre Jean-Michel Rey.

L'homonymie, toujours désastreuse, recouvre la différence à soi-même, l'intime duplicité d'une chose (ce qui donne lieu aux dictons du type de celui qu'on attribue à Ésope : « *La langue est la meilleure et la pire des choses* »). Le même « n'a rien à voir » avec lui-même : ce qui fait la difficulté de l'*analyse*, analyse qui isole le « purement tel », le *pur*, ou « purification » comme travail de la pensée philosophique (*Rein, Streng*, chez les Allemands) ; que n'aime pas le « bon sens » toujours rebuté par « l'alambication » des notions, la préciosité, le coupage de cheveu en quatre. À vrai dire, c'est en deux que le cheveu demande à être coupé ; mais pas réellement, plutôt « modalement » : travail d'*abstraction*, oui, de distinction (discernement), qui permet d'« y voir clair », de démêler, quand la distinction *a opéré* et qu'il s'agit, à l'étape suivante, de « voir ce qui se passe » dans l'inextricable fouillis « des choses » : pour pratiquer alors, plus ou moins finement, telle ou telle séparation *in rebus* (« trancher le nœud gordien »).

Les passionnés d'Arlette (Mme Laguiller) croient à la divine (diabolique) *simplicité* du Profit, et qu'il est le Mal. Le baron (M. Ernest-Antoine Seillières) parle de l'autre, y voit le Bien – et oublie l'un.

Je me rappelle les propos de l'écrivain congolais rapportant que, et comment, le commerce africain est « tenu » par « les Chinois ». Il disait : la moitié de l'Afrique est chinoise (ce qui me paraissait beaucoup). Il n'y a donc pas une « économie parallèle » – et l'autre, ce qui ferait deux, comme vont les parallèles – mais *un seul* phénomène, inextricablement mixte, que « l'analyse », et seulement elle, peut démêler. Il n'y a pas, d'*un côté* (*isolable*), le commerce lui-même avec sa Loi et ses lois (OMC), et *de l'autre*, de la corruption, du marché *noir* (c'est le cas de le dire), des profits cachés incalculables, de l'exception, du mafiosique, off tous les shores ; mais un seul, en mœbius partout, tel qu'en tout point le verso « noir » ne peut être arraché au recto, même si on distingue les deux faces.

Rousseau s'est épuisé « dans les faits » (c'est-à-dire dans l'imagination de faits, ou *roman*, je fais allusion à *La Nouvelle Héloïse*) à séparer le léger débordement, « normal », d'un somptuaire heureux, du « mauvais » luxe, ou luxe de luxe (« quel luxe ! »), *distinction* qu'il avait posée en pensée.

OÙ EST PASSÉ LE PEUPLE ?

Le peuple (Péguy) a disparu. Il y eut les classes ; puis les masses ; maintenant « les gens ».

Chaque peuple fut (ou est en passe d'être) soulevé de (sa) terre, son sol, par la consommation (le *Welfare*, ou des aspects de la modernisation, dont le panneau Coca-Cola érigé en tout point émergé de ce globe serait l'index) ; arraché, enlevé, retomba lourdement, dans son « identité » revendiquée, à côté de ses pompes (dans tous les sens de « pompes ») « dans » de nouvelles pompes, copie des vieilles « à l'identique », ou Adidas standard de rebut.

Le monde est tiers-mondé, tiers-mondialisé. Aux USA même. *Used world* ; d'occase. Il y a encore des hommes-touristes qui croient qu'il y a des réserves, comme dans *King-Kong*, et qu'on va y aller, y faire une sorte de « retour » en visite ; comme encore en 1900 quand des Robinson de première classe naufrageaient au sud. Mais pour nous, le mondialisé recouvre le monde. Partout, c'est trash-clash, les « cités », le bidonville, Haïti, Calcutta, le Bronx. Nous ne voyons que la résultante de la collision, de l'emboutissement de l'Ancien (à jamais invisible) avec le présent industriel-commercial qui vient de métamorphoser le monde en Tiers Monde – comme en physique, il y a cent ans, on disait que l'observé résultait du fracas de l'observation modifiant l'observable pour le saisir. Le Huron devenu illettré en 4 X 4, l'aborigène pompiste, le Thaï prépubère pute, le Zoulou sidaïsé… L'habitat destroy…

LA MARGE

Ce n'est pas la *fracture* qui est la question, c'est la *marge*. La fracture ne passe pas par ici ; ou si peu. La vraie fracture, celle qui scinde l'humanité, passe entre le Nord et le Sud, le tiers et le quart. Il y a certes du quart-monde « chez nous »… mais « à la marge ». Qu'est-ce que la marge ?

– La marge occupe le centre (de la représentation).

Une narration pour aller vite : parfois à Paris il fait froid ; rarement. Il y a quelques dizaines d'irréductibles sans-abri, menacés d'engelures. Les caméras (les médias) sillonnent la capitale et montrent une poignée de clochards se réchauffant dans le métro, et, par refus des secours, s'entourant de cartons pour la nuit dans la rue. Montrent exclusivement cela. De sorte qu'« à l'étranger » (par exemple), les citations des séquences télé « informent » d'un « état désastreux de la France » (joie chez les Anglais). Tout est givre et famine. Cependant, deux millions de Parisiens (intra-muros), dix millions de Franciliens, *sauf* les quelques groupes de désabrités, hors échelle, mangent à leur faim, dorment au chaud, travaillent à leur rythme : rien que de *normal* en économie développée (c'est le slogan « *France, quatrième puissance mondiale* » – ou sixième, je ne sais plus).

Comment remettre la marge à la marge ?

– La légalisation de la marge désespère Billancourt.

Une anecdote : j'avais acheté un studio pour mon-fils-quand-il-eut-vingt-ans. Il y veillait trop peu. Une « modeste employée » avec-sa-vieille-mère-podagre dans ce petit immeuble du 15ᵉ voulait me racheter le studio, de peu de valeur. « Toutes ses économies » lui permettaient tout juste de « devenir propriétaire ». Nous signâmes. L'appartement était presque le sien. Il arriva ceci : par sa négligence, mon fils fut squatté. Revenant un soir, il trouva une dizaine de Burkinabés installés chez lui (qui avaient fait aussitôt changer la serrure, et par une *demande* de ligne téléphonique prétendaient en être les occupants légitimes !). La dame, désespérée, furieuse, prévint le commissaire, qui me prévint. La Burkinabé principale criait : « C'est un squat LÉGALISÉ ! Et je suis *enceinte* ! » Le commissaire me dit : « Nous avons vingt-quatre heures pour *essayer de les déloger* (de *votre* logement) ! S'ils n'acceptent pas (*sic*), ils sont chez eux pour l'hiver et des mois... » Fureur désespérée de l'employée *dépossédée*... par la loi ; elle, la Française, trente ans de SMIC, une vieille-mère-sur-les-bras, sans plus « d'économies », elle se voyait exclue, non protégée par les lois mêmes « de son pays ». Par chance, la Burkinabé céda sous les pleurs et les plaintes de la nouvelle propriétaire. (Je vous passe les détails de la récupération, tous invraisemblables...)

Conclusion : c'est là que recrute le lepénisme. Les Français, précisément ceux « d'en bas », victimes du marginalisme contemporain, voudraient être « préférés », protégés en premier par « leurs lois ». Non fascistes mais « français ». Que l'exception ne fasse pas loi.

– L'argument du mathématicien trop ignoré des politiques.

La *victoire* du minoritaire acharné est fatale en démocratie, compte tenu des instances successives de la votation aux échelles montantes de la Commune à la Nation par le Département, la Région, etc. Ce que ne veut pas la majorité (corse, par exemple, *contre* l'indépendance de la Corse) ne peut pas ne pas se produire, étant donnés l'inlassable obstination nationaliste et les modes de scrutin. La minorité « finit par l'emporter »... « mathématiquement ».

La retraite en France

Ce jour-là, l'accident cosmonautique américain, l'impossible *retour à terre* de la navette spatiale, nous rappela que le seul rêve rassembleur d'humanité, transcendant aux fratricides ethniques mondiaux, c'était le programme techno de la déterrestration : trois milliards d'humains levaient la tête vers le ciel. (Les autres auraient le récit.)

Cependant, la France déferlait, exode interne « comme en quarante », foules dans les villes trempées, invectives. « La retraite ! La retraite ! » Je n'ignore pas, bien sûr, que mon propos est scandaleux. Quoi de plus normal que de vouloir, pour chacun et pour tous, « préserver et améliorer la retraite ». *Je sais bien mais quand même.* Quelle coïncidence, quel choc d'images TV ! D'un côté, la catastrophe du vaisseau hugolien (« *Toute la vision trembla comme une vitre / Et se rompit tombant dans la nuit en morceaux* »), de l'autre « Ma retraite ! ». Il y avait eu celles de Russie, de Sedan, de la Marne, de quarante, d'Alger... Et maintenant de la France. La dernière ?

Se retirer. Mais où ? De l'Europe, du monde ? Et pour quoi ?

De la pauvreté

La doxa tourne en rond comme chien en cage.

Ce que la pensée pense avec plus de rigueur, en « vérité(s) », ne peut passer en doxa. C'est cela qui fait obstacle, insurmontable, à la démocratie : le para-doxe, l'endurance de l'aporétique paradoxe, et aussitôt (plus difficile encore) sa viabilisation, sa « résolution » : l'opinion ne l'endure, ne l'affronte, ne l'envisage.

Par exemple, la *pauvreté* : le concept en est *négatif* pour la doxa, alors que l'opposition dyadique, richesse *versus* pauvreté, doit donner forme, consistance et force à un paradoxe où la *pauvreté*, positivement entendue, joue son rôle.

… Enrichir… le concept de pauvreté ?

Annie Ernaux, célébrant Bourdieu, rappelle que la réalité, c'est la domination… des *dominants* sur les *dominés*. Elle a raison. Mais elle croit à une « transformation du monde », donc à la fin de la domination. Mais si la réalité *sociale*, c'est la domination, croire que la « société » ne consistera plus en la relation dominants / dominés, c'est croire en la disparition de la société… comme une peau tombe dans une mue. C'est croire à la fin du monde. « En réalité » (sociale), la domination, constitutive (autant par exemple que celle des adultes sur les enfants), ne finira pas. Ainsi parle cet aparté que j'aime citer : « *Comme si la servitude ne devait jamais cesser…* »

« *Donc* », c'est qu'il y a autre chose… L'art, par exemple la poésie, ne cherche pas à dissimuler cette autre chose, ou fond du monde, ou air des choses, qui court *avec* la domination, et que respirent en même temps le maître et le serviteur : l'éther *attachant* de notre exister commun. C'est ça qu'il cherche à montrer, dans la lucidité de la lumière, et qui n'est pas du tout un opium du peuple, et que Simone Weil, je crois, appelait la beauté.

La lutte contre telle phase en cours de la domination instituée sera donc perpétuelle. Elle ne fera pas taire l'autre pensée, celle de sagesse, qui passe à côté, comme l'artiste ascète, Diogène, passe à côté d'Alexandre.

Je me suis essayé à le suggérer naguère ainsi :

C'était au cinéma ; quittant le film *Central do Brasil*, je songeais. Le film nous avise, sans preuve bien sûr, que la misère humaine ne cessera jamais. Et, nous montrant l'humanité innombrable, pauvre et errante, asservie, *heureuse sur la terre*, sans ressources dans l'immense ressource, qu'il n'y aura pas d'autre histoire que d'amour, à quelques-uns, « perdus » dans la multitude croissante, et que dans le meilleur des cas, l'homme vivra dans des huttes de parpaings (disons, pour employer l'expression de Hölderlin en la modifiant) avec électricité, dont le *seuil* est celui de la *pauvreté*, orphelin, dur et compassionné, indifférent à la politique, criminel et donateur, sacrificateur et sacrifié, infime et racontable – dont le film peut faire une histoire.

L'homme n'est pas fait pour être riche.

*

(*J'aggrave Tocqueville.*)

L'égalité est terrible, terrifiante. Non pas le fait, physique, mesurable, du « poids » par exemple, qui relève du constat de la balance. Mais le sentiment, l'idée, le principe se faisant volonté ; la conscience, le se-savoir et vouloir égaux. L'égalité est intraitable. Elle voue notre multitude à l'anéantissement par entrechoc ; si elle n'est pas aussitôt amendée ; à la fois maintenue en principe et ajournée, suspendue : ce qui veut dire élevée et arrêtée, exaltée et retenue, métamorphosée, changée en statut de ciel – par courtoisie, retrait, renonciation… autolimitation et, à la limite, abdication ascétique. Et non pas seulement par compassion et occasion.

Elle doit être a) intériorisée ; b) immédiatement échangeable en son contraire, en son effacement – on pourrait le dire dans le vieux langage de la métaphysique (qui aurait pu « nous sauver »[1]) : sortie du « monde physique », déphysiquée (où il n'y a en effet que des boules de billard, disait Hume), pour se changer en « idée morale », c'est-à-dire en une essence de part en part comparative : l'égalité, *c'est comme* deux poids, deux n'importe quoi, deux *qualia* « matériels », etc. L'égalité de Principe s'imagine et se règle selon et sur le modèle « physique ». Mais en tant que transposition en exigence « morale », elle est autre – incomparable.

Michel Deguy est universitaire et écrivain. Il a publié une trentaine d'ouvrages, dont le plus récent, *Un homme de peu de foi*, est paru aux éditions Bayard en 2002. Une anthologie de son œuvre poétique, en trois volumes, est disponible dans la collection « *Poésie/Gallimard* ».

NOTE

[1] Pour faire allusion au mot de Heidegger : « Seul un Dieu peut nous sauver. »

DE L'ARGENT

(SUITE – MAIS NON PAS FIN –
À DE L'ARGENT. LA RUINE DE LA POLITIQUE)

Il en a été ainsi tout un temps : l'argent ne constituait qu'une distorsion du rapport que corrigerait, le moment venu, l'égalité vers laquelle c'est toute pensée qui tend, comme naturellement.

Toute pensée, ainsi entendue, aurait été alors politique, quand bien même nul ne se fût volontiers laissé porter à admettre qu'elle n'était pas aussi morale. C'est-à-dire, il en a été ainsi tout ce temps : c'est par le même mouvement que la morale (une certaine forme de la morale) régissait la volonté politique et que la distorsion (le trouble, l'incongruité, le malheur) qu'était l'inégalité du rapport d'argent constituait une distorsion d'abord morale qu'on dut tenir aussitôt pour politique aussi.

Il faut le préciser alors pour qu'il n'y ait pas de méprise : dire que l'inégalité du rapport d'argent est immorale ne dit rien de moral en soi, ne le cherche pas même, ne cherche surtout pas à tenir en outre l'argent pour immoral ; mais dit seulement ceci : c'est l'argent aujourd'hui qui est moral, quelque inégalité que son rapport introduise – quelque distorsion (trouble, incongruité, malheur).

L'argent seul est moral aujourd'hui, et il n'y a personne qui ne le croie, ou qui ne veuille le croire ; qui ne veuille qu'il le soit. Tous montrent pour l'argent un amour immodéré, même ceux qui n'en ont pas ni n'en auront jamais. Qu'ils n'en aient pas ni ne puissent jamais en avoir ne dit rien contre l'argent, c'est l'évidence, seulement contre le fait qu'il n'y ait, en fait d'argent, que celui qu'il y a et qui ne suffit pas à faire qu'ils en aient aussi. Que tous en aient.

On verra bientôt aimer l'argent ceux-là mêmes que l'argent aura réduits à l'état où on les voit ne pas en avoir. C'est un sujet d'émerveillement nouveau, dont il n'est pas sûr qu'on ait tiré tout ce que la pensée permet.

C'est un sujet d'émerveillement, en effet : il n'y a plus personne pour ne pas croire que l'argent pourrait exister en une quantité telle qu'il n'y ait pas jusqu'à ceux qui n'en ont pas à ne pouvoir en avoir aussi. Du moins, à l'espérer. Ou, plus tristement encore : il n'y a plus personne pour ne pas affirmer que c'est faute que l'argent existe en une quantité suffisante qu'ils n'en ont pas. Il faut le dire, alors : ils aiment l'argent au point d'imaginer qu'il n'y a pas de raison qu'il n'y ait pas jusqu'à eux à en avoir, et pour des raisons identiques et en une quantité (presque) analogue à ceux qui en ont, en fait.

C'est une évidence qui s'est en effet établie : le temps est révolu où il fallait imaginer que le partage d'argent était ainsi fait qu'il devait y avoir ceux qui en avaient en une quantité telle que c'était au prix que d'autres n'en eussent pas. En réalité, c'est avec l'idée même de « partage » qu'on en a, il y a peu, fini. L'évidence est qu'il y a assez d'argent pour que tous en aient. Elle est même qu'il n'y a que de l'argent – donné à ceux qui l'ont déjà reçu, offert à ceux qui attendent après. En somme, ce serait affaire de temps et de circonstances (en somme, il suffirait de jouer puisque ce serait sur le modèle du jeu que se seraient établies les données du don hasardeux d'argent).

Et l'on voit produire toutes les prosternations que cet amour nouveau commande. Cette assurance s'est affermie : ce ne sera pas au moyen du travail que s'établira l'égalité. Ce ne sera pas davantage au moyen des luttes. Non : ce sera au moyen de tout ce que la fortune (les signes, les chiffres, la chance, etc.) est susceptible d'assembler. Il n'y a rien qu'on ne soit prêt à sacrifier (soi-même, sa dignité, etc.) pourvu que ce qu'on imagine disposer de l'argent le concède à qui se le croit dû au titre de sa prosternation.

Il y eut donc ce moment, mais nul ne sait plus exactement dans quelle histoire, où la question était en effet que l'argent ne se montrât pas si inégalement réparti ; il dut y avoir même un moment où un nombre assez grand considéra qu'il en allait de l'égalité du rapport d'argent comme de la question politique même, comme de la question politique par excellence. Or, l'égalité qui s'est établie dit tout le contraire : la question n'est plus que nul ne doive avoir l'argent qui lui est dû ; elle est : nul ne croit plus que rien l'empêche de prétendre à l'argent vers lequel tend tout ce qui en est privé. Ni ne le dissuade de l'attendre.

C'est de cette égalité que se prévalent tous ceux qui n'ont rien encore mais qui ne doutent pas qu'ils pourraient avoir tout ce à quoi ils ont droit. Et sans doute, nul n'aime plus l'argent que celui qui en est privé. Et de toutes les réussites dont l'argent peut se prévaloir, c'est la plus belle : que l'argent ne soit pas moins aimable, quoiqu'on n'en ait pas. Qu'il le soit plus encore. À personne l'argent n'est si cher qu'à celui à qui il se refuse.

C'est celui à qui il se refuse qui plaide pour la valeur qu'est l'argent mieux que celui à qui il s'offre. Non pas parce qu'il n'y a plus personne pour ne rien vouloir avoir, ce qui ne serait que normal, mais parce qu'il n'y a plus personne à ne savoir que ne rien avoir blasphème contre la seule valeur sur l'autel de laquelle il n'y a pas jusqu'à ceux qui n'en ont pas qui ne sacrifient. C'est une horreur, bien sûr, mais qui n'indigne plus. L'argent n'est pas devenu la valeur sans que toutes les autres valeurs n'aient dû lui céder la place. Sans que toutes les autres n'en aient été renversées. De toutes les inversions, c'est celle à laquelle on était le moins préparé. C'est celle qui était faite pour que ce fût l'idée même qu'il y avait des valeurs qui ne survécût pas.

Michel Surya est écrivain. Il est l'auteur de plusieurs récits (dont *Défiguration* et *Olivet*), de plusieurs essais littéraires (dont *L'Imprécation littéraire* et *Mots et monde de Pierre Guyotat*), de plusieurs essais politiques (*De la domination* ; *Portrait de l'intellectuel en animal de compagnie* ; *De l'argent*). Une partie de son travail a porté sur l'œuvre de Georges Bataille, dont il a écrit une biographie (*Georges Bataille, La Mort à l'œuvre*, 1992), établi et préfacé la correspondance (Georges Bataille, *Choix de lettres. 1917-1962*). Il a collaboré à plusieurs ouvrages collectifs, préfacé des éditions de Sade (*Français, encore un effort...*), des sœurs Brontë (*Les Hauts de Hurlevent*, illustré par Balthus)... Il a collaboré à diverses revues, dont : *La Part de l'œil*, *Io*, *Transeuropéennes*, *Lettre internationale* (Allemagne), *Littérature* (Japon), etc. Il a créé la revue *Lignes* (Art, littérature, philosophie, politique) en 1987. Michel Surya n'enseigne pas.

Raoul Vaneigem

Où l'argent est tout, l'homme n'est rien
Contre le fétichisme de l'argent

En tant que système d'exploitation de la nature et de l'homme, l'économie a toujours été une organisation parasitaire. Néanmoins, tout en extrayant de la force de vie une force de travail dont elle tirait un profit capitalisable, elle a sans cesse assuré, en retour, la survie, si aléatoire qu'elle fût, de ceux qui la produisaient.

Jusque dans les années soixante-dix, le capitalisme réinvestissait dans l'individu et dans la société une part de ses bénéfices, autrement dit une parcelle de ce qu'il leur volait à l'un et à l'autre. Tout en permettant au prolétaire de subvenir à ses besoins et d'entretenir une puissance de travail qui garantissait l'accroissement du capital, il fondait sur la pauvreté du plus grand nombre cette prospérité de quelques-uns, que l'opinion publique, fabriquée par une presse servile, prête volontiers à la nation tout entière.

Les apparentes défaites que le prolétariat lui infligeait en lui arrachant augmentations de salaires et avantages sociaux, le capitalisme excellait à les changer en victoires. Il savait l'art d'apaiser la violence revendicatrice par d'opportunes négociations, il confortait l'ascendant des bureaucraties politiques et syndicales sur le mouvement ouvrier dont elles entravaient habilement l'essor, et, en même temps, il jetait les bases d'une consommation de masse où le prolétariat, en gagnant plus, dépenserait davantage.

Or, depuis les années quatre-vingt, le capitalisme a renoncé à tout dynamisme. Il ne se lance plus dans de nouvelles entreprises, il diminue le nombre de ses unités de production, il se replie sur lui-même, ferme les usines et envoie les travailleurs au chômage. L'argent hier encore destiné à promouvoir un projet économique associé à un projet de survie sociale est désormais absorbé par la spéculation boursière et se reproduit en circuit fermé.

L'argent de la spéculation est issu du travail mais n'y retourne pas. Il s'est « désocialisé » et c'est pourquoi l'écart ne cesse de se creuser entre les citoyens confrontés à une survie de plus en plus précaire et les gouvernants, hommes politiques ou prétendus décideurs, galvanisés par la logique abstraite d'un capital coupé de toute préoccupation sociale.

Le capital n'investit plus que dans lui-même. De fonctionnel, son parasitisme est devenu structurel. Le consumérisme et la formidable croissance de l'inutilité lucrative ont été le moteur d'une transformation qui a fait du capital se reproduisant par la production de biens consommables un capital qui s'autoproduit comme masse financière et ne quitte pas le circuit autonome de la spéculation boursière.

N'avons-nous pas renoncé depuis longtemps à juger insensé le comportement du consommateur achetant une paire de chaussures non parce qu'elle est solide, de bonne qualité, confortable et presque inusable, mais parce que son prix élevé, dûment argumenté par un discours publicitaire, l'impose comme un devoir-être identifié à la mode, lui assure un haut degré de représentation, lui garantit une apparence prestigieuse, une identification spectaculaire, une existence abstraite, gouvernée par des besoins fictifs et parfaitement séparée de la réalité vécue ?

Un mépris général de la valeur d'usage se trouve ainsi à l'origine de la dénaturation qui a gravement altéré la production des biens indispensables à la survie. Et cette dénaturation a fait de l'homme une marchandise d'un certain prix et un être vivant déprécié.

La prolifération de denrées et de services répondant de plus en plus aux exigences de la rentabilité et de moins en moins aux besoins réels des hommes a fini par stériliser toute forme de travail nécessaire à l'existence quotidienne. Elle a généré un travail parasitaire, appelé à gérer un argent qui se nourrit de sa propre substance jusqu'à la folie d'une dévaluation mondiale. Ne croirait-on pas que les batteries de cotations boursières correspondent, sous une forme abstraite, à ces élevages industriels où les bêtes, nourries de leurs déjections, invoquent du fond de leur douleur l'épizootie qui les délivrera d'elles-mêmes et du monde ?

Le capitalisme atteint son stade parasitaire lorsque la valeur d'usage de la marchandise tend vers zéro et sa valeur d'échange vers l'infini.

Il est dans la logique d'un capitalisme spéculatif et financier de rentabiliser l'inutile plutôt que d'accorder de l'argent à des entreprises dont l'utilité publique exige beaucoup et rapporte peu. Quand un sursis est accordé à ces dernières, c'est encore pour fournir au patronat l'occasion de s'approprier aides et subventions, dont l'usine ne bénéficiera pas mais qui iront grossir le capital financier.

L'indispensable est aujourd'hui sacrifié « pour raisons budgétaires ». Les produits naturels de l'agriculture disparaissent au profit d'une industrie agro-alimentaire subventionnée par l'État pour répandre sur le marché des légumes frelatés, des céréales gâtées par les engrais, des ersatz insipides, des fruits pollués, des semences génétiquement manipulées et la viande folle des élevages concentrationnaires.

Les logements, débités en tranches par les mafias de l'immobilier, bétonnent les paysages et dépriment l'habitant, quand la nocivité des matériaux ne l'empoisonne pas.

Les écoles sont fermées et les classes surpeuplées suscitent une violence de ghetto propre à soutenir l'imbécillité démagogique, le marché de la peur et la paranoïa répressive.

Les complexes métallurgiques disparaissent comme si le fer et l'acier avaient moins d'importance que les sociétés de courtage appelées à gérer les faillites lucratives.

Les industries nucléaires, pétrochimiques, pharmaceutiques et génétiques freinent le développement et le perfectionnement des énergies naturelles à seule fin d'extraire de la chair corrompue des hommes et de la terre un ultime profit.

L'abandon du secteur textile dans des régions jadis renommées pour sa qualité justifie la surexploitation des enfants et des prolétaires du Tiers Monde. Et il en va de même pour les transports publics, la communication, la rencontre, le dialogue. Les systèmes abstraits que tissent les filières de l'argent mort imposent leur trame absurde aux réalités concrètes de l'existence quotidienne. Placée sous le joug d'une bureaucratie politique et affairiste, nationale et internationale, la survie des travailleurs, et des chômeurs qu'ils deviennent, n'est qu'une question de prix.

De moyen indispensable pour se procurer les biens de subsistance, l'argent, fétichisé à l'extrême par la courbe hyperbolique du profit, en est arrivé à n'avoir plus d'autre usage que sa reproduction dans les circuits fermés de la spéculation. Il est devenu fou en s'enroulant sur lui-même, comme le serpent ouroboros, qui se dévore la queue. Dans le même temps, le pouvoir qui en émane et dont il est l'émanation s'est à son tour coupé des réalités terrestres où chacun tente, avec un malaise croissant, de s'accommoder de son absolutisme de droit divin.

Le pouvoir de l'argent et l'argent du pouvoir ont toujours été inséparables. La folie de l'argent et le pouvoir fou vont de pair, aiguisés par l'avidité ascétique et les plaisirs tristement réduits aux déjections de la carence affective. Où l'argent est tout, l'homme n'est rien.

Ce qui, sous Sardanapale ou Staline, relevait du despotisme absolu et de ses extravagances pénètre aujourd'hui jusqu'au cœur de l'existence ordinaire pour le glacer sous les dehors du plus raisonnable esprit démocratique. Le glaive et le pistolet du bourreau ont cédé le pas aux injonctions boursières, lesquelles, au demeurant, ne les dédaignent pas lorsque l'occasion l'exige, comme on l'a vu au Nigeria, où la compagnie pétrolière Shell, non contente de ruiner l'environnement et la population ogoni, envoya à la potence le poète Ken Sero-Wiwa.

La puissance du totalitarisme financier, qui s'est étendue aux quatre coins du monde, enveloppe la planète d'une atmosphère polluée, véritable nuit et brouillard où les ombres vont et viennent en suivant le cours fluctuant des dividendes.

Des ghettos de la misère à la misère des ghettos de luxe, la conscience mercenaire supplante la conscience humaine. Le bon usage de la rapacité donne des lettres de créance au mépris des autres, qui permet – un exemple entre cent – de fermer les écoles, de rentabiliser l'enseignement, d'enrager les écoliers entassés à trente dans une classe et de recourir ensuite à des méthodes policières pour les mater. Et qu'y a-t-il en face ? Un identique mépris de soi se défoulant en vandalisme, en bris de vitrines et de voitures, quand ce n'est en la pacifique impuissance des manifestations de masse.

L'argent a toujours drainé dans son sillage le sang, la corruption, la violence. Les exorbitants privilèges qui lui sont désormais consentis ajoutent le ridicule à l'odieux.

Les nantis de jadis ne boudaient pas l'occasion d'une dépense aussi somptuaire que sotte. Leurs bombances et leurs sauteries ostentatoires exhibaient cyniquement aux foules grugées, admiratives et frustrées le faste faisandé de leurs plaisirs monnayés.

Hier, ils achetaient une écurie ; aujourd'hui, ils chevauchent le dividende à domicile. C'est à peine si, prenant encore à la sauvette le temps de salir l'universel appétit de jouissance par un lucre de jouisseur mercantile, ils se permettent d'écluser un Petrus, de déglutir une once de caviar, de chasser la biche au fusil-mitrailleur (le tir aux Indiens d'Amazonie ayant été officiellement interdit), de sodomiser un petit Thaïlandais ou de se livrer à la fornication dans les harems de la frigidité affective.

Esclaves d'une substance morte qu'ils nourrissent de leur vaine et pathétique frénésie, ils ne conçoivent la vie que mutilée. Seraient-ils seuls à se mortifier, que nous n'en aurions que foutre. Mais ils règnent par la peur et le désespoir qui sont en eux et ils les propagent comme une semence de mort.

Loin de mettre cette engeance hors d'état de nuire, nous voyons le plus grand nombre acquiescer à l'énormité de ses mensonges, accepter les réductions de salaires, courber la tête sous la menace du chômage, sombrer dans le désespoir, plébisciter des démagogues dont la politique est celle du Père Ubu, faire les chiens couchants avec force grognements, au lieu de s'ébrouer et de risquer l'aventure de la vie et du désir.

L'argent surabondant, employé à se reproduire, et l'argent dont la carence compromet la survie ont un effet commun : ils tuent l'imagination et la créativité.

L'affolement qu'entraînent le flux de l'argent virtuel et le reflux de l'argent nécessaire à la survie aboutit à un obscurantisme, à une opacité des consciences plus efficaces qu'aucune forme d'Inquisition ou de terreur sacrée : le dogme de la Terre gravitant autour du profit interdit d'explorer les territoires où la valeur d'usage du vivant répudie sa valeur d'échange.

Où prime la voix de l'argent ne s'exprime plus que le vide du cœur. L'argent a tout et il n'est rien, il achète et ne donne pas. La foi en l'argent est le credo qui hante les ghettos de riches où on le hume sans y toucher et les ghettos de pauvres où on le poursuit sans l'atteindre, dans l'angoissante nuit de la précarité quotidienne. Il n'y a ni homme, ni femme, ni enfant, ni chimpanzé, ni forêt, ni céréale, ni paysage auxquels les droits du commerce n'ôtent le droit d'exister selon la gratuité naturelle. Le sens humain est voué à disparaître pour l'ultime raison qu'il n'est pas rentable.

Comment des conditions de plus en plus aléatoires, un présent en décomposition, un avenir obturé, un chômage galopant, un nombre considérable d'individus livrés à la culture transgénique de l'ennui n'engendreraient-ils pas à l'échelle de la planète une mentalité de mercenaire ?

Des souks de Peshawar aux offices de Manhattan, tous les prétextes sont bons, y compris la vieille imagerie religieuse, pour accumuler les bénéfices. La course au néant s'est ouverte sous le signe du profit immédiat. Elle rameute aussi bien les pêcheurs de la Caspienne dévastant les bancs d'esturgeons sans souci du lendemain que les chercheurs de la biotechnologie reniant leur dignité de savant pour produire des nuisances rémunératrices, ou les parents de quartiers défavorisés vendant leurs enfants à une *jet-society* qui assouvit ses fantasmes avec l'insensibilité inhérente aux affaires.

Au XIXᵉ siècle, Wilkie Collins parlait déjà de « la profanation de soi-même, à laquelle se condamne un chevalier d'industrie ». C'est une disposition qui n'a cessé de se généraliser, dans la mesure où la déperdition de la valeur d'usage et la surévaluation de la valeur d'échange ont dépouillé le travail de son utilité et ont privilégié un argent qui travaille seul et dont chacun devient l'inutile et aveugle tributaire.

Combien sont-ils, parmi nos contemporains, à ne pas succomber à la hantise de l'argent au point de sacrifier chaque jour, sur son autel fictif, leurs pensées, leurs rêves, leurs désirs les plus chers ? Les gestes et les comportements sont toisés à l'aune de la perte et du gain monétaires, refoulant parmi les ombres du silence la vie et la possible gratuité des jouissances. Les momeries et les institutions religieuses du passé ont cédé la place aux rituels du rentable sacrifiant à un Dieu boursicoteur l'homme voué, comme dès le plus lointain passé, au mépris de soi et des autres.

La religion retrouve là son essence, son noyau infrangible de vie terrestre reniée au profit d'un au-delà. La transcendance monétaire s'est incarnée dans la vie quotidienne pour en faire un objet de profit. La religion s'est réalisée dans ce qu'elle était : le goût de la mort qu'instille la morsure du péché.

Le capitalisme financier sait que sa bulle spéculative peut crever d'un jour à l'autre, que le papier-monnaie encourt un risque de combustion spontanée, que la réalité vécue par procuration est happée par le tourbillon d'une logique mortifère.

Il mise sur le marché de l'anéantissement pour majorer ses ultimes bénéfices. En jouant les Cassandre d'un effondrement programmé, il précipite dans la frénésie des derniers jours consommables et dans l'hystérie de la vie absente ceux qui ont troqué leurs désirs contre une plus-value.

Le pouvoir de l'argent et le pouvoir qui se dispense de l'argent, parce qu'il le représente, impriment aux événements une danse de Saint-Guy dont les déhanchements jettent hors du temps et de l'espace du vivant des êtres éviscérés de leur humanité et qu'enfle une désespérante inanité. À ceux-là, leur propre nullité ne fait qu'enseigner à tuer et à se tuer pour rien.

La représentation de la vie sans la vie est, à l'instar de la masse financière sans usage, un trou noir qui avale ce qui passe à portée. Le nihilisme est l'expression du chaos où tout ce qui s'achète et se vend équilibre le néant de l'existence et l'Être suprême de l'argent. L'esprit mafieux se reconnaît au nombre d'éclopés affectifs crapahutant sur les chemins du « tout est permis pourvu que cela rapporte ».

Quand les organisations mondiales, gérant les flux financiers, menacent le citoyen d'une insécurité croissante, d'un chômage galopant, d'une paupérisation absolue, d'une mort par pollution de l'air, de l'eau, de la terre, en sorte que, apeuré, résigné, crétinisé, il paie tribut à ses bourreaux en échange d'un sursis qui ne vient jamais – la fameuse reprise économique –, c'est à un véritable racket que nous avons à faire, et le vieux modèle mafieux retrouve une redoutable efficacité dans le clientélisme auquel aboutit le pouvoir souverain de l'argent fétichisé.

L'affairisme prête à la criminalité internationale la caution d'une économie mondiale, dont l'absolutisme évoque le droit divin des anciennes monarchies. Une propension à la délinquance universelle s'autorise de l'esprit lucratif dominant pour se banaliser parmi ceux qui, par perversion de fortune ou par infortune avérée, s'échinent à courir après la manne monétaire.

Des banlieues de Buenos Aires à Wall Street règne, sous l'égide de conseils d'administration télévisuellement corrects, le même savoir-défaire, la même science endémique du désordre, seule propice aux affaires.

L'alliance des multinationales, des banques, des trafiquants d'armes et de drogue, des dictateurs et des hommes politiques de tous bords forme une entente criminelle mondiale, à laquelle prêtent une honorabilité d'interlocuteur valable non seulement les valets de presse et de médias mais ceux-là mêmes qui prétendent les combattre.

Fortes d'une reconnaissance officielle, les mafias traditionnelles n'ont aucune peine à se confondre avec les patrons de multinationales, lesquels se confondent aussi aisément avec la crapule mafieuse. Les fonds versés par la Banque mondiale, le FMI et *tutti quanti* alimentent les comptes en Suisse, à Jersey ou aux îles Caïmans.

Comment opter pour la bourse contre la vie et pousser les hauts cris de l'indignation journalistique chaque fois que des gangsters mettent à mal une banque ou un supermarché ? Comment concilier la répression des revendeurs de drogue à la sauvette et les opérations de blanchiment financier auxquelles banquiers et narcotrafiquants se livrent impunément ? Si le culte de l'argent tolère l'escroquerie légale des magnats disposant d'une protection juridique et comptable, comment condamner l'illégalité de leurs modestes imitateurs ?

La belle justice que de sévir contre les malfaisants de quartiers et de banlieues, tandis que, sous couvert de mandats politiques ou administratifs, les malfrats nationaux et internationaux dévalisent les fonds publics, pillent les budgets, vandalisent l'environnement, détruisent les moyens de production, raréfient les biens de subsistance, menacent la santé, attentent à la joie de vivre et, frappant d'ostracisme les quelques juges intègres résolus à leur demander des comptes, misent sur un accroissement de la violence policière pour enrayer une criminalité tacitement encouragée !

L'empire de la marchandise se dévore de l'intérieur. L'attentat de New York n'est qu'un épiphénomène de l'anéantissement dont le capitalisme financier menace le monde entier et qu'il s'inflige par voie de conséquence. C'est lui-même qui arrive à lui-même.

Déjà, l'implosion des systèmes politiques et religieux, sous l'effet du consumérisme, était un signe avant-coureur de l'effondrement que l'absolutisme économique provoque en amoncelant cul par-dessus tête les absurdes bastilles de l'agiotage.

L'islam, quoi qu'on en pense, est déjà rongé par la logique de marché, qui n'a ni foi ni loi. Pas plus que le christianisme, il n'échappera à la souveraineté marchande qui désacralise idées et croyances en les dépenaillant sur la râpe de la valeur d'échange. Souvenez-vous de l'écroulement de la grande Baliverne communiste, sonnant le glas de toutes les idéologies politiques, et que nul, quelques mois auparavant, n'eût osé prophétiser.

De même que la honte n'a pas été l'arasement des tours new-yorkaises mais la mort d'hommes et de femmes, victimes du désespoir fanatisé, de même le danger réside-t-il moins dans l'effondrement du capitalisme financier que dans le réflexe de mort qu'il risque d'enclencher chez ceux qui ne conçoivent d'autre existence qu'économisée jusqu'à la moelle.

Le fétichisme de l'argent implique un renoncement à soi qui relève du puritanisme. Qu'il soit protestant, musulman ou athée, religieux ou idéologique, le reniement de la vie n'engendre que des comportements criminels et aberrants. Le visage haineux des islamistes et des Américains adeptes du talion est la face d'une même pièce de monnaie, dont le revers présente sous sa version sardonique cet hédonisme consumériste cherchant dans l'achat des plaisirs un palliatif contre la mort. Or, le marché est identique et identique la frustration qui gèrent la balance de l'offre et de la demande dans un parfait mépris de la vie.

Telle est la source de la haine de soi et des autres. Là réside le danger de voir l'implosion du totalitarisme économique propager, par une réaction en chaîne, un réflexe suicidaire semblable à celui qui infesta l'Allemagne, galvanisée par la politique de désespoir prédateur menée par les nazis. Les démagogues ont le même regard dépravé que les tueurs en série qui entretiennent la chronique de l'insécurité.

Nous subissons le harcèlement d'une désolation également propice aux profits boursiers à court terme et aux radiations morbides d'une existence sans attrait.

La survie somnolente risque de s'éveiller à de terribles cauchemars où resurgiront les monstres du passé.

Jamais la conscience d'une vie présente et à créer n'aura pesé d'un tel poids dans le devenir du monde.

Raoul Vaneigem est né en 1934 en Belgique, dans le Hainaut. Il a participé aux activités de l'Internationale situationniste. Il n'a cessé de développer et de corriger les thèses de son *Traité de savoir-vivre à l'usage des jeunes générations*, paru en 1967, dans la plupart de ses œuvres : *Le Livre des plaisirs* ; *Adresse aux vivants sur la mort qui les gouverne et l'opportunité de s'en défaire* ; *Nous qui désirons sans fin* ; *Pour une internationale du genre humain* ; *Déclaration universelle des droits de l'être humain*. Auteur aux éditions Complexe de *L'Ère des créateurs* et de *Salut à Rabelais ! Une lecture au présent.*

Dieter Lesage

La ville anti-globale
Seattle, Göteborg, Gênes
Une cartographie de la résistance

« [...] *les forces qui contestent l'Empire
et qui préfigurent effectivement une
société mondiale de substitution ne sont
elles-mêmes pas limitées à une région géographique. La géographie de ces pouvoirs
de substitution – la nouvelle cartographie
– attend toujours d'être écrite – ou plutôt,
en réalité, elle est en cours d'écriture
actuellement par (à travers) les résistances,
les luttes et les désirs de la multitude.* »

Antonio Negri & Michael Hardt

Une géographie codée

On aimerait nous faire croire que l'argent est partout, ou du moins qu'il
pourrait l'être. Les mouvements de capitaux transnationaux sont même au
cœur de l'idée que nous nous sommes forgée de la globalisation censée
caractériser notre époque. Cette idée comporte aussi la conviction qu'en
cette ère de globalisation, les lieux sont devenus indifférents : où que l'on
soit, on peut toujours se connecter à internet et, par conséquent, lancer des
mouvements de capitaux transnationaux. Mais contrairement à ce que cette
idée de la globalisation nous fait miroiter, il existe une véritable cartographie
capitaliste, dans laquelle certaines villes – pas toutes les villes et, *a fortiori*,
pas tous les lieux – jouent un rôle dominant, stratégique. Comme je le mon-
trerai, le mouvement anti-globalisation, au cours des trois dernières années,
s'est totalement mépris sur cette cartographie capitaliste. Pendant ces trois
années, il s'est manifesté un peu n'importe où – en dépit des apparences –,

alors que le capital, lui, n'est jamais n'importe où. Le mouvement anti-globalisation n'était donc pas là où il aurait dû être. Une nouvelle cartographie de la protestation anti-globaliste s'impose.

Le calendrier de la protestation anti-globaliste se présente comme une longue litanie de noms de villes : Washington, Cologne, Seattle, Québec, Prague, Nice, Davos, Naples, Göteborg, Gênes, Gand, Bruxelles. Tous ces noms de lieux sont également associés à un code minimaliste : J18, N30, S26, J15, D14… Tout le monde sait à présent que ces codes sont dérivés du mois et du jour des actions planifiées – 18 juin 1999 à Cologne, 30 novembre 1999 à Seattle, 26 septembre 2000 à Prague, 15 juin 2001 à Göteborg, 14 décembre 2001 à Bruxelles – et qu'ils entendent singer la façon dont certains grands forums économiques, dont les réunions sont devenues des occasions privilégiées pour les actions de protestation, se désignent eux-mêmes – nous voulons bien entendu parler du G7 et du G8. Dès la première moitié de 1999, les activistes du J18 se sont rassemblés à Cologne à l'occasion d'un sommet du G8, autrement dit d'une rencontre informelle des dirigeants des sept pays considérés comme les plus riches du monde (États-Unis, Canada, Japon, Grande-Bretagne, France, Allemagne, Italie), auxquels s'ajoute la Russie. Dans l'historiographie récente du mouvement anti-globalisation, toutefois, c'est la manifestation organisée lors de la troisième conférence ministérielle de l'Organisation mondiale du commerce, à Seattle (du 29 novembre au 3 décembre 1999), qui est en passe de devenir la « mère mythique » de toutes les manifestations anti-globalisation. Or, sans le prélude de Londres, la manifestation de Seattle n'aurait pas été si violente et n'aurait pas pu revendiquer la maternité du mouvement anti-globalisation. En effet, outre les actions de protestation menées à l'occasion de la réunion du G8 à Cologne, le 18 juin 1999, des manifestations organisées le même jour ont causé d'importants dégâts dans la City londonienne. Comme la plupart des évangiles du mouvement anti-globalisation écrits avant Seattle, le livre *No Logo*, de Naomi Klein, décrit les événements du J18 comme la préfiguration de la résistance globale contre les entreprises transnationales dont il analyse les pratiques. S'il fallait retracer la préhistoire du mouvement anti-globalisation, Reclaim the Streets, l'organisateur du Global Carnival Against Capital londonien du 18 juin, y occuperait certainement une place de premier plan. Pourtant, ce qui s'est produit à Londres ce jour-là s'est avéré par la suite assez atypique dans le mouvement anti-globalisation et l'histoire de ses débuts. Et ce n'est pas Londres, mais bien Seattle, qui est devenue la ville de référence du mouvement anti-globalisation. Le choix de Seattle à la place de Londres pourrait bien être la première erreur stratégique grave commise par le mouvement anti-globalisation.

Des réflexes sécuritaires

Comme on le sait, les villes qui ont formé le théâtre des principales manifestations anti-globalisation depuis 1999 ne sont pas le résultat d'un choix souverain du mouvement anti-globalisation lui-même. Le choix des villes, de même que celui des dates de manifestation, découle des choix du camp adverse, qu'Antonio Negri et Michael Hardt ont baptisé « empire » dans leur manifeste. Dès qu'une série d'institutions « impériales » importantes, comme la Banque mondiale, le Fonds monétaire international, l'Organisation mondiale du commerce, le Conseil européen ou le G8, décident de se réunir tel jour dans telle ville, le mouvement anti-globalisation ajoute la destination en question à sa géographie codée. Il profite, en effet, de l'intérêt médiatique suscité par ces réunions au sommet pour attirer l'attention sur son propre agenda. Depuis janvier 2001, le Forum social mondial organisé dans la ville brésilienne de Porto Alegre a été l'unique exception à cette politique, et encore ne concernait-elle que le choix du lieu, puisque la période choisie pour le rassemblement était délibérément identique à celle du Forum économique mondial de Davos. À l'origine, la manifestation anti-globalisation devait d'ailleurs se dérouler à Davos. Au-delà des raisons symboliques, en particulier la fonction d'exemple de démocratie participative de Porto Alegre, certaines raisons logistiques et financières ont sans doute joué dans la décision de ne pas combattre Davos à Davos même : le Forum économique mondial monopolisait entièrement l'infrastructure et la logistique de la petite station de ski suisse et, de surcroît, la Suisse n'est pas connue pour être le pays le meilleur marché d'Europe.

Il va de soi que les choix géographiques des institutions supranationales ou des réunions informelles internationales ne sont pas non plus, ou pas uniquement, des choix souverains. Par exemple, comme le Conseil européen a coutume de se réunir dans des villes sélectionnées par le pays qui assure la présidence européenne du moment, on peut supposer que le choix de ces villes correspond à une logique nationale plutôt que supranationale. Les motifs nationaux qui interviennent dans le choix des villes peuvent aller des conditions de sécurité, correctement évaluées ou non, au chauvinisme justifié ou non d'un Premier ministre vis-à-vis de telle ou telle ville, en passant par une politique de marketing urbain qui se sert du prétexte de l'événement pour rénover le centre de la ville. Bien entendu, le mélange de toutes ces considérations est plutôt la règle que l'exception.

À présent, les institutions supranationales, ou leurs vassaux locaux, tiennent compte de la coïncidence de leurs réunions avec les manifestations anti-globalistes. Au sein du mouvement, certains y voient une raison de se réjouir : « *Ils sont obligés de tenir compte de nous* », disent-ils en jubilant.

Parfois, on distingue même une pointe de machisme : « *Vous voyez, ils ont peur de nous.* » Les réflexes sécuritaires des responsables politiques ont, semble-t-il, amené les anti-globalistes à poursuivre les institutions supranationales là où elles pensaient pouvoir se cacher. Mais peut-être est-ce précisément ainsi que l'on a, au cours de ces trois dernières années, toujours attiré le mouvement anti-globalisation là où on voulait l'avoir. Je vais tenter de montrer que l'empire, plutôt que de se sentir harcelé par la succession des contre-manifestations qui ont eu lieu en marge de ses grands-messes, était peut-être justement rassuré par celles-ci. J'espère pouvoir prouver que les anti-globalistes doivent de toute urgence renoncer à la stratégie du *summit hopping* pour dessiner une autre cartographie de la résistance. En adoptant pour devise : « *Une autre résistance est possible.* »

GLOBAL CITIES

Le fait remarquable concernant la série de villes où l'on a manifesté si violemment ces trois dernières années est qu'il s'agissait rarement de grandes métropoles. Les mobilisations les plus fortes, en tout cas, ont eu lieu dans des villes de moins d'un million d'habitants. Les villes de la protestation anti-globaliste des trois dernières années sont principalement des « non-métropoles ».

On pourrait objecter que le nombre d'habitants d'une ville ne dit pas grand-chose du rôle de cette ville dans l'économie globale, du moins à lui seul. En effet, Saskia Sassen a montré que toutes les métropoles ne jouaient pas un rôle crucial dans l'économie mondiale et que toutes les villes qui étaient des plaques tournantes dans l'économie mondiale n'étaient pas des métropoles, moins encore des mégalopoles. En d'autres termes, toutes les *global cities* ne sont pas des *mega-cities* et vice-versa. « *It has become increasingly evident that mere population size is not sufficient to explain the level of a city's economic power in the world economy.* » Toutefois, on s'aperçoit très vite que, dans presque tous les cas, la fonctionnalité globale des villes qui ont formé le théâtre de manifestations anti-globalistes ne peut être qualifiée que négativement. Exception faite de Londres, il ne s'agissait jamais de villes figurant sur la liste des *global cities* identifiées par Saskia Sassen : New York, Londres, Tokyo, Paris, Francfort, Zurich, Amsterdam, Los Angeles, Sydney, Hong Kong, etc.

Pour Saskia Sassen, les *global cities* sont un nouveau type de structure organisatrice créé par la globalisation des activités économiques. Le rôle stratégique des *global cities* dans l'économie mondiale contemporaine s'explique par la combinaison de la dissémination géographique des activités économiques et de leur intégration systémique. C'est dans ces villes que se concentre le management des activités économiques disséminées de par le monde. C'est là aussi que nous retrouvons la production post-industrielle de services financiers et autres. Enfin, les entreprises et les dirigeants peuvent y acheter des instruments financiers et d'autres services spécialisés. L'un des facteurs qui déterminent le rôle central de ces villes dans l'économie globale est le glissement que l'on remarque dans la composition des transactions internationales, en particulier depuis les années quatre-vingt.

« [...] *foreign direct investment grew three times faster in the 1980s than the growth of the export trade. Furthermore, by the mid-1980s investment in services had become the main component in foreign direct investment flows where before it had been in manufacturing or raw materials extraction. The monetary value of international financial flows is larger than the value of international trade and of foreign direct investment. The sharp growth of international financial flows has raised the level of complexity of transactions. This new circumstance demands a highly advanced infrastructure of specialized services and top-level concentrations of telecommunications facilities. Cities are central locations for both.* »

Face à la complexité des fonctions de gestion centrales, les sièges des grandes entreprises ont recours à un *outsourcing* d'une partie de leurs opérations : conseil juridique, relations publiques, comptabilité, télécommunications, coordination, etc. Les entreprises de services spécialisés auxquelles ils font appel sont, elles aussi, sensibles aux agglomérations. La complexité, l'exigence de rapidité et la pluridisciplinarité des services qu'elles offrent, alliées à l'insécurité des marchés au sein desquels elles sont actives, les destinent à un certain type d'environnement urbain conçu comme centre d'information. Et surtout, le flux d'informations dense et intense dans lequel les experts urbains des secteurs de services spécialisés évoluent n'est pas reproductible sur le *web*, ce qui fait de la *global city* un site de production irremplaçable pour l'actuelle industrie de l'information.

Plus les sièges des entreprises transnationales délèguent une part importante de leurs opérations par le biais de l'*outsourcing*, plus ils sont libres dans le choix de leur lieu d'implantation. Les *global cities* offrent surtout des avantages de production au secteur des services très spécialisés et liés à internet. Si de nombreuses entreprises internationales sont encore établies dans les *global cities*, c'est avant tout à cause du manque d'alternatives qui caractérise certaines régions. Là où les facilités nécessaires sont disponibles même en dehors des centres d'affaires, davantage d'options s'offrent aux sièges d'entreprises. Selon Saskia Sassen, le nombre de sièges d'entreprises transnationales dans une ville a donc cessé d'être un bon indicateur du rôle de cette ville dans l'économie mondiale.

Les entreprises de services devant fournir des services globaux, elles opèrent à l'intérieur de réseaux *city-to-city*, avec des entreprises partenaires. On voit ainsi apparaître des réseaux internationaux de villes dont la croissance économique est sans cesse plus dépendante de celle de l'hinterland ou même de la croissance économique nationale. Dans ces villes, le nombre croissant de professionnels hautement spécialisés et d'entreprises de services à très haut rendement crée une grande inégalité socio-économique et spatiale. En fonction du talent démontré, les salaires des professionnels de ces secteurs de services connaissent des hausses plus fortes et plus rapides que les salaires des autres secteurs. Dans le secteur des services, nous assistons, au sein des *global cities*, à l'apparition d'une économie de services informelle, fournissant des services à des entreprises qui, sans cela, ne pourraient pas concurrencer les autres entreprises de pointe.

ANTIGLOBAL CITIES

Les *global cities* peuvent donc être considérées comme l'incarnation du type de globalisation que les anti-globalistes combattent. Le mythe selon lequel le lieu n'a plus d'importance à l'ère de la globalisation suscite chez Sassen une réplique sous forme de cartographie matérialiste des infrastructures de la globalisation. Cette cartographie met en lumière l'importance d'un réseau de villes, qui constituent les plaques tournantes de la globalisation économique de ces transactions financières sur lesquelles une association anti-globaliste comme ATTAC aimerait voir lever un impôt. La forme de globalisation critiquée par les anti-globalistes est – littéralement – plus active dans certaines villes que dans d'autres. De plus, les *global cities* sont caractérisées par de forts contrastes socio-économiques qui inquiètent les anti-globalistes. Malgré cela, il n'y a pratiquement aucun recoupement entre le réseau de *global cities* défini par Sassen et les villes de la protestation anti-globalisation. On peut par conséquent affirmer que, ces trois dernières années, le mouvement anti-globalisation a constamment été à côté de la plaque (tournante). Hormis quelques manifestations de solidarité parallèles, occasionnelles et discrètes, organisées dans certaines *global cities*, ses grandes manifestations ont eu lieu à Nice, Cologne, Genève, La Haye, Seattle, Melbourne, Québec et Gênes plutôt qu'à Paris, Francfort, Zurich, Amsterdam, Los Angeles, Sydney, Toronto ou Milan. La célèbre litanie des villes de la protestation anti-globaliste pourrait tout aussi bien être l'énumération d'une série d'échecs complets. À une exception près, les villes de la protestation anti-globalisation n'étaient pas des *global cities*. Autrement dit, les *antiglobal cities* étaient des villes formellement non conformes aux critères qui permettent, selon Saskia Sassen, de définir les *global cities*.

On objectera que l'étude révolutionnaire de Sassen sur la *global city* a aujourd'hui dix ans, que la globalisation ne s'est pas arrêtée pendant ces dix dernières années, bien au contraire, et qu'un nouvel inventaire des *global cities* risque de réfuter cette dernière affirmation. À première vue, l'état actuel de la géographie de la globalisation ne semble toutefois pas contredire mon hypothèse, même si quelques nuances doivent être apportées. Beaverstock, Smith et Taylor, du Globalization and World Studies Group and Network, ont dressé, dans une étude intitulée *A Roster of World Cities* (1999), un inventaire de ce qu'ils appellent des « villes mondiales », sur base de la fonctionnalité globale de certains de leurs secteurs de services. Ces auteurs se fondent donc sur les mêmes critères que Sassen pour établir des distinctions entre les villes en termes de fonctionnalité globale. Le fait qu'ils aient préféré l'expression de *world city* à la *global city* de Sassen est plus déroutant que véritablement important. Leur étude doit être considérée comme une actualisation de celle de Sassen sur la *global city* plutôt que comme une recherche axée sur un autre type de villes.

Toutes les villes fournissent évidemment des services, mais toutes ne le font pas à l'échelle mondiale, ou globale. Il faut donc se demander quelles villes jouent un rôle plus ou moins important dans l'économie mondiale en tant que centres de production d'*advanced producer services*, également appelés *corporate services*. Dans la recherche de Beaverstock, Smith et Taylor, la capacité globale des villes résulte de la somme de scores relatifs à la présence significative, dans ces villes, de départements d'entreprises ayant un rayon d'action global dans quatre secteurs distincts de services spécialisés aux entreprises : la comptabilité, la publicité, le conseil financier et le conseil juridique (banques et bureaux d'avocats). Ces scores sont interprétés comme la concentration de l'expertise et de la connaissance dans un secteur déterminé et dans les villes concernées. Dans chacun des quatre secteurs nommés, on distingue des *prime*, des *major* et des *minor world cities* en fonction du niveau de concentration en expertise et en connaissance dans ces secteurs. Une *prime world city* totalise trois points dans l'un des *corporate services* cités, une *major world city* en totalise deux et une *minor world city* un. Lorsque l'on fait la somme des scores de toutes les villes dans les quatre secteurs, on obtient une échelle de 1 à 12 qui détermine la *world cityness* des villes. Sur la base de leur score total, les villes sont ensuite classées en groupes de villes qui jouent un rôle comparable dans l'économie mondiale. L'étude distingue les *alpha world cities* (ou *full service world cities*), qui ont un score de 10-12, les *beta world cities* (ou *major world cities*), qui ont un score total de 7-9, et les *gamma world cities* (ou *minor world cities*), qui ont un score de 4-6. Elle aboutit au top 20 suivant de la *world cityness* :

Alpha world cities (*full service world cities*) :

12. Londres, New York, Paris, Tokyo

10. Chicago, Francfort, Hong Kong, Los Angeles, Milan, Singapour

Beta world cities (*major world cities*) :

9. San Francisco, Sydney, Toronto, Zurich

8. Bruxelles, Madrid, Mexico, São Paulo

7. Moscou, Séoul

Si les résultats de cette étude récente sur les *global cities* confirment certaines des découvertes de Saskia Sassen, on constate néanmoins quelques différences frappantes. Dans son ouvrage, Sassen élit quinze *global cities* : Amsterdam, Francfort, Hong Kong, Kuala Lumpur, Londres, Los Angeles, Mexico, Miami, New York, Paris, São Paulo, Sydney, Tokyo, Toronto et Zurich. Dans l'étude de Beaverstock, Smith et Taylor, Amsterdam (score 6), Kuala Lumpur et Miami (toutes deux score 4) doivent se contenter du statut de *minor world city*. Cette étude compte au total quelque trente-cinq *minor world cities*, soit des villes qui ont toutes un score de 4-6 sur l'échelle de la *world cityness*. Ce groupe relativement nombreux de *minor world cities* comprend, par exemple, des villes comme Washington (score 6), Berlin et Barcelone (toutes deux score 4). D'autre part, le récent top 20 compte une série de villes que Sassen n'a jamais mentionnées dans son étude sur les *global cities* : ce sont Chicago, Milan, Singapour, Madrid, Moscou et, en guise de cerise sur le gâteau de Wittamer, Bruxelles. Autrement dit, Sassen a surestimé l'importance d'Amsterdam, mais aussi et surtout celle de Miami et de Kuala Lumpur, dans l'économie mondiale actuelle, et sous-estimé celle de Bruxelles, Madrid et Moscou, et plus encore celle de Chicago, Milan et Singapour. Dans certains cas, comme Bruxelles et Singapour, ces déplacements s'expliquent peut-être par les développements de l'économie globale au cours des dix dernières années, mais cela paraît plus improbable pour Chicago, Milan et Madrid. Quoi qu'il en soit, notre affirmation selon laquelle la protestation anti-globaliste des trois dernières années a rarement choisi les *global cities* ou *world cities* comme terrains d'action reste valable dans sa presque totalité. Selon Beaverstock, Smith et Taylor, plusieurs des points de référence historiques majeurs du mouvement anti-globalisation ne sont pas des *world cities*, pas même des *minor world cities*. À Seattle (score 2), les auteurs décèlent « quelques indices de la formation d'une *world city* » ; à Göteborg et à Gênes (toutes deux score 1), seuls des indices minimaux de ce processus sont présents. Si l'on ne tient pas compte des actions de solidarité parallèles et plus modestes qui ont eu lieu à New York et à Londres, Bruxelles a été la première *major world city* sur le parcours du mouvement anti-globalisation. Pour Beaverstock, Smith et Taylor, Prague et Washington ne sont, en effet, que des *minor world cities*, comparables à Amsterdam. Et lorsque les anti-globalistes ont opté pour une authentique *world city* au cours des dernières années, il ne s'agissait pas d'un *summit date*, mais bien d'un endroit choisi par le mouvement lui-même. Ce fut par exemple le cas pour la manifestation de Mexico, en clôture du Zapatour qui, du 24 février au 12 mars 2001, a rallié la capitale au départ de la province mexicaine du Chiapas, sous la direction du sous-commandant Marcos.

Peu à peu, on voit ainsi se dégager une tendance remarquable dans le choix des lieux de réunion des institutions supranationales, qui constituent la cible des anti-globalistes. Il convient d'examiner cette tendance de plus près afin d'évaluer l'efficacité réelle de la stratégie du *summit hopping*.

L'HYPOTHÈSE DE L'ATTRACTION

Le choix des endroits de réunion des institutions supranationales au cours des trois dernières années soulève une série de questions. Curieusement, les corps constitués de la globalisation ne semblent pas très portés sur les *global cities*. Alors que l'on pourrait organiser un meeting à Milan, on choisit Gênes. On pourrait se réunir à Francfort, mais on décide de le faire à Cologne. Et plutôt que de se voir à Los Angeles, on préfère Seattle. J'en arrive donc à une supposition assurément audacieuse, qui découle de l'hypothèse peu controversée selon laquelle les organisateurs de rencontres au sommet agissent en fonction de réflexes sécuritaires forts. Il se pourrait seulement que ces réflexes soient encore plus forts que ce que l'on pensait jusqu'ici. Supposons un instant que les lieux des rencontres au sommet soient choisis de manière à attirer le mouvement anti-globalisation là où on le veut, c'est-à-dire en dehors des endroits où son potentiel est le plus élevé. Supposons que la stratégie du *summit hopping* soit exploitée par la partie adverse comme une tactique d'attraction et que les institutions supranationales éloignent systématiquement le mouvement anti-globalisation des lieux où il devrait être. Toutes ces suppositions se résument à l'hypothèse que les réunions au sommet ont servi d'appât aux actions de protestation et sont ainsi parvenues à tenir les manifestations loin des infrastructures de la globalisation. C'est ce que j'appelle l'hypothèse de l'attraction.

Les infrastructures de la globalisation, nous apprend Saskia Sassen, se trouvent dans les *global cities*. C'est précisément la présence de ces infrastructures globales qui, entre autres critères, fait de ces villes des *global cities*. Le mouvement anti-globalisation se vante d'avoir perturbé les réunions, mais il n'a pas touché aux infrastructures. Londres constitue une nouvelle fois la seule exception à la règle : en juin 1999, les vitres de la

City, nouveau district financier de la ville, ont volé en éclats. Et si le Forum économique mondial a osé se réunir à New York, fin janvier et début février 2002 – ce qui semble à première vue contraire à mon hypothèse de l'attraction –, c'est pour des raisons évidentes de relations publiques : les anti-globalistes ne pouvaient rien tenter à New York contre les infrastructures de la globalisation, car ils auraient été aussitôt associés à l'ennemi mondial n° 1, Oussama ben Laden. Un cynique dirait que les anti-globalistes ne pouvaient rien entreprendre à New York contre les infrastructures de la globalisation parce que quelqu'un les y avait devancés.

SUMMIT HOPPING OU CITY TRIPS ?

En d'autres mots, il se pourrait que le mouvement anti-globalisation se fasse berner depuis trois ans. Pire encore, il est devenu presque inutile d'affirmer cela aujourd'hui. À cause des événements du 11 septembre 2001, la piste suggérant que le mouvement se concentre sur les infrastructures plutôt que sur les réunions a été complètement bloquée. Il est devenu impossible de centrer ses actions sur les infrastructures de la globalisation sans être soupçonné de terrorisme. On peut par ailleurs se demander si une résistance de ce type choisirait d'être structurelle si la résistance structurelle n'était pas ainsi empêchée par les événements du 11 septembre. Dans leurs choix tactiques, les anti-globalistes se montrent les dignes héritiers de la société du spectacle. Leur résistance semble, en effet, plus événementielle que structurelle : elle crée des événements, mais laisse les structures intactes. La confrontation avec les forces de l'ordre lors des grandes manifestations a entraîné un glissement rapide du point focal de la résistance. Alors que l'on venait pour protester contre la globalisation, incarnée, aux yeux des anti-globalistes, par certaines institutions internationales à la légitimité démocratique limitée, on doit, sur place, affronter la police. La résistance se concentre bien vite sur les tactiques employées lors des affrontements avec les forces de l'ordre. Ce phénomène est attesté a posteriori par les tactiques nombreuses, variées et ingénieuses déployées par les anti-globalistes pendant les affrontements. De la non-violence professionnelle de la Ruckus Society aux occupations de Mac Donald's « à la façon de José Bové », en passant par les teletubbies contestataires que sont les Wombles et l'intifada anti-globaliste du Black Bloc, les variantes sont légion. Mais comme les affrontements se produisent bel et bien et qu'il arrive généralement que des manifestants soient blessés ou arrêtés, l'attention des médias indépendants anti-globalistes se focalise sur les escarmouches entre police et manifestants. Et c'est finalement à ces affrontements que l'on accorde une valeur d'information plutôt qu'aux revendications avancées par les manifestants depuis quelques années.

Le mouvement anti-globalisation se présente donc avant tout comme un *event bureau*. Pierre Bourdieu lui-même a mis en garde contre le risque que le mouvement ne dégénère en ce qu'il nomme un « tourisme militant ». Effectivement, il semblerait parfois que les anti-globalistes soient surtout motivés par l'organisation de *city trips*. Et il faut bien constater que les endroits choisis par l'adversaire pour ses réunions sont souvent des lieux agréables. On pourrait presque penser que l'empire a voulu faire plaisir aux anti-globalistes, qui sont majoritairement des jeunes : Seattle a permis un pèlerinage au berceau du mouvement grunge, Prague une excursion dans la ville la plus tendance d'Europe de l'Est (plus tendance que jamais après l'événement) et Gênes constituait le point de départ idéal pour des vacances d'été en Italie. En fin de compte, mon hypothèse de l'attraction est peut-être formulée de manière trop douce. Peut-être s'agissait-il, dans le choix des lieux des réunions impériales, de séduction pure et simple. Le succès d'une manifestation à Seattle, Prague ou Gênes est indéniablement lié à la force d'attraction de ces villes sur le public cible de la mobilisation. L'empire, devons-nous constater, n'a guère fait d'efforts pour sélectionner des villes que les anti-globalistes risquaient de considérer comme des destinations désagréables. Qu'il s'agisse d'attraction ou de séduction, le fait est que la stratégie impériale a fonctionné. Pendant que les Bourses continuaient à déployer, chaque jour ouvrable, les activités que les anti-globalistes fustigent, ceux-ci ont préféré jouer les seconds rôles lors de réunions d'exécutifs dans l'une ou l'autre ville petite ou moyenne, insignifiante du point de vue de la globalisation mais non dénuée de charme, loin de ces plaques tournantes de la globalisation néolibérale que représentent les bourses et les quartiers financiers des *global cities*. Alors qu'ils habitent peut-être à un trajet de tram, de métro ou de bus d'une Bourse, ils ont payé des tickets de train ou d'avion coûteux pour être présents à l'entrée d'une salle de réunion, dans une ville lointaine. Il est d'ailleurs assez probable que l'anti-globaliste type habite à deux pas d'une Bourse. En effet, on trouve généralement un capital humain important pour le mouvement anti-globalisation dans les *down town areas* des *global cities*, là où se trouvent traditionnellement les Bourses et les sièges centraux des banques et des entreprises actives sur les marchés financiers. Et lorsque l'anti-globaliste a été chassé par les effets ségrégateurs du processus de gentrification sur le prix des loyers, il habite dans la périphérie immédiate, à la lisière « sale » de la zone nettoyée. Le mouvement anti-globalisation aurait pu épargner des tickets d'avion et de pathétiques problèmes de logistique s'il avait orienté ses protestations, ludiques ou non, vers ces symboles de la globalisation économique qui font, semble-t-il, tellement partie du paysage urbain que l'on passe devant eux sans y faire attention.

Les *global cities* qui ont été le théâtre de manifestations anti-globalisation sont toutes deux des cas particuliers. Londres est l'unique *global city* qui ait été souverainement choisie par le mouvement anti-globalisation. Comme nous l'avons dit, il n'y avait aucune réunion au sommet en cours à ce moment-là. Le Global Carnival Against Capital était une manifestation de solidarité parallèle organisée en marge du G8 de Cologne. Et lorsque les anti-globalistes ont manifesté à New York, entre le 31 janvier et le 5 février, contre la réunion du Forum économique mondial à l'hôtel Waldorf-Astoria, c'était uniquement parce que cette année – solidarité oblige –, le sommet de Davos se tenait exceptionnellement dans la métropole. En d'autres circonstances, le choix de New York ne m'aurait pas paru très sûr du point de vue impérial, car New York est à la fois une *global city* et une *mega-city* et, en tant que telle, un endroit particulièrement indiqué pour la résistance anti-globaliste. Si l'empire a néanmoins décidé de tenir salon à New York, c'est parce que la ville, traumatisée depuis le 11 septembre, était parfaitement immunisée contre la protestation anti-globaliste. De plus, les organisateurs du Forum économique mondial savaient qu'en raison de l'organisation simultanée du Forum social mondial à Porto Alegre, la protestation de New York ne pourrait pas compter sur ses principaux chefs de file et que sa force de frappe en serait amoindrie. Contrairement aux apparences, le choix de New York était donc un choix éminemment sécuritaire.

La cartographie matérialiste de la globalisation, élaborée par Saskia Sassen, nous a fait découvrir dans les *global cities* des possibilités jusqu'ici insoupçonnées pour la protestation anti-globaliste. Dans sa contribution au très bel ouvrage intitulé *Mutations*, qui ne doit pas être envisagé et considéré comme une esthétique mais bien plutôt lu et appliqué comme une éthique, Sassen écrit : « *The emphasis on the transnational and hypermobile character of capital has contributed to a sense of powerlessness among local actors, a sense of futility of resistance. But an analysis that emphasizes place suggests that the new global grid of strategic sites is a terrain for politics and engagement.* » Fidèle à une tradition intellectuelle suivant laquelle les adversaires du capitalisme indiquent aussi le lieu où, d'après eux, le capitalisme s'effondrera en premier lieu, j'ose croire que la mutation du nouveau capitalisme doit s'initier et s'initiera au sein des *global cities*. Les *global cities* d'aujourd'hui sont les *antiglobal cities* de demain.

Dieter Lesage est docteur en philosophie et maître de conférence au département des arts audiovisuels et dramatiques ʀɪᴛs de l'Erasmushogeschool Brussel. Il a publié plusieurs livres, dont *Namen als gezichten. Essay over de faam* (Louvain, 1996) ; *Onzuivere gedachten. Over het Vlaanderen van de Minister-President* (Anvers, 1996) ; *Zwarte gedachten. Over België* (Anvers, 1998) et *Peut-on encore jouer Hamlet ?* (Paris, 2002).

ARGENT, HISTOIRE ET HISTOIRES

L'HYPER-OBJET

Au départ, l'argent ne mérite que le discrédit de la part du philosophe.

D'abord, il favorise la thésaurisation (l'accumulation qui retire ce moyen à sa fin, le commerce). De plus, selon une remarque connue, « *l'argent n'a pas d'odeur* », il autorise n'importe quelle opération. Judas lui-même vendit le « Seigneur, son maître » contre quelques pièces sonnantes et trébuchantes.

Les juristes n'ont pas manqué de commenter la *Somma divisio rerum* – d'un côté, le stable ; de l'autre, ce qui circule (*res mobilis, res vilis*). L'argent correspond à un moyen, ce qui facilite les transactions. Il va et il vient, il tient de l'instable.

*

C'est ce point de vue que nous ne partageons pas. L'argent doit être conçu comme un médiateur omniprésent et particulièrement opérationnel.

Au tout début ne joue que le troc : j'échange un surplus (un trop qui m'est devenu inutile) contre du nécessaire qui me manque. On ne cède pas de l'égal contre de l'égal. Le commerce en résulte. Mais un agriculteur ne peut pas assurer à tout moment la transaction, sinon il ne cultiverait plus. La Cité aménage alors un lieu où sera exposé ce qui peut être négocié. Et un commerçant se chargera des opérations. Aristote a évoqué la difficulté du troc : quelle quantité de blé dois-je offrir contre tant de litres de vin ?

Premier verrou : si je ne peux rien proposer en contrepartie, je ne peux rien acquérir et je suis exclu du marché. Et si l'acheteur potentiel ne ressent pas le besoin de ce qui lui est proposé, la marchandise reste en l'état et s'altère.

C'est pourquoi, à l'opposé d'une vente bornée dans le temps (il faut vite se débarrasser de ce qui se conserve mal) et dans l'espace (le marché ne peut pas trop s'étendre), la monnaie métallique va favoriser l'impossible.

L'argent-métal, facile à décomposer (ductile) et cependant résistant (il ne s'use pas), relève d'une sorte de mouvement dialectique. Il permet d'acquérir toutes les denrées, en même temps que lui-même n'en est pas une. Cet objet de tous les objets (celui qui se substitue à tous) relève de l'universel qui se sépare de toutes les particularités, qui les domine aussi, puisqu'il en permet l'appropriation.

L'objet-médiateur dépasse ce qu'il permet d'acheter, puisqu'il pourrait ou aurait pu favoriser une autre acquisition. C'est pourquoi nous sommes attachés à l'argent : il représente un pouvoir que nous pouvons conserver (ni perdre ni gaspiller).

Il va tellement faciliter le commerce qu'à cause de lui, on multiplie les routes et les chemins, on aménage les ports, tant il est vrai, selon Hume, que « *les hommes sont naturellement portés à rechercher les marchandises nouvelles et étrangères ; ils leur donnent la préférence et en font usage plutôt que de perfectionner leurs anciennes manufactures* […] *qui ne peuvent avoir à leur égard l'attrait de la nouveauté* »[1].

L'achat-vente à l'aide de la monnaie (l'argent) dépasse de loin le troc (une chose contre une chose, supposée équivalente) : l'argent intervient comme un hyper-objet – l'objet qui, sans en être un, jauge tous les autres. De plus, il nous délivre des reliquats de l'immobilisme. Il intervient en très faibles quantités. L'État vole à son secours et le garantit. Il confirme son titre, son poids ; il inscrit sur lui l'effigie du souverain.

Revient sans cesse la remarque selon laquelle l'argent va vite provoquer, chez celui qui le détient, la dépendance (l'avarice, l'avidité, l'entassement), mais nous devons observer que l'avare se perd, en même temps qu'il perd l'argent auquel il retire sa fécondité (ou son opérabilité, puisque, avec lui, dans la dépense, nous allons acquérir ce qui nous manque).

D'objet de tous les objets, l'avare l'abaisse au rang d'objet, qu'il surveille et même dissimule.

*

L'objet de tous les objets, ce qui, n'étant pas un objet, les contient tous en puissance, souffre toutefois de certaines limites. Il ne peut valoir qu'à l'intérieur du marché. Nul ne saurait acheter de l'argent avec de l'argent ; ce déplacement tautologique (le même contre du même) tient de l'absurde.

L'économiste défend le M-A-M (M pour marchandise, A pour l'argent), voire l'ancien M-M ou encore le A-M-A (j'ai acheté une marchandise et je la vends ensuite – un commerce). Nous excluons le A-A.

Mais le débat sur l'inertie ou la stérilité de l'argent s'est centré sur une question plus particulière : si je prête de l'argent, est-ce déjà un échange qui mérite un prix, un intérêt ? L'argent peut-il, par lui seul, engendrer un plus, un bénéfice ? Allons-nous lui reconnaître une certaine fécondité ?

Cette question fut débattue au Moyen Âge ; les Pères de l'Église s'opposèrent même sur ce sujet.

Je plaide pour reconnaître à l'argent le pouvoir de s'augmenter à travers le prêt (sans verser dans l'usure), sinon on cherche à immobiliser la monnaie et donc à la perdre, alors qu'elle réalise le plus fructueux des bouleversements.

Mirabeau aurait affirmé que les deux plus grandes inventions de l'homme sont l'alphabet et la monnaie. Les deux exploits n'en font d'ailleurs qu'un. De même que le mot exprime la chose (en son absence, il la rend présente), il permet aussi, du fait de sa légèreté et de sa quasi-immatérialité, la circulation (verbale) de l'échange.

Pareillement, l'argent – l'équivalent quantifié de toutes les choses – assure son mouvement (le marché). Dans les deux cas, grâce à ces deux systèmes de fidèle traduction, nous pouvons communiquer.

La définition de l'argent que nous avons retenue nous conduit à admettre qu'il puisse, à partir du lieu lui-même, obtenir ou donner un plus. Écrivez ainsi l'opération A-M-A : ne pas confier son argent à celui qui saura s'en servir revient à priver l'argent de son dynamisme. Et alors, il paraît équitable que celui qui l'a cédé reçoive quelques miettes d'une victoire (M) à laquelle il a contribué, au moins indirectement.

Quelques lignes plus haut, nous écartions le A-A (le prêt – je donne de l'argent et il me revient). Mais l'emprunteur a su créer avec l'hyper-objet qu'il a reçu.

Je vais jusqu'à défendre « des intérêts d'importance » afin d'encourager la circulation monétaire (l'argent se perd s'il dort) et de susciter, grâce à elle, des modifications avantageuses.

Il nous sera opposé que, plus les taux sont bas, plus les actifs sollicitent des avances, mais, à cette remarque, je réponds par la remarque contraire : si le prêteur ne reçoit pas assez, il ne répondra pas à la demande. Il disposera autrement de ses richesses.

*

Nous n'avons pas achevé de commenter la trajectoire de l'argent – l'hyper-objet ou un objet qui n'en est pas un mais qui les enferme tous virtuellement, en entier ou en partie.

Il contient encore en lui des traces de l'objet qui l'alourdissent (le métal). Aussi va-t-il achever sa métamorphose. Que disparaisse ce en quoi il ressemble encore à un objet (minime) !

Il va donc se dématérialiser et se transformer en une simple feuille d'un papier spécial, particulièrement mince et léger. Alors que l'argent s'était comme substitué à l'objet commercial (il lui équivalait et permettait qu'on l'obtienne), à nouveau, le même transfert équivalent remplace le métal par le billet. Ensuite, on va, une fois de plus, se dispenser du billet par un chèque (je ne transporte plus de billets, je n'ai plus à les rassembler).

L'argent se volatilise à toute vitesse. D'hyper-objet, il est devenu méta-objet. Il ne connaît plus de limites ni de frontières.

J'imagine que, jadis, la nation conservait en un lieu sûr le métal (l'or plus que l'argent) qui garantissait sa monnaie, mais cette référence compte de moins en moins tant nous sommes entrés dans l'ère de la dématérialisation monétaire.

*

Toutefois, l'excès d'un bien ou d'un avantage se tourne en son contraire.

C'est pourquoi le philosophe que je veux être va partir en guerre contre l'argent, l'ennemi de la Cité, qu'il désorganise. Aristote a été bien inspiré de se méfier de la chrématistique (la science des richesses). Il la condamne.

L'argent brise, en effet, la société, parce que si certains vont facilement s'enrichir, d'autres n'échappent pas à la misère et à la pauvreté. « *L'eau va toujours à la rivière* » : l'argent avantage ceux qui le détiennent déjà.

En raison de l'immatérialité à laquelle il est parvenu, l'argent favorise les spéculateurs. Certains vont pouvoir jouer avec un argent qu'ils ne possèdent pas mais qu'on leur prête (en imagination) : le $A - A^+$. Ils augmentent leur avoir (réel ou fictif) par lui-même. Ils brassent de l'inexistant. Et puis, on ne s'arrête pas en chemin : on en arrive à parier et à jouer sur le jouet des autres.

Nous croyons comprendre pourquoi l'argent s'est délesté de ce qui le ralentissait et le bornait (le poids métallique, les pièces d'argent ou d'or), mais cette dématérialisation a transformé cet argent en moyen diabolique, en instrument d'abstraction capable de s'autonomiser et d'oublier les bases d'une juste économie (le travail, les besoins, le maintien de certaines égalités, la solidarité).

C'est banal mais c'est cela : l'argent est la meilleure et la pire des choses. Autant, au début, il servit les échanges et rapprocha les hommes ; autant, aujourd'hui, il les oppose et favorise les monopoles et les cartels.

François Dagognet est philosophe, docteur en médecine et écrivain. Il a été professeur de philosophie à l'université de Lyon puis à Paris I La Sorbonne. Il a notamment publié *Les Grands Philosophes et leur philosophie* (2002) et *Cent mots pour comprendre l'art contemporain* (2003).

NOTE

[1] HUME (David), *Essai sur le commerce*, Paris, Éd. Guillaumin, 1847, p. 17.

Jean-François Gava

Monnaie, valeur, travail
La révolution comme crise de mesure

Préambule épistémologique

Point ici de leçon de science économique, ni de savante et placide exploration historique du rôle de la monnaie dans les sociétés tributaires comme la Rome antique ou dans telle communauté amérindienne réchappée de la modernisation. Nous ne rendrons pas ici hommage au rôle de *ciment* ou de *lien social* que la monnaie jouerait de tout temps dans toute société humaine, afin de se convaincre de la nécessité vertueuse de pareille institution dans le cadre de notre société moderne. Celle-ci serait hypocritement ravalée au rang de cas particulier pour une improbable *philosophia perennis* monétaire, dans l'éternité de laquelle la spécificité du capital, sa force irrompante, la singularité de son invention dévastatrice se trouveraient ainsi dissoutes, réduites à de pâles reflets successifs (ou « images mobiles », eût dit Aristote pour parler du temps).

Plutôt que révérence craintive et de procession majestueuse, il s'agit de désépaissir le nimbe mystérieux qui entoure les catégories tutélaires de la monnaie, toujours doublé de cette sèche expertise s'autorisant d'apparence univoque et définitive. Poser la monnaie présupposée, c'est faire sa critique, c'est-à-dire n'y trouver que ce que tous les sujets y mirent et y mettent, les rapports qu'ils y nouent, c'est même prendre la mesure de la démesure antagoniste qui s'y love comme son spectre, toujours conjuré par l'insaisissable Léviathan langagier qui se lève, redoutable machinerie à raboter les dispositions, après que la fumée des batailles s'est dissipée. Poser le présupposé, c'est faire politique de toute chose, c'est-à-dire création de puissance commune, contrainte et incertaine. La faculté critique est moderne, comme la monnaie qu'elle saisit sous son tir, sa contemporaine, qui seule l'intéresse, de l'intérêt qui est celui pour ce qui s'y oppose, et qui gagne à déplier toute l'ampleur de la division, l'ambivalence du moderne dont il participe : contribuer à l'augmentation dissolvante de l'intelligence de la monnaie comme capital, en faveur de la joie sans *mesure* dans et de la constitution de la communauté.

MESURE COMME VALEUR

Étalon, unité de compte, numéraire. Voilà une première série de fonctions traditionnellement invoquées. Non pas équivalentes, mais révélant toutes le rôle métrique de la monnaie : la monnaie est mesure. Mesure intrinsèque d'abord, grandeur de quelque chose, d'une qualité de la chose-monnaie. Laquelle ? En tout cas, elle donne lieu à la mesure spécifiante, c'est-à-dire rapport de *quantum* spécifique à *quantum* spécifié : la monétaire et une autre de même nature, propre à la marchandise. Et ce rapport est lui-même quantitatif. Mais quel est ce quelque chose, cette qualité commune mesurée dans le rapport de mesures intrinsèques, qui fait de ces mesures des *quanta* qualifiés ? Sans doute, oui : la valeur. Mais nous ne sommes pas au bout de nos peines : et la valeur ?

On voit d'emblée que cet étalonnage appartient au passé de l'argent, c'est-à-dire de la monnaie-marchandise, à l'époque où l'économie politique des patrons (Smith et Ricardo) considérait comme allant de soi la théorie de la valeur-travail : la substance commune des marchandises, y compris l'argent, c'est le travail abstrait. L'heure était à l'essor illimité des forces productives, au déchaînement de l'offre, et le travail n'était pas encore le secret de Polichinelle de la modernité ; il l'est devenu lorsqu'on a tiré la conséquence immédiate mais embarrassante de l'exploitation : si toute valeur est travail, d'où sort le profit ? Il était temps de faire cap sur l'utilité : la valeur, le mesuré, ce sera désormais l'utilité. Mais n'allons pas trop vite en besogne.

VALEUR : UTILITÉ OU TRAVAIL ?

La valeur est travail abstrait, pense-t-on donc ingénument au temps des classiques. Et la monnaie la mesure. Mais le travail abstrait est quantité, plus exactement *quantum* qualifié : durée objective du chronomètre et durée de travail. Cette dernière qualification est elle-même abstraite, puisque l'effort est indifférent à toute spécification supplémentaire. Mais que mesure la mesure monétaire, si la valeur-travail est elle-même *quantum* qualifié, mesure spécifique ou intrinsèque ? Le prix relatif (prix de la chaussure en fonction du prix du béton, rapport de noms monétaires) serait-il le rapport de mesures monétaires de mesures-travail ? La valeur est bien grandeur d'un quelque chose de la chose-marchandise, et si c'est le travail, force est de constater que les mesures, monnaie et travail, se disputent le monopole de l'étalonnage de la valeur des marchandises. La monnaie ne mesure, ne spécifie dans les autres marchandises qu'une quantité trouvant également son unité, autre que le poids métallique, dans l'heure de travail. Et, de fait, la monnaie nouvelle rêvée par les socialistes proudhoniens, ce seront les bons de travail. Mais si les prix fluctuent à conditions de production inchangées, en fonction de la concurrence ou des échecs de marché, une heure de travail ne vaudra-t-elle plus qu'une demi-heure, une minute, zéro ? Niaiserie inouïe en régime capitaliste, et ceux-là n'ont rien compris au rôle véritable de la monnaie-capital. Anticipant la mauvaise foi des roquets, Marx a assez asséné que la loi de la valeur, selon laquelle les marchandises sont échangées selon leurs valeurs-travail, c'est bien ce qui est transgressé et non pas observé, parce que la plus-value sociale, cette valeur qui n'est pas détruite par ceux qui la produisent mais qui au contraire vient épaissir les conditions de leur asservissement, les patrons se l'arrachent – c'est la concurrence – et la transforment en monnaie comme ils peuvent – c'est la réalisation de la marchandise –, quand ils n'échouent pas purement et simplement à le faire. On ne se met pas au travail d'abord pour se faire exploiter ensuite, de sorte qu'il suffirait de supprimer l'extorsion de plus-value pour que le travail fasse sa loi : le travail, c'est le travail exploité, il n'y en a pas d'autre, n'en déplaise à 150 ans d'exégèse travailliste aussi légère que pratiquement désastreuse pour le mouvement ouvrier.

Nous disions à l'instant : échec de marché, crise, horizon de ce système comme la transgression de la loi de la valeur, parce que nous nous trouvons en régime d'incertitude, et il n'y a pas de mécanique subtile d'ajustement des prix qui solde nécessairement *a priori* les échanges (selon laquelle tout ce qui est produit trouve preneur au prix déterminé à cette fin). Il y a de la valeur gaspillée, dévaluée, non réalisée, non socialisée : qui n'a pas circulé. On le verra : la monnaie-capital sert à faire circuler, et c'est là (et seulement là) qu'elle trouve sa *mesure*, que rien ne mesure – sinon le pouvoir des patrons. Ou la crise de pénurie (keynésienne) à laquelle la démence patronale aboutit (1929). La crise provoquée par l'offensive ouvrière (dite aussi « néo-classique ») peut, elle aussi, imposer sa mesure à la mesure des patrons, et la marchandise dont elle entrave la circulation, à force de surenchère, c'est la force de travail (1968, etc.).

Alors, si la monnaie doit rester mesure spécifique, partant spécifiante, donne-t-elle la règle d'autre chose que la valeur-mesure à peine définie ? Une autre valeur-mesure, valeur-mesure de quelque chose d'autre ? Il faut croire que oui, sous peine de redondance avec la durée chronométrique de l'effort (livres, *pounds*, pesetas, lires, etc. d'or et d'argent, au lieu d'heures et de jours d'effort). Pourtant, autre expression de l'étalon, on nous dit qu'elle est équivalent général, la marchandise *via* laquelle toutes les autres s'échangent selon des rapports quantitatifs déterminés, après s'y être mesurées, comme valeurs. Il n'y a donc de circulation, nouvelle fonction monétaire, que selon les proportions établies par la mesure monétaire. La monnaie se borne-t-elle donc à enregistrer des grandeurs données préalablement à l'échange ? On l'a dit : il y aurait redondance avec la montre ; la réponse est non. C'est qu'il y a autre chose à mesurer.

Une mesure à donner ? Une mesure sans mesure, comme un ordre de circuler, puis de travailler ? Puisque telle est la valeur d'usage de la force de travail, marchandise parmi d'autres : on n'en jouit ou n'en use, dès qu'elle a circulé, qu'en la faisant travailler, c'est-à-dire ajouter de la valeur à la valeur existante (moyens de production, travail mort ou passé). La réponse dite marginaliste, contemporaine de la découverte de l'exploitation par la critique de l'économie politique, sera tout autre : l'autre mesure mesurée par la monnaie, l'autre valeur, c'est l'utilité. On bascule de l'extensité de l'effort vers l'intensité des préférences : « *Toutes les valeurs d'échange sont* [...] *conçues comme émanant d'une seule source, l'utilité.* » Les patrons abandonnent l'économie politique et cherchent à déplacer le centre d'intelligibilité de la valeur : « *La science économique marginaliste déplace l'approche* [...] *de la production vers la consommation. Le problème central* [...] *concerne les désirs des consommateurs. La demande* [...] *est censée être la force première dont toute activité économique procède.* » Selon Walras, « *on n'offre pas pour offrir, on n'offre que parce qu'on ne peut pas demander sans offrir ; l'offre n'est qu'une conséquence de la demande* ». Naissance de l'économie politique *pure*, dite encore *science économique*.

Mais revenons à nos moutons. Pour l'heure, il semble donc qu'il y ait conflit de mesures spécifiques, sur ce que la monnaie, mesure spécifique, mesure d'autres mesures de ce semblable quelque chose : travail ou utilité. Les noces de la monnaie et du travail ne sont pourtant pas douteuses. Si le virage utilitariste, à peine mentionné, a sonné pour la valeur-travail un certain glas, tous les économistes ne prennent pas le pli : que signifie pour un Kaldor, ou pour les keynésiens en général, que le producteur soit *price maker*, faiseur de prix ? C'est, bien entendu, la question qu'ils ne posent pas : comment un pôle en vient-il à imposer à l'autre son prix de long terme, laissant aux caprices de la demande et à l'incertitude le soin des oscillations conjoncturelles ? Il n'y a certes plus, chez ces auteurs, que des prix et la question de la valeur est évacuée, mais qu'est-ce que faire un prix, sinon faire une valeur utile d'une valeur d'échange déjà produite, d'une valeur à écouler ? Qu'est-ce que l'incertitude de marché, sinon que les patrons du travail, *in fine*, ne produisent pas complètement, même s'ils se mettent à fabriquer des désirs, l'utilité seulement possible de leur marchandise, dont la seule valeur à leurs yeux est la valeur d'échange comme expression monétaire ? À l'image de cette fringale d'utilité sociale qui n'est qu'un nom de l'avidité monétaire, il y a un procès démesuré de production, dont le propre est de s'amplifier sans cesse et au cœur de laquelle la marchandise est valeur à un autre titre que celui d'utilité : les classiques le savent bien qui n'ont que le travail à la bouche, alors qu'ils assistent à l'accouchement d'une seconde nature dont hommes, femmes et enfants recouvrent peu à peu jusqu'au souvenir de la première.

De cette production générique au travail abstrait, quel est le pas infranchissable ? Celui qui conclut que tout ce qui fait figure de non-travail dans cette monstrueuse mobilisation n'est que du travail mort ou du travail passé, que la production élargie d'aujourd'hui passe littéralement sur le corps défait des foules hier encore laborieuses, que la métastase de sa base n'est due qu'à cette forme folle de consommation productive, productrice de davantage de valeur qu'elle n'en a coûté, cette épargne forcée par des patrons produisant et dépensant en moyens de produire davantage de valeur – machines, fournitures : capital constant, fixe ou circulant – et dérobée massivement à la jouissance destructrice de la consommation finale. Ce surplus extorqué n'est pas un surplus d'usages purement consomptifs et seulement différés, mais un surplus d'usages valorisants, c'est-à-dire mettant en valeur, mieux, travaillant des valeurs monétisées en vue d'autres échanges, de valeur monétisée accrue. La conclusion des échanges donne à ces nouvelles valeurs monétisées la forme de pures masses monétaires refluant vers leur source, c'est-à-dire de valeurs d'échange, valeurs pour l'échange, ayant d'un *salto mortale*, le cas échéant, revêtu l'habit d'usages sociaux qui n'en auront été que le support. Ce procès a nom production à échelle indéfiniment élargie, ou accumulation.

Paradoxalement, le discours de l'utilité ne trouve une certaine vigueur qu'avec la fin des économies de l'utilité, à l'apogée d'un mode de production pour l'échange de marchandises dont seul compte le nom monétaire (le prix) du point de vue de ceux qui décident de manière privée d'engager les travaux nécessaires à leur production. À l'ère du discours utilitaire, il n'y en a en réalité que pour le travail monétisé, et l'on voit que travail et monnaie-capital jouent dans le même camp. Les *price makers* achèvent le marchandage (le suppriment, sans exhaussement) en cherchant à rendre utile ce qui n'a de prix pour eux que monétaire et qu'ils ont déjà décidé de produire pour le vendre. L'ère du marchandage était celle où la monnaie faisait précisément office de médium assurant la commodité des transactions utiles et la circulation des surplus de valeurs d'usage, fonction dont les économistes-mathématiciens de l'âge impérial se gargarisent. C'est exactement dans les sociétés pré- ou non-capitalistes que le rapport monétaire fournit une approximation quantitative des rapports d'utilité purement intensifs des valeurs échangées, et la notion de marchandage ne rend rien d'autre que cette idée d'approximation et de tâtonnement. Ces valeurs, bien qu'échangées parce qu'utiles, n'ont pas été produites en vue d'être échangées selon leur nom monétaire, comme de pures valeurs d'échange capitalistes – bien plutôt impures, puisqu'ayant à prouver leur utilité pour devenir pleinement ce qu'elles sont en puissance, d'après la fin de leur production qui est : monnaie. Au contraire, c'est en régime pré- ou non-capitaliste, où l'on marchande, où l'idée de marché prend tout son sens, que les valeurs échangées parce qu'utiles sont des utilités produites pour l'usage propre qui se trouvent en surplus – ce qui n'a rien à voir. Cette idée traditionnelle de marché est bien ce qui disparaît avec l'économie dite de marché, comme on dit État de droit ou démocratie pour mafia flicaillère au service de sa consœur, la prédation financière mondialisée (avec, un étage en dessous, les papas industriels du temps jadis, où l'économie *illégale* figure toujours en meilleure place).

Les *price makers* font les prix, dit-on encore, en fonction de leurs coûts. Et leurs coûts, ce sont singulièrement les salaires, prix payé pour cette si singulière marchandise : travail ou force de travail ? Les utilitaires défendront que les patrons paient le prix relatif qu'ils paient pour le travail selon l'utilité relative qu'il leur procure, en regard du capital. De leur côté, les ouvriers qui assimilent le discours de l'adversaire pour le décomposer non seulement diront au contraire que le capital n'est rien que le produit de leurs pères, ou de leurs pairs à la période précédente, bref, du travail passé, mais exigeront toujours davantage de ce salaire qui ne paie qu'une part du produit qu'ils produisent complètement et ne leur revient qu'incomplètement. Ce faisant, ils savent que leur vindicte quantitative, aboutie à ses conséquences, ruinerait la qualité même des rapports que noue la société du travail, le travail lui-même. En somme, nous retrouvons le conflit des mesures, des valeurs. Négligeons pour l'heure les rapports de force entre les offreurs capitalistes eux-mêmes, selon lesquels les offreurs finals tantôt administrent leurs coûts, alors que les autres subissent leurs propres prix, tantôt subissent ces mêmes coûts, qui ne sont que les prix que les autres leur administrent. Bornons-nous à considérer du point de vue du consommateur final la fiction du producteur total : celui-ci est globalement *price maker*. Nous verrons qu'il existe un autre point de vue qui, celui-là, ne s'en laisse pas conter.

VŒU PIEUX UTILITAIRE ET REFOULEMENT DU PANTRAVAILLISME

C'est dans la vraie société de marché, qui, encore une fois, est la société de marchandage et non pas la nôtre, que le rapport d'échange, l'échange effectif (x oranges contre y pains, ou, plus généralement, assortiment A contre assortiment B), traduit le rapport des intensités subjectives que sont les utilités respectives des marchandises échangées. Mais dans ce domaine, toute mesure quantitative est impensable et Hegel a raison de disqualifier d'avance la mesure d'intensités propres à l'esprit ou à l'intériorité (selon son langage) et dont tout ce qu'on peut dire est qu'elles sont fortes ou faibles : je préfère A à B, mais selon quel rapport quantitatif ? L'usage métrique ici, on le voit, est métaphorique, non conceptuel, et la fonction d'utilité chère aux économistes n'est rien d'autre que le vernis métaphorique d'une non-science. Si Aristote perçoit bien dans le troc une communauté des usages échangés, communauté qu'il renonce d'ailleurs à identifier, Marx a tort d'attribuer ce renoncement à une myopie historiquement nécessaire, qui l'aurait empêché d'y voir la valeur, dont le système de production n'aurait au temps d'Aristote pas encore été développé – comme s'il s'y trouvait lové de façon embryonnaire, selon le schéma évolutionniste qui, appliqué au procès historique, assimilerait celui-ci à une phylogenèse naturelle (à supposer que ce finalisme ait encore cours en sciences naturelles). Cette valeur, Castoriadis a raison de le relever, n'est que cette invention capitaliste du travail monétisé, c'est-à-dire travesti en produit de facteurs multiples.

Dans ce contexte, les marchandises se font face comme des usages occasionnellement excédentaires et par conséquent mués en valeurs d'échange : elles n'ont pas été produites comme valeurs d'échange, de telle sorte que leur valeur ne fond pas comme neige au soleil, à l'instar de ces marchandises invendues ou en proie à la déflation massive, dont il ne vient à l'idée d'aucun patron capitaliste de se régaler pour ce qu'elles sont indépendamment de tout échange : bien qu'elles demeurent physiquement tout à fait inchangées, elles sont du point de vue de la monnaie-capital pur et simple néant. Lorsque l'on marchande, les marchandises (ou usages) possédées conservent une certaine utilité pour leur détenteur, bien que celui-ci préfère s'en débarrasser en échange d'autres usages. C'est exactement, selon un beau paradoxe, la situation que décrivent les théoriciens modernes de l'utilité, qui, en dépit de leur visée apologétique de l'ordre existant, n'en tombent pas moins entièrement à côté de la plaque.

C'est ainsi que chaque point de la boîte d'Edgeworth définit, parmi toutes les paires d'assortiments possibles de deux biens disponibles en quantité finie, une allocation exhaustive des ressources entre deux agents. Cette allocation correspond pour chaque agent à un certain degré d'utilité (signalé par une courbe d'indifférence entre divers assortiments) mais peut être sub-optimale au sens de Pareto : c'est-à-dire qu'au cas où elle ne se trouve pas au point de tangence de deux courbes d'indifférences « adverses », un échange est susceptible d'améliorer la situation (l'utilité) de l'un des deux agents (échangistes) sans détériorer celle de l'autre. Pour finir, remarquons que ces échanges, s'ils ont lieu, se passent de monnaie. L'économie d'Edgeworth, c'est le troc. Au reste, nous continuerons de supposer que le troc réel améliore simultanément les positions des deux agents.

Mais la monnaie dans les sociétés non-capitalistes ? Gageons tout d'abord qu'elle est une valeur d'usage à part entière, outre sa fonction proprement cambiale. Celle-ci consiste, pour les agents incapables de faire face à la demande immédiate, à ménager à leurs offreurs une réserve d'usages futurs. Quelle différence par rapport à la monnaie-capital ? Ici, la monnaie (coquillages, métaux précieux, sel) sort de l'usage et le sert, y retourne. Nous le disions, la monnaie est *sub alia specie* un usage à part entière, c'est-à-dire exactement ce qu'un pur numéraire n'est pas : qu'on songe à l'absence de signification pratique en dehors de l'échange de l'unité de compte européenne, l'euro. La monnaie-usage est prisée à un titre ou à un autre de manière suffisamment constante et générale (apparat et fonction cosmétique en général, habitudes alimentaires, etc.) pour trouver régulièrement preneur, outre qu'en raison de son usage « intertemporel » (réserve d'usages futurs), elle est impérissable. Son usage consiste à se réserver la garantie d'usages temporairement ou durablement indisponibles en raison d'un défaut de production propre et il s'obtient en échange d'usages caractéristiques de la production propre se trouvant conjoncturellement ou plus structurellement en surplus. Rien que de très classique dans tout ceci, qui peut se résumer à la formule M-A-M' (M pour marchandise, A pour argent, M' pour autre marchandise), laissant apparaître clairement que l'argent est médium entre deux usages successifs, ou moyen de circulation de surplus d'usages en attente d'usages défaillants mais réservés. On reconnaît sans mal la plupart des sacro-saintes fonctions monétaires. Mais M-A-M' est la formule de toute économie orientée vers l'usage propre de l'autoproduction. L'introduction d'un équivalent général est la marque d'un mode de troc sophistiqué capable de remédier aux situations où non seulement les aléas de l'adéquation des besoins au produit ne trouvent plus à se résorber à l'intérieur de la communauté réglée, mais peinent à le faire même *via* des échanges en nature avec l'extérieur qui soient immédiatement utiles. La monnaie – ou usage monétisé – est alors littéralement « ce qui pourrait toujours servir ».

Or, c'est exactement, à nouveau, ce que la monnaie-capital n'est pas : elle est le moteur d'une économie dont la formule est cette fois bien plutôt A-M-A'. Ici, c'est l'usage de la marchandise qui est le médium d'une masse monétaire en croissance. Le passage d'une économie de l'usage à une économie de l'échange n'est pas sans altérer profondément la fonction sociale de la monnaie, devenue fin dernière de la production. L'échange de la marchandise produite comme valeur d'échange, et donc comme l'usage possible qui la supporte, ne vise du point de vue dominant, qui organise pratiquement la production de manière tendanciellement hégémonique, qu'à la conversion monétaire, la transformation en unités de compte, et non pas à la capture d'autres usages. Si effectivement la monnaie se trouve convertie à son tour en usages, ces usages ne consistent qu'à passer par le travail dans une masse accrue de valeurs d'échange convertibles à nouveau, si un marché en trouve l'usage, selon leurs noms monétaires (leurs prix). On constate que l'échange lui-même s'en trouve bouleversé : de troc d'usages, il devient – du point de vue du producteur révolutionnaire, capitaliste, agent dictant sa loi au travailleur, traitant pour la première fois la vie des individus en ressource productive de monnaie – machine à monnaie, « mesure » de la mesure-travail. La monnaie, quant à elle, s'autonomise complètement, au point de devenir fin de l'échange et celui-ci, à ce titre, fin lui-même de la production sociale.

Mais arrivés à ce point, la monnaie serait-elle l'usage unique d'une monomanie généralisée ? Oui et non. Non, si l'on entend par là l'antique *auri sacra fames* : Keynes ne trouvait pas de mots assez durs pour les adorateurs de la convertibilité métallique et de l'étalon-or, c'est-à-dire les banquiers et les rentiers en général, qu'il présentait comme les vestiges vivants d'un âge primitif pourtant révolu. La monnaie-capital n'a d'usage que paradoxal, car elle n'a à proprement parler aucune qualité, que sa faculté dénombrante, pure extensité, grandeur, mesure (in)vraisemblable de l'utilité (unité de compte, euro) imprimant de force son nom à la mesure du travail. Travail qui ne peut pas ne pas avoir d'expression monétaire, celle-ci n'étant que le *quantum* feignant la mesure de l'utilité procurée à qui l'achèterait parmi d'autres facteurs, alors qu'il n'y a que lui sur le marché, dans son habit monétaire : c'est-à-dire sous forme de marchandises mises à prix, ou encore associées par le producteur à l'image métrique de leur utilité présumée pour le consommateur.

Cette monnaie-capital n'est donc plus, loin s'en faut, à l'ère de l'inconvertibilité, cette marchandise métallique dont on échange une certaine quantité contre certaine quantité d'une autre marchandise, selon un ordre de préférences incommensurables. Elle colle à la marchandise comme son ombre, il faudrait dire comme son nombre : le prix qu'on administre en fonction de celui, négocié celui-là (bon an mal an), de la pseudo-marchandise « travail ». Ce qu'on mesure par là, à travers la contribution du « travail » à l'utilité générale, c'est la part de l'enveloppe monétaire du travail total abandonnée au travail dit nécessaire, c'est-à-dire reproducteur de la vie forcée au travail – et partant, le degré d'extorsion que définit le rapport de l'un à l'autre. La monnaie n'est plus *pound*, lire, once de quelque chose, mais bien louis, drachme, franc, pour finir euro : numéraire, unité de compte – unité de mesure de l'utilité, qui pourrait se dire tout aussi bien « utilon ». À moins que ce nom de rien de mesurable ne se surimprime à celui du travail, qui ne peut pas dire le sien. Nous verrons tout à l'heure que cette discorde nominale, déjà évoquée, est consubstantielle à la société moderne, comme ce qui la déchire du dedans.

L'histoire moderne de la monnaie est l'histoire de son émancipation par rapport à tout étalon utile en dehors de l'échange, sa lutte contre la convertibilité métallique, sa sortie de tout arrimage symbolique, défini légalement, à une valeur d'usage-refuge. L'étalon métallique était jusqu'à peu le vestige d'un système productif où la monnaie demeurait une marchandise parmi d'autres, une valeur d'usage spéciale qui exerçait entre autres cette fonction particulière : faire se compenser les surplus et les défauts d'usages en circulant à la périphérie de sociétés relativement autosuffisantes. L'unité de compte, représentant d'abord la marchandise métallique selon un rapport défini légalement (1 franc = x onces d'or, par ex.), s'émancipe peu à peu de sa tutelle naturelle pour finir par s'en débarrasser entièrement et se rendre pleinement adéquate à l'abstraction réelle de la monnaie-capital, contemporaine de l'abstraction réelle du travail. La monnaie dont le capital a besoin est une pure unité de compte : unité d'une fonction d'utilité fictive, qui emprunte à la science la métaphore métrique, et dont le nom conventionnel recouvre l'unité de travail abstrait : c'est l'expression monétaire de l'heure de travail. Cette expression n'est bien entendu jamais le prix payé pour l'heure de travail, ce prix étant censé figurer l'utilité du travail fourni en regard des autres facteurs de production. Cette expression est pure redondance, mais redondance nécessaire à l'administration négociée du rapport mesurant l'utilité du travail (salaires) à l'utilité générale (produit total) comme apparence du rapport mesurant le travail nécessaire (producteur de la force de travail) au travail total (travail nécessaire plus surtravail). La monnaie moderne, monnaie-capital, s'institue en mesure de l'utilité en réalité incommensurable de toutes choses, à l'heure où s'instaure le règne, réellement métrique celui-là, du travail abstrait, dont elle est le prête-nom. Elle abandonne alors toute utilité pour elle-même en dehors de l'échange.

Tout au moins du point de vue des consommateurs finals : l'usage de la monnaie, qui gisait jusque-là partiellement dans la garantie qu'elle offrait d'usages futurs, gît à présent pour eux entièrement dans cette garantie. L'usage que tire le patron, quant à lui, du surplus de monnaie qu'il dégage du marché – nous dirons : de travail monétisé ayant passé le cap ou l'épreuve de l'usage –, bref, la valeur d'usage pour lui de la masse monétaire (nombre d'unités de compte) qui lui revient tout compte fait – nous dirons : qu'il s'accapare – gît assez curieusement dans ce surplus même, ou plus exactement dans le ratio qui le rapporte au nom monétaire du produit qu'il a commandé : l'utilité patronale, à en croire les patrons (c'est-à-dire la société tout entière, qu'ils commandent), réside exactement dans le rapport de l'utilité sociale nouvelle à l'utilité totale. Autrement dit : dans le rapport de l'utilité ajoutée à celle des facteurs séparés (dont ils l'extraient par leur génie combinatoire), à celle englobant l'utilité ancienne qu'eux-mêmes ont tirée de la seule perspective d'accroître l'utilité générale par cette combinaison sans laquelle la somme des utilités séparées eût été moindre. Le nom prosaïque de cette utilité tirée de la « mesure » même de l'utilité procurée, c'est le taux de profit. Nous verrons qu'il n'est que le prête-nom d'une portion du taux de plus-value.

Mais revenons à la monnaie-capital et au règne de la mesure qu'elle instaure, crédibilité assez générale (pour être efficace) de l'utilité et réalité déniée du travail abstrait. Numéraire, elle est la fin d'une production elle-même autonomisée, qui se destine à l'échange entendu comme conversion en unités de compte, quantités de ce numéraire. Ces unités de compte ne sont utiles au producteur qu'en tant que signes de l'utilité nouvelle, ou travail accumulé : utilités ou travaux, ce mode de production est essentiellement une production de croissance illimitée, et nous voyons clairement à présent que la contrepartie monétaire, la capacité de mesure adaptée à une masse infiniment croissante de valeurs d'échange ne peut raisonnablement reposer sur la quantité finie des métaux précieux actuellement ni même potentiellement disponible, puisque la croissance à long terme de celle-ci est associée à la découverte aléatoire de nouveaux filons naturels. C'est pourquoi, d'usage particulier exerçant une fonction proprement cambiale à la périphérie de systèmes productifs n'ayant aucune vocation à croître, à tout le moins par le biais monétaire et en vue de l'instrument monétaire, et gouvernés par la valeur d'usage (même par un système de valeurs d'usage), la monnaie devient instrument de mesure, et la masse disponible des signes monétaires doit s'ajuster en permanence aux besoins de la production sans cesse croissante de valeur (accumulation ou reproduction élargie). La « mesure » utilitaire, ou l'expression monétaire de cette valeur, qui doit pouvoir lui être coextensive, ne peut en effet être tributaire de la rareté relative d'une valeur d'usage privilégiée qui jouerait aussi le rôle de son instrument, le médium de la circulation. Dans le nouveau contexte, circulation et mesure sont effectivement indissociables et celle-ci s'effectue à travers celle-là, puisque concurrence et incertitude (la décision de produire précède celle de consommer) exposent la valeur à la dépréciation et au gaspillage. Ces phénomènes témoignent de ce que le système des prix, les noms monétaires des heures de travail, ne permet plus de sanctionner le partage en vigueur de la valeur, issu des luttes passées. La perte de valeur d'une même prestation de travail met en question le partage précédent, parce qu'elle fournirait aux travailleurs l'occasion d'y accroître leur part en maintenant le niveau de salaire au taux précédent que nous supposerons moyen. C'est pourquoi, ces pertes s'observant d'abord au niveau individuel, les patrons chercheront d'abord à redéfinir ce partage à la baisse pour les salaires, en rétablissant un taux de surplus devenu manifestement excessif à l'échelle globale, puisque seulement compatible avec un taux d'absorption (de demande finale) insuffisant. Le consommateur / investisseur à crédit collectif (l'État) vise à briser cette spirale déflationniste en revalorisant le capital, c'est-à-dire en maintenant le partage précédent, à nouveau viable, tout en épargnant aux travailleurs les pertes de temps supplémentaires endurées lors d'attaques au salaire nominal plus que proportionnelles à la baisse de l'indice des prix. Dans l'après-guerre, la conquête de la rigidité à la baisse nominale des salaires a constitué une riposte anticipée à la perte de temps que provoqueraient des réactions patronales dépressives aux fléchissements conjoncturels, de sorte que l'inflation a été la seule stratégie possible face à la perte de profitabilité, c'est-à-dire à la progression de la mesure salariale, cette autre forme de la crise d'accumulation, où gaspillage est cette fois-ci synonyme de saturation et de surépargne, l'épargne n'étant rien d'autre que le refuge d'un pouvoir d'achat suspendu dans l'attente de retrouver le temps perdu au-delà de la mesure nécessaire au système, sur la crise de laquelle nous reviendrons encore.

Bref, dépréciation et gaspillage révèlent du côté du marché, c'est-à-dire indirectement, la fonction de commandement de la monnaie, engageant toujours des travaux pour un tiers-usager : c'est à celui-ci que revient de socialiser les décisions privées du commandeur monétaire, occupé exclusivement d'échange comme conversion monétaire, et que rien n'intéresse sinon le flux capté, rapporté au reflux des coûts productifs – qu'il encourt en convertissant ses dettes en créances sur ceux dont elles lui permettent de mettre la vie au travail.

Que reste-t-il, dès lors, de l'argent comme marchandise métallique ? En tant qu'elle est promue au rang de monnaie (nous dirons monétisée), elle n'a plus à subir l'épreuve de la validation sociale (à se « réaliser ») puisqu'elle est le symbole même de cette validité (ou réalisation), l'instrument de validation de la valeur de toutes les autres marchandises. Cette marchandise symbolique, sans usage possible pour personne en dehors de l'échange, est celle à laquelle toutes les autres doivent la validation de leur usage en dehors de l'échange. Sa valeur d'échange n'est pas en jeu puisqu'elle met à présent en jeu toute valeur d'échange. La monnaie-capital est précisément le symbole de la valeur validée, et la validation de la valeur a lieu avec sa circulation, c'est-à-dire sa conversion monétaire, cette métamorphose selon son prix. Désormais, elle ne vaut que de faire valoir l'échange qui l'appelle, de lui donner lieu.

Dès lors, la marchandise métallique, monétisée par le sceau que le prince, l'autorité politique, y appose, est signe de valeur au même titre que les billets à cours forcé, en passant par les billets à cours légal. La divergence entre prix de marché et « prix monétaire » du métal (le rapport légal de l'unité de compte au métal) est constitutive de la monétisation de ce métal dans le contexte capitaliste, de son devenir monnaie-capital. Mais ce devenir est aussi bien sa fin, puisqu'il est symptomatique de l'envol de la masse monétaire avec celui de la production, c'est-à-dire de ce que les moyens de sanction sociale de la valeur, infinie en droit, ne peuvent plus s'adosser à la finité de ce stock d'usages particulier qu'est le métal naturel. Plus rien ne fait obstacle à ce que ces signes de papier se substituent aux signes métalliques. Cette substitution est complète à la fin du XXᵉ siècle. La fonction de la monnaie-capital en devient d'autant plus diaphane. L'adéquation de son support à cette fonction s'accomplit avec la proclamation par Nixon, en 1971, de l'inconvertibilité du dollar.

On peut dire que le capital industriel, capitalisme à proprement parler, qui finit post-nixonien pour s'accomplir, exploite à fond le nominalisme monétaire et s'engouffre tout entier dans la brèche qui arrache la monnaie nominale à son attache métallique, l'empêchant pour toujours de se fondre à nouveau dans les valeurs d'usages : le capital tel que nous l'entendons ne doit sa réussite qu'à sa propension infinie à l'accumulation, alors que toutes les versions pré-modernes, pré-manufacturières et seulement spéculatives de l'accumulation de monnaie (commerce et banque) avaient toujours fini par succomber à la tentation de l'usage – se défaire en dépenses somptuaires, terres, prestige –, de sorte que la bourgeoisie d'argent (à l'exclusion de l'artisanat, hors orfèvrerie) avait toujours fini par s'échouer dans le massif aristocratique, pour s'y confondre. Dès lors que le capital trouve son suffixe (-isme) comme la marque d'une obsession, que tout attachement à la valeur d'usage la subordonne comme moyen de la croissance monétaire, le métallisme (opposé au nominalisme), qui voudrait loger quelque mystérieux parangon d'utilité au cœur du métal précieux, fait figure de superstition usagère dans le chef de la bourgeoisie moderne et conséquente, dont Keynes reste le si grand héraut.

C'est pourtant à la monnaie-capital, au numéraire, à l'unité de compte nominale que rendaient hommage malgré eux la loi de Gresham, selon laquelle la *mauvaise* monnaie chasse la *bonne*, et, avec elle, ce public encore fétichiste qui, après 1890, thésaurisait l'or pour faire circuler le seul argent dans un régime pourtant bimétallique (où or et argent servaient tous deux de support aux unités de compte légales), parce que le premier s'était apprécié par rapport au second sur le marché des métaux, établissant un rapport d'échange différent du rapport légal. N'assistait-on pourtant pas déjà dès le XVIIᵉ siècle, celui de la consolidation de l'économie-monde européenne, comme le montre Wallerstein, à la raréfaction des métaux précieux, comme à l'épidémie de *fausse* monnaie ? Si l'institution d'unités de compte légales permettait bien aux princes, outre la simplification d'un système monétaire multimétallique (et par conséquent à plusieurs unités), de « détarifier » ou délester le métal frappé pour apurer leurs dettes à bon compte, en allégeant le rapport légal de l'unité de compte à l'étalon métallique par dévaluation de celle-là, un siècle industrieux s'empare de ce délestage et s'applique à démontrer que la monnaie n'est bonne qu'à une seule chose, qui seule lui importe : seconder les besoins de l'accumulation et en donner la mesure. C'est le lent déclin de l'amarrage métallique qui s'amorce, et « l'épidémie » nominale annonce le triomphe fordiste du *banking principle* sur le *currency principle* : au lieu d'être pondérée par l'encaisse métallique, l'émission de moyens monétaires doit être proportionnée aux besoins de crédit, eux-mêmes fonction des valeurs « en procès », ou à travailler, qui portent les noms monétaires du travail mort formant le système des prix.

C'est une lente transition qui conduit à l'expression achevée de la monnaie-capital. De la pesée du métal, on passe à la frappe pour y imprimer son poids, chez le marchand, à l'hôtel des monnaies. Le prince définit l'étalon métallique qui a cours sur son territoire, puis imprime au métal sa propre unité de compte, laquelle est légalement tenue de se rapporter à tel poids du métal fin en question. Dévaluation, refonte ou rognage, l'unité de compte, sous l'égide princière, c'est-à-dire par effet politique, prend des libertés avec le métal fin, dont elle s'allège, légalement ou non : le résultat est la multiplication des instruments de mesure et de circulation. Les orfèvres-marchands-banquiers y mettent du leur, en faisant circuler des billets, liés cette fois de manière purement symbolique à leur contrepartie pondéreuse ; ces billets sont bientôt tolérés puis autorisés légalement à leur tour. Nous sommes passés de la monnaie métallique ou monnaie-marchandise à la monnaie fiduciaire, dont les pouvoirs publics s'arrogeront le monopole d'émission ou, à tout le moins, le réserveront à un organisme central (1848 pour la Banque de France napoléonienne fondée en 1800), privé à l'origine (de Gaulle nationalisera en 1945), dont ils tenteront régulièrement de se subordonner l'initiative : la politique monétaire, c'est-à-dire économique, devient ainsi l'objet d'une initiative centrale et publique – politique.

Tout se passait déjà comme si le prince pressentait qu'il était de son ressort d'épauler la croissance des flux et les tendances à l'accumulation monétaire qui traversaient son territoire, en promouvant la multiplication des moyens de paiement : tel est pour nous le sens des unités de compte politiques (nominales), puis de la légalisation de la monnaie fiduciaire. Mais à présent qu'on est passé de la légalisation de la « fausse » monnaie au monopole public de son émission, les noces du capital et de l'État ne font plus de doute, et ce dernier fait tourner la planche à billets selon les besoins de sa politique. Dans cette alliance de toujours, l'État joue un rôle de plus en plus important, qui culminera avec les dépenses keynésiennes (finales ou d'infra-structure), débordant largement les besoins des fonctions régaliennes traditionnelles comme, typiquement, la guerre. Au moins pour un temps, au terme duquel, pas si lointain, la vieille et sainte alliance fera l'objet de redéfinitions importantes, dont nous n'avons pas fini de voir les contours – et dont l'indépendance retrouvée des banques centrales (qui est aussi un auto-désistement politique du pouvoir politique) n'est pas le moindre aspect, avec le triomphe de la nouvelle stratégie rentière et spéculatrice.

Il reste à rompre complètement l'amarrage métallique : c'est chose faite pratiquement pour la France dès 1936, par exemple, mais il faut attendre la déconnexion du dollar US (alors que celui-ci fait déjà office de moyen de paiement international) pour achever le découplage universel des systèmes monétaires d'avec leur force de rappel aussi multiséculaire qu'inutile au capital, voire néfaste. Le cours des billets, non plus seulement légal, est à présent forcé.

La monnaie fiduciaire, ce sont à présent ces billets dont l'émission revient exclusivement à la banque centrale : inscrits au passif de celle-ci, ils constituent la contrepartie non déposée du crédit à l'économie consenti par le « prêteur en dernier ressort » (son actif) sous forme de moyens de paiement (à nouveau son passif) mis à disposition des banques de second rang, à savoir la monnaie créée, dite « de base ». Ce sont des avoirs sur la banque centrale, mais ils servent de moyens de paiement libératoires, sortes de « certificats de dépôt » inconvertibles. Ils forment, avec les dépôts libres et obligatoires détenus par les organismes bancaires auprès de la banque centrale, toute la monnaie de base.

Mais celle-ci n'est pas toute la monnaie. Ce qui la multiplie dans les limites imposées par les réserves, obligatoires ou libres (dont les billets), c'est la monnaie de crédit, que créent les organismes bancaires. La monnaie-capital n'est rien d'autre que cette avance faite par les banquiers aux industriels en vue de revenus futurs qui seront tirés de l'extorsion de travail et sur lesquels ils prélèveront leur tribut, l'intérêt. Elle permet d'engager le processus productif, qui doit fournir la preuve de sa validation sociale en faisant refluer les signes monétaires qui apurent les dettes vers les créanciers, leurs émetteurs. Que cette monnaie soit encore dite scripturale, voire d'écriture électrifiée, n'y change rien : cela signifie seulement que les jeux d'écriture comptable suffisent à sanctionner la circulation des marchandises. La circulation matérielle de leur contrepartie monétaire sous forme de symboles autonomes est inutile, puisqu'elle ne fait que redoubler l'opération scripturale.

La monnaie-capital est monnaie de crédit, et l'on peut envisager sa circulation de part en part comme la création d'un circuit de créances, au moins jusqu'aux portes du marché des biens et services où elle se change en valeurs d'usage libératoires : là, en effet, la compensation de la dépense dont cette circulation monétaire est l'occasion est immédiate, et celui qui paie n'attend pas que son partenaire lui rende de la monnaie, en plus grande quantité : l'échange est égal. Ailleurs, la circulation monétaire noue des échanges inégaux, qui trouvent à se boucler dans la production, cet usage singulier qui ne compense son prix (ou ne paie son salaire) que comme on rembourse une dette, c'est-à-dire en rendant quelque chose de plus. Le travail n'est qu'un usage, mais lui seul rembourse le salaire, plutôt qu'il ne le paie comme on paie sur le marché.

Reprenons. La monnaie de crédit est monnaie de débit, puisque cette circulation établit tout aussi bien un circuit de dettes : le circuit des créances parcouru en sens inverse, de l'aval à l'amont. Les créanciers, à l'exception du premier, se convertissent, dans l'optique opposée, en débiteurs – et vice versa, à l'exception du dernier débiteur. Les débiteurs qui contractent une dette ne l'apurent qu'à condition de retourner le montant emprunté, majoré d'une portion de la plus-value sociale. Cette plus-value est exactement le mode selon lequel les agents incapables de convertir leur devoir en avoir, c'est-à-dire en créance sur quelque autre agent, plus « productive » que celle qui leur a été consentie, apurent cette dette qui est la leur. Ces débiteurs qui ne peuvent se convertir en créanciers vis-à-vis d'aucun autre débiteur paient de leur vie pour rembourser. Cette vie, pour eux, a nom travail. Le salaire est bien cette créance faite à qui ne peut la faire endosser, à qui ne peut faire « faire de l'argent » à personne d'autre, et qui est donc remboursée en nature. Si la banque centrale est le prêteur en dernier ressort, le travailleur quant à lui est bien « le payeur en dernier ressort ».

Affrontement des mesures au cœur de l'hégémonie métrique de la monnaie

Mais revenons à la politique. La fiction du producteur global est *price maker*. Il reste que l'ouvrier global, autre fiction mais fiction politique possible et même contingente, réelle, ne se laisse pas purement et simplement administrer le prix de sa marchandise : il le négocie avec le « patron global », qui négocie avec lui. En réalité, il y a au cœur de cette négociation infinie une irréduction constitutive du rapport salarial : on ne parle pas de la même chose. En effet, de quelle marchandise s'agit-il ? Encore une fois, le conflit des mesures spécifiques, dont nous allons tout à l'heure tirer les conséquences, grève et menace de faire éclater la mesure exotérique, c'est-à-dire monétaire, qui définit le rapport des salaires au revenu global. Du conflit des réponses à la question de la mesure spécifique, de la valeur que mesure la mesure monétaire, découle le conflit sur le statut de la marchandise que vendent les ouvriers. La redondance de la valeur-travail dans le contexte monétaire où l'unité de compte n'est pas l'heure de travail (*cf. supra*) est le symptôme d'une rivalité sans résorption possible entre travail et utilité. Cette irrésorption se manifeste à même l'instabilité de la mesure fondamentale, toujours donnée dans le contexte de l'exploitation : la définition de cette mesure indécise, qui rapporte des salaires au produit global, fluctue selon les capacités des uns et des autres à faire valoir leur valeur, leur mesure contre l'autre.

L'inflation est la marque de cette indécision, la fluctuation même de la mesure : elle est l'instrument à l'aide duquel (le camp de) l'exploitation se renforce indirectement, le déclenchement du conflit toujours latent sur le partage autoritaire qu'impose la mesure monétaire, une tentative de redéfinition de ce partage, violente par hypothèse : c'est le vieux rêve contradictoire du capital, qui n'est que travail commandé, mesuré et remesuré, de s'émanciper du travail, de reléguer au néant sa portion pourtant totale. Dans le passage de l'inflation rampante à l'inflation ouverte, voire à l'hyperinflation, le caractère indirect, honteux et dissimulé de l'extorsion s'estompe et la hausse des prix apparaît pour ce qu'elle est : conflit de classes sur le partage de la valeur nouvelle, ajoutée, qui prend toujours une coloration politique plus prononcée à mesure que s'aiguise le conflit seulement monétaire, portant sur les termes de l'échange entre travail et marchandises nouvelles.

Mais il y a plus, et nous l'avons déjà évoqué : c'est qu'à faire valoir la valeur redondante du travail, ce n'est pas seulement la stabilité de la mesure mais son existence même qui est en jeu : car à même la variation homogène, à même la progression toujours monétaire du travail comme progression salariale, à même la conquête de la mesure égalitaire (salaires = 100 % du produit au lieu de a < 1) a lieu la conquête progressive du démesuré, de l'immense, c'est-à-dire d'une société hétérogène. La crise comme affrontement des mesures qui mine le règne de la mesure dominante au cœur même de celle-ci, et dont l'inflation est une des manifestations, menace en réalité toute valeur-mesure, donc la valeur-travail elle-même.

Crise de la mesure monétaire

Qu'est-ce à dire ? La valeur progresse contre l'utilité et sa pseudo-mesure monétaire au cœur même de cette mesure imposée, et, par là, la conquête ouvrière de la marchandise globale (ou produit global) brise le masque de la marchandise-travail, derrière lequel le patron cherche à confiner la force de travail. Celle-ci, qui est la véritable marchandise dont il fait bon marché, est l'autre nom de la vie vivante des ouvriers au lieu du produit ou travail passé pour lequel elle se fait passer et qui lui est, à cette vie, toujours bien plutôt dérobé sous forme de marchandise-capital, ce travail impayé. Du point de vue ouvrier, ce qui est mesuré dans le rapport salaires-revenu agrégé (que nous noterons WL/Y), ce n'est pas le travail comme portion du produit global, comme si l'autre portion revenait à un autre facteur, c'est la force de travail comme portion du travail global (ou produit), appelée travail nécessaire.

Mais à même cette poussée de la valeur-travail contre la valeur-utilité au cœur de la mesure spécifiante salaires-produit, rapport de prix, donc de grandeurs monétaires, se profile la crise même de la mesure monétaire, succombant à sa propre superfluité face au travail : elle succombe en apparaissant comme ce qu'elle est, la mesure que le patronat impose à la force de travail dans le monde de la valeur exploitée. Ce qui succombe, c'est, au-delà du mirage de l'utilité et à même le triomphe apparent du travail, le travail lui-même comme régime d'exploitation coextensif au règne de la mesure, qui assigne à la force de travail la place d'une marchandise parmi un monde de marchandises produites sous contrainte. Le travail forcé donne la mesure pleine de ce dont la mesure patronale spécifie par le biais monétaire ce qui revient à la force de travail, savoir : à la vie mise à prix. Le démesuré, le sans-mesure, l'immense, ce serait cette vie sortie des gonds de la mesure monétaire.

Nous avons à présent une idée un peu plus nette du rôle de la monnaie-capital et du type de mesure qu'elle donne. Si cette mesure entre en crise, c'est qu'elle est contestée à la surface de son expression par une mesure adverse, qui refuse l'exploitation – les salaires sont trop élevés, la croissance ralentit, on entre en récession. La crise est ouverte lorsqu'à la perte de rentabilité s'ajoute la saturation des marchés, c'est-à-dire le refus de continuer à sanctionner l'usage de la marchandise, la défection : une crise qualitative de la demande. C'est le scénario de la fin des sixties. L'inflation rampante pouvait un temps constituer une riposte à la contestation travailliste de la mesure monétaire, rétablir un partage satisfaisant pour les patrons *via* la redistribution des noms monétaires et creuser à nouveau un sentier de croissance régulière. Jusqu'à ce que l'inflation des salaires, c'est-à-dire l'opposition ouvrière, la compense puis la dépasse : les conditions mêmes de la croissance sont atteintes. La planche à billets n'y pourra rien, qui ne fera qu'alimenter une inflation d'autant plus improductive qu'elle s'accélère avec la combativité de classe, c'est-à-dire impuissante à modifier le partage d'un produit qui ne croît plus – c'est l'horrible « stagflation » des seventies. Une féroce réaction des accapareurs improductifs sera nécessaire pour briser la résistance qui fait trembler la mesure, sans pour autant relancer la croissance. Voilà pour l'avatar inflationniste de la crise.

À moins que nous ne prenions la crise par l'autre bout, celui des années trente : au-delà d'un certain seuil de profitabilité, l'euphorie patronale peut s'avérer néfaste à l'accumulation, en raison de l'invalidation même de la mesure du produit croissant, c'est-à-dire d'un défaut de capacité d'absorption. La valeur est gaspillée, la monnaie ne reflue pas vers les débiteurs et le rétrécissement du produit emboîte le pas à celui de la part salariale. La déflation des prix ne réussit pas à enrayer la récession et elles s'entraînent mutuellement vers le fond de la crise – de pénurie, cette fois-ci. On navigue alors de récession en dépression. Tout se passe comme si le capital avait des velléités suicidaires, et il faut un Roosevelt pour le dérouter d'une fin vers laquelle il se précipite en réalité bien malgré lui : le capital « sera suicidé » bien avant qu'il ne se décide à se charger de la besogne, et la productivité politique d'une crise cancéreuse (l'accumulation du capital se noie dans l'excès) est certes toujours bien moindre que celle d'une crise d'asphyxie, dans laquelle le capital étouffe de ne pouvoir assez s'accumuler, parce qu'il est en proie à la poussée d'une politique antagoniste, qui ne vise en effet rien d'autre que d'abolir avec lui le règne de la mesure monétaire garantissant avec le partage exploiteur (WL = aY, a < 1) l'élément de sa survie ((1 – a) Y).

Il reste que cette seconde figure de la crise, sorte de débauche solitaire aussi intense que fatale, est particulièrement significative de la tendance solipsiste du capital à l'automultiplication sans auxiliaire : être la pleine mesure de soi, réduire tout le produit à la plus-value dont le taux devient infini, se produire *ex nihilo* ou plus exactement sous la seule impulsion de son propre génie, tel est le fantasme d'un capital hanté par la perspective de se débarrasser du travail, avec lequel pourtant il s'identifie derrière le masque pétrifié des choses. Mais la force de rappel de la réalité doit le faire déchanter : un capital qui ne ferait plus créance à la vie réduite au travail sous forme de bons pour ses propres usages ne trouverait littéralement plus personne pour le gratifier des signes monétaires de l'utilité accrue : ses marchandises seraient littéralement impayables. La mesure de la plus-value tente de s'émanciper de son rapport aux salaires, qui la définit pourtant tout entière. Elle se voudrait mesure sans mesure : pousser la plus-value absolue à l'infini, sans se douter des limites naturelles de sa production, ou réduire les salaires à rien, sans soupçonner que la plus-value finirait indécidable (O*•). Pas plus qu'il ne s'autoproduit en faisant l'économie du support de la vie arraisonnée, le capital n'est capable d'éprouver de lui-même sa propre utilité, dont il ne perçoit que la mesure monétaire.

De la crise, nous privilégierons néanmoins toujours la première figure, mise à mal explicite de la mesure dominante (la monnaie utilitaire) par la mesure rivale (travail). Celle-ci, au demeurant, n'est pas dupe de son travail de sape et sait bien qu'à s'émanciper à son tour de la plus-value, elle ne fait que creuser son impossibilité, l'impossibilité des salaires, c'est-à-dire de l'expression monétaire de ce qui du travail échoit à qui travaille comme travail nécessaire. C'est le caractère contraint du travail, le travail lui-même, qui disparaît avec sa raison d'être accumulatrice : sans salaires, plus de travail abstrait à partager selon la mesure externe (monétaire) entre ce qui doit en être abandonné sous forme d'usages nécessaires à la reproduction de son support (la force de travail) et ce qui alimente le seul usage du capital (expression monétaire de production non consommée) – avec ce péril que les usages improductifs sont ce qui seul socialise la productivité de ces usages dont résultent davantage de valeurs d'échange, dont le capital ne connaît et n'attend que la reconnaissance du nom monétaire ; et qu'à l'inverse, ses usages productifs de davantage de valeur monétaire doivent subir l'épreuve de la socialisation, à savoir faire la preuve d'un usage qui ne lui revient pas.

On le voit : sans travail, point de mesure salariale ni de mesure monétaire, et la mesure-travail triomphante ne conquiert, à supprimer avec la mesure salariale et monétaire la mesure de la plus-value elle-même, que sa propre abolition : disposer entièrement d'un produit, d'un monde hétéronome, étranger, impropre, impraticable, c'est disposer aussi d'un monde nouveau, où l'ancien vient se fondre comme dans le chaudron fondateur, grand pourvoyeur de bricolages. Le capitalisme est révolutionnaire parce qu'il dispose du monde comme d'un inépuisable réservoir de formes qu'il fond en permanence afin de reconstituer sans cesse la base de son propre devenir, qui n'est que le règne de la métastase monétaire. Mais avec la révolution, il invente la catégorie de sa propre liquidation. Car si dans le conflit des mesures se profile la démesure de rapports nouveaux, c'est qu'au-delà de l'illusoire restauration travailliste, au-delà du refus d'être privés de ce que nous n'avons même pas désiré prend place le désir auquel aucune place n'est réservée : celui de la communauté joyeuse et kaléidoscopique, qui, à la forme payée de l'usage, substitue l'usage gratuit des formes de la vie.

Nous vivons à l'heure où un seul monde unifie la terre entière comme un gigantesque camp de travail sans dehors, à l'heure aussi où le fétichisme capitaliste voue à ce même travail, qui seul l'alimente comme la vie qu'il a le « génie » de mettre à son service, un mépris sans précédent, à moins d'en assimiler purement et simplement les formes aristocratiques, entièrement dévouées à son sort – au point de participer à l'euphorie de ce « génie », d'une volonté totalisée qui ne porte plus trace de cette incompromission que nous voudrions traiter comme la marque même de l'humanité. Cette heure est celle où la fin du travail devient un thème de prédilection parmi les cénacles autorisés (*cf.* Jeremy Rifkin), qui ne soupçonnent pas la portée qu'il y a lieu de donner à leurs vaticinations – et qu'il revient à d'autres individus collectifs de leur donner. Nous avons tenté ici seulement de suggérer qu'il y aurait quelque légèreté à vouloir liquider le travail sans liquider la monnaie de crédit qu'est la monnaie-capital. Substituer progressivement à celle-ci des droits d'usage sous forme de revenu garanti constituerait sans doute un pas appréciable dans cette direction.

Jean-François Gava est né à Liège en 1969. Aujourd'hui, il vit et travaille à Bruxelles. Après les candidatures en polytechnique, il fait une licence en philosophie et en sciences économiques à l'ULB.

Livres cités ou consultés

« Alternatives économiques », hors série n° 45, *La Monnaie*.

Bowles (S.), *The Production Process in a Competitive Economy : Walrasian, Neo-Hobbesian and Marxian Models*, in Samuel Bowles, Richard Edwards, ed., *Radical Political Economy*, vol. I, Aldershot, Elgar, 1989.

Brunhoff (S. de), *Les Rapports d'argent*, Paris-Grenoble, Presses universitaires de Grenoble-François Maspero, 1979.

Brunhoff (S. de), *La Monnaie chez Marx*, Éditions Sociales, 1967.

Dasgupta (Amiya Kumar), *Epochs of Economic Theory*, Oxford, Basil Blackwell, 1985.

Fausto (R.), « Abstraction réelle et contradiction : sur le travail abstrait et la valeur », I et II, in *Critiques de l'économie politique*, nouvelle série, numéro 2, janvier-mars 1978 et numéro 3, avril-juin 1978.

Hegel, *La Théorie de la mesure*, PUF, 1970, coll. « Epiméthée », tr. fr. André Doz.

Kaldor (N.), *Economics without Equilibrium*, Armonk, New York, M. E. Sharpe, Inc., 1985.

Keynes (J. M.), *Essais sur la monnaie et l'économie*, tr. fr. M. Panoff, Payot, 1971.

Lipietz (A.), *Le Monde enchanté. De la valeur à l'envol inflationniste*, Maspero, coll. « Économie et Socialisme », 1983.

Marx (Karl), *Manuscrits de 1857-1858* (« Grundrisse »), tome I, tr. fr. J.-P. Lefebvre, Éditions Sociales, 1980.

Poulantzas (N.), *Les Classes sociales dans le capitalisme aujourd'hui*, Paris, Seuil, coll. « Points », 1974.

Rodriguez Herrera (A.), *Travail et formation des prix*, Louvain-la-Neuve, CIACO, 1994.

Siaens (A.), *Monnaie et finance*, Bruxelles, De Boeck Université, 1988.

Tronti (M.), *Ouvriers et capital*, Christian Bourgois, 1977.

Wallerstein (I.), *Le Mercantilisme et la consolidation de l'économie-monde européenne. 1600-1750 (Le système du monde du XVe siècle à nos jours*, vol. 2), Flammarion, coll. « Nouvelle bibliothèque scientifique », 1984.

Walras (Léon), *Éléments d'économie politique pure,* in *Œuvres complètes*, t. VIII, Paris, Economica, 1988.

René Meunier

LA THÉOLOGIE MONÉTAIRE EUROPÉENNE

> « *Si donc vous ne vous êtes pas montrés fidèles pour le malhonnête Argent, qui vous confiera le vrai bien ?* »
>
> Luc 16, 11
>
> «*J'aime les gens qui doutent : ils me rassurent.*»
>
> Boris CYRULNIK

L'euro a été décrété (comment, c'est une autre histoire). Depuis, le sujet monétaire est à ce point ressassé que nous devrions tous être devenus des spécialistes en matière bancaire et financière, capables de répondre à ce genre de questions élémentaires : comment l'argent est-il créé, mis en circulation, avant de passer entre nos mains ? Où va-t-il ensuite ? Des questions toutes simples, somme toute, que les enfants se posent à propos d'eux-mêmes et de tout ce qui les entoure. Comment fait-on les enfants ? D'où vient le lait que je bois ? Où va-t-il quand je l'ai bu ?

Bien entendu, certains s'arrêtent à la boîte. À la boîte, d'une part, et à l'estomac de l'autre, la curiosité étant un vilain défaut. Mais il n'est pas interdit de pousser le questionnement plus loin, heureusement. Ainsi formulé, ça a l'air bête. Et pourtant. Posez la question autour de vous, vous serez surpris du blocage que peut déclencher une attitude simplement curieuse. « *L'argent va de soi.* » « *Pourquoi se poser des questions à son sujet ?* » « *L'argent ne se pense pas !* »

Pourquoi donc un objet de première nécessité, l'argent, ne pourrait-il pas être mis en question ? Cet argent, omniprésent, si préoccupant et convoité, n'est précisément pas de l'argent, comme un couteau, une fourchette ou une cuiller poinçonnés. L'argenterie, elle, vient d'une mine, mais pas notre argent.

Le franc, par exemple, tire son nom de la formule latine *Francorum rex* (roi des Français), frappée sur des pièces d'or du XIVe siècle. Henri III passa de l'or à l'argent par ordonnance du 31 mai 1575. En 1795, lorsque le système décimal fut adopté en France, on décida que le franc de cinq grammes d'argent vaudrait à peu de choses près une livre d'argent de l'Ancien Régime. Cette livre de l'Ancien Régime pesait 489 grammes.

Le même paradoxe subsiste chez nos voisins britanniques. La pièce actuelle d'une livre sterling pèse beaucoup moins que 454 grammes (livre anglaise) et n'est même plus composée d'argent.

Conclusion : ce qui est bien connu en général, précisément parce que c'est bien connu, n'est pas connu. L'argent n'est plus de l'argent, mais qu'est-ce alors ?

Le discours économique actuel, qui se veut scientifique ou à peu près (ne dit-on pas les sciences économiques plutôt que la science économique ?), ne définit pas sa matière principale, qui est aussi son instrument de mesure, à savoir l'argent au sens monétaire. Sauf, hélas, par un recours systématique à la tautologie et à la pétition de principe.

> « *La monnaie est le moyen par lequel s'effectuent les paiements, l'intermédiaire accepté dans les échanges. Cette manière de voir repose sur l'observation du comportement des gens : la monnaie est ce que nous croyons qu'elle est.* »

Indiquer les fonctions de la monnaie est une chose, la définir en est une autre. Ce n'est pas parce que la monnaie est indispensable au fonctionnement officiel – et officieux – de notre société actuelle qu'elle ne doit pas être définie par ses enseignants et ses praticiens.

L'invocation du credo relève de la religion, du dogme et de l'obscurantisme, non de la science. Or, la citation ci-dessus provient d'un cours universitaire et ce cours est donné ailleurs qu'en faculté de théologie.

Les ouvrages de théorie monétaire contiennent des tableaux, des chiffres et des formules en veux-tu en voilà, mais aucun essai de définition de la monnaie actuelle. Une foule de mécanismes monétaires sont doctement exposés avec force graphiques et statistiques sans que soit défini l'objet de ces mécanismes, la monnaie *alias* l'argent.

C'est à croire qu'il faudrait se contenter de la comptabilité des intermédiaires financiers et de la banque centrale, de structures de bilans, de l'effet multiplicateur, de création des actifs financiers, d'organigrammes, d'offre et de demande de la monnaie, des valeurs ajoutées, de plafonds imposés, d'équilibre, de formules de Fisher et autres, de l'option « billets ou monnaie de dépôt », d'éléments de la liquidité des banques, de trésorerie, de banques considérées isolément ou dans leur ensemble, d'agrégats, de portefeuilles d'effets, de dépôts primaires ou dérivés, de devises, du reste du monde, de vitesse de circulation, de masse monétaire, de marché monétaire, de politique monétaire, de destruction monétaire.

Tout cela donne au profane normalement doté cérébralement la fâcheuse impression qu'on tourne autour du pot. C'est d'autant plus affligeant que l'économie n'existerait même pas sans la notion de monnaie. Les ouvrages que Xénophon et Aristote nous ont laissés en matière d'économie politique ou domestique empruntent déjà le passage obligé de l'argent monétaire.

L'expression « tourner autour du pot » est choisie à dessein, en songeant à un tableau de Pieter Bruegel, *Dulle Griet*. Le peintre y représente à l'arrière de *Dulle Griet* un géant patibulaire vêtu précieusement, assis sur le toit d'une maison et supportant une embarcation sur son dos. Installé dans une barque, il déverse de la monnaie sur une cohue, par son fondement en forme d'œuf décalotté.

S'agit-il d'un aumônier, d'un économe, d'un ecclésiastique « manipulant » l'argent des indulgences, le denier du culte ou des oboles ? Avons-nous affaire à un personnage de l'Apocalypse ? Bruegel a-t-il figuré un sadique anal formant un couple ambivalent avec une pillarde schizoïde ? Se moque-t-il des alchimistes ? Certains d'entre eux prétendaient, en effet, découvrir la pierre philosophale dans les défécations et fabriquer de l'or à partir des matières les plus viles.

Notons au passage que la monnaie qui s'écoule du cloaque de cet énigmatique personnage est de couleur terne. Ce serait du vulgaire plomb plutôt que de l'or ou de l'argent sonnants et trébuchants. En outre, vu sa provenance, il pue ; c'est de l'argent au détestable parfum de vespasienne.

Quoi qu'il en soit, le tableau représente une situation apocalyptique où les objets précieux raflés par une énergumène, ainsi que la vile monnaie déféquée par un demeuré, jouent un rôle de premier plan.

L'industrie de l'information est loin d'avoir la même attitude critique que Bruegel par rapport à la célébration mystique actuelle de l'argent européen. Nous devons croire intensément en l'euro. Hors l'euro, point de salut. Soumettons notre raison et nos sens à la bonne parole du Saint-Siège bruxellois (ou strasbourgeois ?). Dans la foi en l'euro, nous voulons vivre et mourir. Alléluia. Hosanna. Gloire à l'euro au plus haut des cieux. C'est l'euro qui guide nos pas. Etc.

Après le grand soir de 1998, tout va déjà mieux, c'est l'évidence même. Les ménagères peuvent à nouveau remplir leurs paniers, après des lustres d'austérité budgétaire. Et un clochard andalou a maintenant le droit d'acheter un sauna finlandais en euros. Rendons grâce à nos souverains pontifes. Eux savent. C'est avec un parfait désintéressement de type apostolique qu'ils nous révèlent la vérité sur la monnaie unique.

Les sujets économiques se trouvent en bonne place dans tous les journaux écrits, parlés ou télévisés, mais l'analyse, même rudimentaire, fait défaut. « *C'est la domination passivement et ordinairement acceptée d'une information produite et contrôlée, offerte et préparée par ceux-là mêmes qui en sont l'objet.* [...] »[1]

Ceux qui produisent l'information en matière monétaire ne sont autres, en gros, que les commissaires européens, ministres des Finances, gouverneurs des banques centrales, banquiers, politiciens.

En quoi consiste cette « information » ? Hormis les invocations, en une avalanche hétéroclite de chiffres et de notions auxquels personne ne comprend rien sauf quelques gourous qui prétendent le contraire, tirant leur autorité de titres ronflants et d'une apparence, un look, qui respire la compétence.

Mais en font-ils la démonstration ? Si l'on en juge par le critère de Boileau (« *Ce qui se conçoit bien s'énonce clairement et les mots pour le dire arrivent aisément* »), lequel critère vaut bien ceux de Maastricht, la réponse est non. La monnaie européenne n'est jamais définie.

Nous avons droit à des propos d'allure financière, les chiffres ne peuvent mentir, mais la notion de base, la monnaie, reste mystérieusement inexpliquée, comme si elle allait de soi. Et personne n'ose poser la question : mais au fond(s), Monsieur le…, comment définissez-vous la monnaie européenne ? Il nous faut croire aux nouveaux habits de l'empereur.

L'objet du culte monothéiste n'est plus l'écu du système monétaire européen, mais l'euro.

Le terme écu (*european currency unit*) évoquait cette ancienne monnaie d'or qui portait l'écu de France sur une de ses faces. La monnaie portugaise s'appelle d'ailleurs toujours écu (*escudo*). L'euro, quant à lui, ne comporte aucune référence monétaire immédiate.

C'est saint Louis qui fit frapper le « denier d'or à l'écu », appelé par la suite écu, tout simplement. L'écu était un bouclier à trois pointes, dont on retrouve la forme dans certains blasons prestigieux. Six fleurs de lis ornaient cet écu, le lis étant l'emblème du roi de France (*Francorum rex*).

Notre veau d'or nouveau n'a strictement plus rien à voir avec l'or. L'euro ne représente plus rien de concret, sauf un panier – de monnaies européennes. Ces monnaies européennes, elles non plus, ne sont pas définies. Alors, voyons du côté de l'Europe. L'Europe est un continent. Mythologiquement, ce continent emprunte son nom à une belle Phénicienne devenue célèbre par son enlèvement.

Zeus, le dieu suprême de la mythologie grecque, s'était amouraché de la divine créature. Il ne trouva rien de mieux que de se métamorphoser en taureau pour emporter sur son dos l'objet de ses désirs. Et Minos naquit de leurs amours.

Minos épousa Pasiphaé. À son tour, la belle s'enticha d'un taureau blanc et engendra le Minotaure. Ledit Minotaure n'était pas un tendre : il se nourrissait de chair humaine. Son père officiel mais non biologique, Minos, l'enferma dans le labyrinthe, dont Dédale était le grand architecte.

Que de signes prémonitoires pour notre futur signe monétaire : un bovin cannibale dans un dédale ! Mais revenons à nos moutons aphteux. Et vérifions dans quelle mesure ils ne sont pas de Panurge.

Un bon début serait de nous interroger sur le sens du mot « monnaie » et de trouver des traces tangibles de son évolution.

Au nom de Junon

L'Antiquité intervient ici puisque le mot dérive de *moneta*, épithète de la déesse Junon.

La déesse portait ce surnom parce qu'elle faisait entendre divers avertissements (*monitiones*) pour le bien de l'État romain ; elle intervenait aussi par des signes prémonitoires lors des songes. Celui donné en 390 av. J.-C. est resté le plus célèbre.

Les Gaulois occupaient Rome. Toute ? Non. Des Romains résistaient encore, retranchés au Capitole. On y entretenait des oies, consacrées à Junon. Elle avait, en effet, son temple dans cette citadelle, de même que Jupiter et Minerve. Les oies consacrées à Junon alertèrent les Romains endormis, au moment où, de nuit, les Gaulois assaillaient la citadelle. L'attaque fut repoussée. Junon avait sauvé Rome.

Junon *moneta* faisait partie de la triade capitoline. Elle était l'épouse de Jupiter, l'équivalent romain de Zeus, le père des autres dieux, dieu suprême, grand ordonnateur du monde, le ciel personnifié, etc. Junon était donc la déesse souveraine, mère d'une série de divinités, protectrice armée de son peuple. Depuis le IIIe siècle av. J.-C., elle correspondait aussi à Mnémosyne. Cette divinité grecque représentait la mémoire (*cf.* le mot amnésie), qui garantit la victoire de l'esprit sur la matière. Mnémosyne était le fondement de toute intelligence créatrice et la mère des Muses dont la première, Clio, patronnait l'Histoire.

Comment le surnom religieux de *moneta* en est-il arrivé à désigner notre instrument de paiement, d'épargne et de mesure de la valeur ?

Avançons dans le temps.

Dans le monde hellénistique, les généraux d'Alexandre le Grand, mort en 323, guerroyaient allègrement les uns contre les autres afin de se tailler la part du lion dans sa succession.

À leur suite, Pyrrhus, né vers 319, rêvait d'asservir le monde. L'Italie du Sud faisait partie de la Grande-Grèce. Il y intervint contre Rome. Après deux victoires, dont une à la Pyrrhus, il fut défait par les Romains à Bénévent, en 275. C'est grâce aux trésors de Pyrrhus que Rome put enfin utiliser le métal argent comme moyen d'échange avec l'Italie du Sud.

En 269, on installa sur la citadelle du Capitole, à proximité du temple de *Juno moneta* (ou peut-être même dedans), une industrie d'État dont l'activité consistait à marquer des pièces de métal de signes qui en fixaient la valeur. Cet atelier et sa production absorbèrent peu à peu l'épithète de la déesse, dont le sens s'effaça.

Le Capitole était le saint des saints de l'État latin, la citadelle la mieux défendue, le Vatican de la religion romaine. Tant que les Romains n'avaient que le bronze comme moyen d'échange, il ne fallait pas de mesures de sécurité particulières. En revanche, le paiement *per aes et libram* (par le bronze et la balance) constituait une procédure fastidieuse, vu la quantité de métal impliquée. Le trésor de Pyrrhus fut donc accueilli comme une aubaine, mais il nécessitait de strictes mesures de sécurité.

C'est donc en 269 av. J.-C., à proximité ou même à l'intérieur du temple de *Juno moneta*, que l'État commença à produire ses deniers. Les deniers étaient des pièces en argent de 4,55 grammes, soit quatre scrupules – à peu près le même poids et la même matière que la drachme attique, la pièce qui circulait en Grande-Grèce. Rome n'avait pas encore conquis cette région, laquelle faisait toujours partie du monde hellénistique et fonctionnait dès lors selon son système monétaire : l'argent métal.

Le denier d'argent fut marqué du chiffre x : sa valeur était fixée à dix as. Et l'as valait une livre de bronze. Parce qu'il était constitué d'une livre de bronze. Une livre (*cf. libram*) pesait à Rome 327 grammes, mais en 280 av. J.-C., en pleine guerre contre Pyrrhus, l'as n'en pesait déjà plus que 82, soit le quart, tout en portant les mêmes marques de valeur. Et ce n'est pas fini : l'as ne pesait plus qu'une once, le douzième d'une livre, en 217, quand Hannibal défit les Romains au lac Trasimène. Il terminera sa carrière à 7,5 grammes.

Le denier d'argent, quant à lui, perdit de ses scrupules, au sens pondéral du terme. En 216 av. J.-C., en pleine deuxième guerre Punique, il ne pesait plus que 3,9 grammes. Puis il valut seize as. Mais arrêtons ici les complications.

Non content de perdre du poids, le denier perdit aussi du titre : la proportion de métal noble diminua dans la composition des pièces, au profit du cuivre. La pièce devint donc de mauvais aloi. L'étain remplaça l'argent dans l'alliage, ce qui, avec le cuivre, donnait du bronze : retour à la case départ. Puis le zinc remplaça à son tour l'étain. Mélangé avec du cuivre, le zinc donnait du laiton. Ces pièces allégées de métal appauvri étaient pourtant toujours marquées des mêmes signes de valeur.

Pourquoi procéder de la sorte ? En diminuant la valeur intrinsèque des pièces, l'État se procure des bénéfices. Il multiplie la quantité d'argent qui est à sa disposition et augmente ainsi ses moyens financiers, son pouvoir d'achat en d'autres termes, ce qui est très utile, en temps de guerre notamment. Pour finir, il crée carrément de l'argent fictif. Et ça marche ! Les pièces métalliques ont perdu leur valeur d'origine sans pour autant perdre leur fonction d'étalon de la valeur, de moyen de paiement et d'instrument d'épargne. Elles ne contiennent plus leur valeur mais y font référence par différents signes conventionnels : la taille, le poids, la couleur, les mentions, symboles et effigies.

Ce sont ces pièces allégées d'argent avili qui sont devenues de la *moneta*, ou monnaie en français. La déesse Junon, au passage, y a perdu son surnom.

Les cités grecques n'ont jamais pu réaliser cette prouesse. La valeur de leurs pièces ne pouvait être fixée d'autorité sur un territoire national suffisamment étendu et réglementé. Les échanges avec les autres cités impliquaient une vérification systématique de la valeur intrinsèque des pièces de métal précieux, donc de leur poids et de leur teneur en argent.

Il y aurait encore beaucoup à dire sur les mines d'État dans lesquelles travaillaient des esclaves pour extraire l'argent. Rappelons-nous simplement que les esclaves qui extrayaient les métaux plus ou moins précieux dans les mines grecques ou romaines n'étaient pas considérés comme des êtres humains mais comme des choses, et que les accidents y étaient fréquents. En quelque sorte, les monnaies grecques et romaines se nourrissaient de chair humaine débaptisée.

L'or et l'argent qui ont déferlé en Europe à partir du XVIᵉ siècle, en provenance des colonies, n'avaient pas meilleure odeur. Les mines d'argent de Potosí, en Bolivie, ont « consommé » huit millions d'Indiens. Et que dire des autres métaux non ferreux qui composent toujours nos pièces de monnaie actuelles ?

Les mineurs du Tiers Monde sont toujours payés des clopinettes pour extraire l'étain, le zinc, le nickel, le cuivre et l'aluminium. Tout simplement parce qu'ils ne sont pas propriétaires des mines où ils travaillent.

Notre ancien billet belge de cinq cents francs, à l'effigie de Constantin Meunier, illustre à sa manière cette anthropophagie. Le peintre sculpteur est représenté devant le chevalet d'un puits de mine, la moue désabusée, un œil sagace et l'autre désespérément triste, le front buriné par la conscience sociale, la chevelure tumultueuse et fournie, quoique courte, la barbe opulente, blanche aussi. Il n'a cependant rien d'un Neptune, d'un Dieu le père ou d'un Karl Marx. À y regarder d'un peu plus près, on constate que le haut de son veston est fatigué et son dos courbé.

Derrière le chevalet avec ses câbles, ses grandes molettes et son toit bombé, vous apercevez, très pâles et de profil, deux revenants émaciés, coiffés de casques minuscules. Le premier mineur semble vivant, l'autre mort, comme si entre la peau de son visage et les os, la chair avait disparu.

En face de ces deux personnages de Constantin Meunier, dans un espace laissé en blanc, apparaît par transparence un homme aux cheveux courts et au nez aquilin, qui les regarde. Le filigrane laisse présumer un semblant de commisération, sans plus ; le dessin n'est pas assez précis.

Deux poids, deux mesures donc. Telle est la morale de la monnaie-métal. Et la monnaie-papier ? Venons-y.

ÉCRITURES PHILOSOPHALES

Le tableau le plus célèbre de Quentin Metsys date de 1514. L'original est exposé au Louvre sous le titre *Le Prêteur et sa femme*. Les Musées royaux des beaux-arts de Belgique en possèdent une copie intitulée *Le Banquier et sa femme*. Certains auteurs l'appellent *Le Changeur et sa femme*, et d'autres *L'Orfèvre et sa femme*.

L'œuvre du grand maître flamand a été copiée à de nombreuses reprises. C'est dire si elle suscite l'intérêt. On peut encore le vérifier tous les jours à la salle n° 56 du Musée d'art ancien à Bruxelles. Bon nombre de visiteurs semblent attirés par le noir reflet d'un petit miroir convexe et par le scintillement d'une pièce d'orfèvrerie en cristal et en or. La noirceur de ce miroir, encore appelé miroir de sorcière, contraste avec la limpidité du cristal de roche, rehaussé d'un or radieux.

Une série de poids gigognes et des bagues enfilées sur un tube brillent également, beaucoup plus que les pièces d'or et d'argent, relativement mates. Derrière le banquier, une bouteille pansue, un plateau ouvragé et six boules de cristal enfilées renvoient également la lumière, tout comme l'orange posée devant le plateau.

L'homme pèse diverses pièces d'or et d'argent. Cet acte de peser a donné leur nom au *peso* et à la *peseta*. La balance se dit *libra* en latin, nous le savons déjà, d'où la livre sterling (ou livre de bon aloi) et la lire.

Les poids gigognes (ou poids en pile) se dirigent vers une pierre oblongue. Celle-ci se trouve tout près du banquier, presque dans son giron. L'objet porte des traces transversales dorées et argentées. Cette pierre, dite de touche, servait à vérifier la teneur en métal précieux, autrement dit le titre, au moyen d'une réaction chimique.

Le mot « banc », qui a donné naissance au mot « banquier », désigne un établi de travailleur manuel, dans ce cas-ci celui d'un orfèvre. Ce banc a été revêtu de feutre vert, maintenu en place par une ligne de clous.

L'orfèvrerie est présente sous la forme du hanap en cristal de roche rehaussé d'or et des bagues enfilées. Un morceau de velours rassemble de nombreuses perles et les met en évidence. Ces objets précieux ont été mis en gage pour garantir le remboursement des sommes empruntées, selon certains.

Contrairement aux bijoux, aux pièces d'orfèvrerie ou aux perles, les pièces d'or et d'argent ont toutes les qualités requises pour servir de moyen de paiement. En effet, leur valeur se définit tout simplement selon leur teneur et leur poids : la matière est homogène, elle se divise ou se réunit sans perte, le coût du façonnage est réduit au possible. On n'a rien trouvé de mieux dans l'histoire de l'humanité.

Si l'or des bagues et du hanap peut être débité en pièces servant au paiement, les pièces à leur tour peuvent se métamorphoser en bijoux ou en orfèvrerie. Cela démontre à suffisance que les pièces de monnaie portent leur valeur en elles-mêmes. Elles ont donc une valeur intrinsèque. C'est ce qu'on appelle la monnaie-marchandise.

Nos pièces actuelles ne sont plus de la monnaie-marchandise ; elles fonctionnent comme les pièces romaines. Ce sont de simples signes monétaires. Personne n'est plus tenté de s'en approprier discrètement une partie avant de les remettre en paiement à un créancier. Mais à l'époque, beaucoup ne résistaient pas à la tentation de prélever une portion de matière précieuse au passage. Les pièces étaient rognées ? On y ajouta des cannelures. Mais on pouvait toujours les frotter ou les faire suer ou… Les opérations d'évaluation étaient donc indispensables. Elles sont représentées au premier plan, à ce point manuelles encore, que l'ongle du pouce du banquier est noir par-dessous.

Nous nous sommes intéressés jusqu'à présent au banquier et à son orbe d'activités immédiates. Passons à l'arrière-plan.

Les étagères supportent divers objets, dont une série de documents. De gauche à droite, on rencontre un rouleau de feuilles, puis une grande feuille plusieurs fois pliée. Il y est probablement écrit : « *In weerden* » (« *en valeurs* ») et « *ponden* » (« *livres* »), entre autres. Cette grande feuille est écrasée par un livre. Un cahier renforcé a été déposé sur ce livre et s'appuie contre la paroi du fond. On distingue ensuite des actes portant chacun un ruban scellé. Ils sont réunis par une feuille pliée, sur laquelle on peut lire : « *Quinten Massys* INVENtor U *1519.* » Ces documents reposent sur un autre livre, dont dépasse un signet marqué d'un signe mystérieux. Cette marque identifiait une famille. La série de documents se termine par une serviette appuyée en oblique contre l'encoignure. Cette serviette abrite un tout petit livre épais et un minuscule rouleau.

À quoi peuvent bien servir tous ces documents ?

Pour le savoir, revenons à l'avant-plan, devant l'homme. Lorsqu'il change les monnaies, il en reçoit d'une sorte et il en donne un peu moins de l'autre. La différence de valeur est son bénéfice. L'opération se règle au comptant. Il n'est point besoin de noter quoi que ce soit, sauf pour mémoire. Tout a été vérifié. Le changeur et son client se quittent bons amis.

Une personne se présente pour emprunter de l'argent. Le prêteur accepte. Le client signe un document par lequel il s'engage à rembourser la somme à telle date, majorée de tel intérêt. Cet intérêt est le prix du service rendu par le prêteur et son bénéfice.

Le prêteur, s'il se méfie, peut demander un gage de remboursement, le hanap par exemple. Il remet alors un document qui constate sa promesse de rendre l'objet à la condition que l'emprunteur honore ses engagements, le moment venu. Le prêteur consigne son propre engagement, ainsi que celui de l'emprunteur, de la manière qui lui convient.

Les gens déposent leur argent chez le banquier. Il le met en sécurité dans ses coffres et délivre à chaque déposant un billet (ou promesse) sous seing privé par lequel il s'engage à lui rendre la somme déposée ; c'est ce qu'on appelle un engagement à vue (ce qui veut dire : sur présentation du billet, à première demande). Ce service est également rémunéré et l'opération est également inscrite dans les comptes du banquier.

Le déposant doit de l'argent à quelqu'un. Il peut céder à cette personne la promesse du banquier plutôt que d'aller retirer l'argent et de le remettre à son créancier. La cession de la promesse nécessite des formalités si le billet est au nom du déposant.

Le billet qu'on appelle au porteur peut, lui, être cédé sans formalité puisqu'il indique simplement que le banquier promet de payer une certaine somme d'argent à la personne non identifiée qui le lui présentera (le porteur). Le billet de banque n'est historiquement rien d'autre que cela. On l'appelle monnaie fiduciaire parce que sa valeur repose sur la confiance, la conviction que le banquier honorera sa promesse de payer, l'objet final du paiement étant le métal précieux déposé en ses coffres. Le billet au porteur présente l'avantage d'être cédé par simple remise de la main à la main, et par conséquent l'inconvénient de tenter les voleurs.

C'est ici que la comptabilité du banquier intervient au profit de sa clientèle.

Toutes les opérations du banquier sont enregistrées au jour le jour dans divers livres comptables. La comptabilité du commerçant doit, en effet, lui permettre de se faire l'idée la plus exacte possible de sa situation à tout moment. Il doit savoir ce qu'il a, ce qu'il doit et ce qui lui est dû (débit et crédit) afin de mener ses affaires à bon terme et d'en retirer un bénéfice. Il doit aussi savoir ce qu'il a gagné ou perdu (pertes ou profits) à un moment donné. Toutes ces informations sont fournies par sa comptabilité.

Le banquier tient dans ses livres un compte pour chacun de ses clients. Ce compte indique notamment si le banquier est débiteur ou créditeur du client et de combien. Une inscription qui indique que le client est en position créditrice fait preuve contre le banquier. Elle constitue un titre de créance, au même titre (c'est le mot) qu'un billet signé par ce banquier.

L'extrait de compte indique au déposant le montant de sa créance contre le banquier, de même qu'il indique à l'emprunteur l'état de sa dette vis-à-vis du même banquier. Ces deux personnes ont donc un compte dans les livres du banquier.

Le client créditeur du banquier peut très bien devoir de l'argent à un débiteur du même banquier. Il donnera ordre à ce banquier de virer un certain montant de son compte au compte de l'autre. La dette du banquier diminue vis-à-vis du déposant et sa créance envers l'emprunteur diminue d'autant. Le premier client du banquier a payé le second, le second a remboursé le banquier dans la même mesure et la comptabilité du banquier constitue la preuve de toute l'opération. Entre les deux titulaires de comptes, l'effet est le même que si le déposant avait réclamé son argent au banquier pour le remettre à son créancier et que ce créancier l'avait ensuite remis au même banquier pour diminuer sa dette.

Le déposant aurait aussi pu demander des billets au porteur. Dans ce cas, le banquier aurait diminué sa dette d'autant envers le déposant et aurait noté qu'il avait émis ces billets au porteur. L'autre client les aurait reçus, les aurait remis au banquier qui aurait crédité le deuxième compte d'autant et annulé les billets.

Même lorsque les dépôts sont à vue, tout le monde ne vient pas retirer son argent en même temps. Le banquier doit donc juste disposer du stock nécessaire d'or et d'argent pour faire face aux demandes effectives de ces espèces métalliques. Il peut prêter le reste à intérêt.

Les déposants du banquier ne peuvent pas vérifier qu'il leur rend bien les mêmes pièces que celles qu'ils ont déposées. Ils ont simplement intérêt à ce qu'il leur rende une quantité identique de pièces d'or ou d'argent de la même teneur. Pour le vérifier, ils doivent recourir à un spécialiste, qui leur fera payer ses services. La monnaie de papier, qui repose sur la confiance envers le banquier, est finalement plus commode.

Le banquier peut également maîtriser le risque que les gens retirent leurs dépôts n'importe quand en leur payant un intérêt à terme sur les espèces métalliques déposées. Ce n'est que justice, après tout : le banquier fait crédit aux emprunteurs, mais les déposants font crédit au banquier. Il devient alors plus avantageux de détenir de la monnaie scripturale que de la monnaie métallique ou des billets au porteur.

Les emprunteurs, de leur côté, ont également intérêt à ce que le banquier leur remette des billets (monnaie fiduciaire) ou inscrive le montant emprunté au crédit de leur compte (monnaie scripturale). Ils éviteront ainsi la méfiance de leurs créanciers envers les espèces métalliques (monnaie-marchandise).

Un autre avantage de la monnaie de compte sur la monnaie de papier est qu'elle est impossible à voler ou à falsifier. Du côté du banquier, elle permet d'identifier les personnes qui pourraient demander des espèces métalliques et de ne plus avoir affaire à des inconnus débarquant à l'improviste pour réclamer du métal précieux qu'il n'a peut-être pas en suffisance. La monnaie scripturale réduit donc encore le risque du banquier par rapport aux billets au porteur.

La monnaie de dépôt (inscrite au crédit du compte du client) est créée par l'opération de crédit, et non plus par la remise d'argent ou d'or au banquier. D'où l'expression *loans make deposits*. C'est une opération juridique de prêt, comptabilisée, qui donne naissance à la monnaie, et non plus l'extraction et les traitements successifs du minerai aurifère ou argentifère. Cette monnaie-là est scripturale ; elle n'est plus métallique que par sa couverture : l'or ou l'argent qu'un intéressé peut réclamer du banquier en dernier recours.

À partir du moment où la quantité de monnaie sous forme de billets au porteur ou d'écritures en compte dépasse la quantité de monnaie métallique se trouvant dans les caisses du banquier, il y a multiplication des espèces. La différence entre la quantité de monnaie dans les coffres du banquier et la quantité de monnaie en circulation représente le volume de création monétaire.

Le tableau de Metsys se réfère explicitement à Jan Van Eyck, précisément au mariage de Giovanni Arnolfini (*Les Époux Arnolfini*, 1434) : deux époux, un miroir convexe notamment. Or, le tableau de Van Eyck évoque l'alchimie. On peut donc imaginer que les deux passants que Metsys a peints dans l'entre-bâillement du volet se livrent à des spéculations sur la genèse de la fortune du banquier et de sa femme : il doit se livrer à des opérations alchimiques !

En fait, il réussit par de simples écritures à transformer le vil papier en or.

L'union de l'homme et de la femme est un thème alchimique, au même titre que le bimétallisme, l'orfèvrerie, la pomme d'or ou orange (*sinaasappel* en néerlandais, ce qui veut dire « pomme de Chine »).

Les livres fermés évoquent l'ésotérisme, la connaissance accessible aux seuls initiés. À cet égard, les seuls livres ouverts sont des livres de lecture, religieuse dans le cas de la femme ; on ne saura probablement jamais ce que lit le personnage mystérieux reflété par le miroir convexe.

La pierre encéphale (autre dénomination de la pierre philosophale) porte bien son nom (pierre de cerveau), puisque la multiplication de l'or résulte non d'un procédé alchimique mais d'une création intellectuelle, purement juridique et comptable. Et l'alchimiste intellectuel s'enrichit bien plus sûrement que l'alchimiste de laboratoire.

En devenant écriture (*cf.* l'étui à plume entre les têtes des deux époux), la monnaie peut se multiplier. Elle garde toutefois son attache avec le réel grâce à la convertibilité en espèces métalliques des billets et des comptes de dépôt. La conversion constitue l'élément de risque de l'activité du banquier, qui le met face à l'épreuve de la réalité.

Ses billets (il promet donc de payer à vue au porteur la somme de…) et les crédits de ses clients en ses livres constituent des dettes qu'il doit honorer. Le succès de telles opérations repose sur la loi des grands nombres : tous les porteurs de billets et les titulaires de comptes ne viendront pas en même temps retirer les espèces déposées.

Il en va de même dans les assurances : tous les assurés n'auront pas un sinistre au même moment. Mais il y a les crises. Et dans les crises, la confiance ne règne plus. Tout le monde, comme l'avare de Molière, veut son or. Mais de l'or, il n'y en a pas pour tout le monde…

L'émission des billets au porteur a été, par décision du pouvoir souverain, réservée à certaines banques, dites centrales. Ce genre de décision a eu pour effet de diriger l'or et l'argent vers les caisses des banques centrales et de leur subordonner les banques ordinaires. En cas de difficultés, la banque centrale peut encore prêter des billets, qu'elle émet, à la banque ordinaire. Ce n'est qu'une des mesures visant à garantir la solvabilité des banques à l'égard de leurs clients.

L'ART DE L'ABSTRACTION

Que faire quand une cohue assiège la banque centrale en réclamant du métal précieux en lieu et place de ses billets, payables à vue ? Décréter leur cours forcé. En d'autres mots, suspendre l'obligation que la banque centrale a de convertir ses billets en or ou en argent lorsque leurs porteurs les lui présentent.

Ainsi donc, nos billets actuels portent toujours les signatures du trésorier et du gouverneur de la Banque nationale, mais plus aucune promesse de payer. Pourquoi ? Parce que le cours forcé est devenu définitif et non plus provisoire comme à l'époque des guerres ou des grandes crises.

La valeur de la monnaie ne se règle plus sur celle de la contrepartie or au bilan de la banque centrale. La monnaie se définit par rapport à d'autres monnaies, ce qui veut dire que les monnaies se définissent l'une par l'autre, en une magnifique tautologie ou une boucle infinie : qu'est-ce que la monnaie ? De la monnaie ! Voilà une situation plutôt gênante.

On en est réduit à examiner comment fluctue le marché des changes et là, on se retrouve dans le discours économique traditionnel. Divers éléments de l'actif de la Banque nationale (réserves de change) servent à défendre la valeur de la monnaie, tandis que des mesures d'autorité sont prises (quotas, taux d'escompte et d'intérêts, compartimentage, réserves obligatoires des banques en fonds publics, limitation des prix, etc.).

C'est ici que la monnaie devient compliquée, absconse et rebutante, et que la plupart des citoyens encore intéressés y perdent leur latin.

Selon l'article 3 de l'Arrêté royal belge du 8 octobre 1976 relatif aux comptes annuels des entreprises, « *les comptes annuels doivent donner une image fidèle du patrimoine, de la situation financière ainsi que du résultat de l'entreprise. Ils doivent être établis avec clarté et indiquer systématiquement d'une part, à la date de clôture de l'exercice, la nature et le montant des avoirs et droits de l'entreprise, de ses dettes, obligations et engagements ainsi que de ses moyens propres et, d'autre part, pour l'exercice clôturé à cette date, la nature et le montant de ses charges et de ses produits.* »

En rendant les billets de banque inconvertibles en or, nos autorités ont rompu avec un principe fondamental de la comptabilité : ne constitue un élément de passif que ce qui a la nature d'un engagement.

À partir du moment où les billets de la banque centrale ne sont plus une promesse de remettre du métal précieux, ils ne constituent plus un engagement, une dette ou une obligation, et leur mention au passif du bilan ne semble plus se justifier.

Alors, pourquoi s'y trouvent-ils toujours ?

Parce qu'un bilan n'existe que s'il est en équilibre. Ce mot, « équilibre », se compose de l'adjectif latin *aequus* (égal) et de *libra* (la balance). Le terme « bilan » provient de l'italien *bilancio* qui veut dire « balance ». Par définition donc, un bilan ne peut être qu'en équilibre. Une balance ne remplit sa fonction de peser que lorsqu'elle est en équilibre : elle n'indique le poids qu'à ce moment-là.

Les billets correspondent à des créances contre les autres banques et restent, pour ce motif, au passif du bilan de la banque centrale. Comment cela se fait-il ?

Rappelons-nous qu'à défaut de métal précieux, la monnaie n'est créée que par le mécanisme juridique de l'emprunt auprès d'une banque : *loans make deposits.* Celui qui a besoin d'argent demande un prêt à une banque. Celle-ci ouvre un crédit et l'inscrit au compte de l'emprunteur.

En inscrivant la somme empruntée au crédit du compte de l'emprunteur, la banque ne fait rien d'autre que de se rendre débitrice. Dans le même temps, elle est créancière de ce client en sa qualité de prêteuse. La créance de remboursement et des intérêts va à l'actif du bilan de la banque, et la somme empruntée au passif.

L'emprunteur peut utiliser son crédit en effectuant des virements ou en prélevant des billets. Mais la banque n'a pas de billets : elle n'émet plus que de la monnaie scripturale. La banque se fournit donc en billets auprès de la banque centrale. Comment ? À nouveau par le mécanisme de l'emprunt.

La banque centrale émet la quantité de billets demandée et la prête à intérêts à l'autre banque. Elle inscrit donc sa créance à son actif et, par corrélation, ses billets au passif. Les billets seront ensuite restitués et les intérêts payés forcément en monnaie scripturale du système bancaire. La banque centrale ne peut pas être payée au moyen de ses propres billets qui représentent des engagements de sa part : il est impossible d'être débiteur ou créancier de soi-même.

Si, plutôt que de demander des billets, le client décide de virer la somme empruntée sur un compte ouvert auprès d'une seconde banque, cette dernière devient débitrice. De quoi ? De l'obligation virtuelle de remettre des billets à son client. C'est le titulaire du compte crédité à partir d'une somme empruntée auprès d'une première banque qui devient créancier de la seconde banque.

La seconde banque ne fait évidemment pas cela gratuitement. Elle réclame paiement de l'opération à la première banque. Mais cette première banque peut à son tour être créancière de la seconde. L'une ne devra finalement à l'autre que le solde de leurs dettes respectives.

Au moment convenu, l'emprunteur devra rembourser à sa banque le montant emprunté majoré des intérêts. Il lui remettra de la monnaie de papier ou créditera son compte auprès d'elle. L'opération de crédit sera bouclée. L'argent prêté sera annulé dans les comptes de la banque et les intérêts, bénéfice de l'opération, seront conservés. Auprès d'une autre banque. Car la seule monnaie qui existe actuellement est une monnaie de crédit, donc autrement dit une monnaie-dette. Et personne ne peut être débiteur de soi-même.

Les intérêts versés à la banque prêteuse serviront à payer tous ses frais (immeubles, matériel, fournitures, personnel, publicité, etc.) ainsi que ses impôts, et le bénéfice net reviendra aux propriétaires. Cet argent-là provient aussi du crédit et disparaîtra à son tour. Mais il sera remplacé par de la nouvelle monnaie de crédit. Il y a donc toujours, à un moment donné, une certaine quantité d'argent en circulation. La monnaie de papier naît par emprunt, circule et meurt par remboursement.

C'est ici que se pose le problème de la planche à billets. Elle peut tourner sans que la moindre demande de conversion en or ne la freine. L'État emprunte directement et sans restriction à la Banque nationale et diffère sans cesse le remboursement de ses dettes. Et la monnaie finit par se déprécier vu sa trop grande quantité.

RENDEZ À CÉSAR

L'État n'a pas que le pouvoir de réduire la valeur de la monnaie. À chaque fois que des nouveaux billets remplacent les anciens, nous devons bien constater qu'il peut en détruire la valeur. Du jour au lendemain, nous ne sommes plus propriétaires de x francs mais simplement de x vignettes. Le signe continue de nous appartenir, mais l'État nous a expropriés de sa valeur sans la moindre indemnité. Ceux qui en douteraient peuvent se renseigner sur les affres des mercantis lors de l'opération Gutt. Leur magot perdait toute sa valeur s'ils ne le signalaient pas aux autorités qui, évidemment, les attendaient au tournant.

L'État ne peut annuler ainsi la valeur des métaux précieux. Elle se détermine ailleurs que dans ses institutions. Voilà pourquoi l'or mérite encore plus que le franc suisse son nom de valeur refuge.

Qui est donc propriétaire de signes monétaires inconvertibles en or ? Celui qui en possède ou celui qui a le pouvoir d'en réduire la valeur à néant ? Que valent nos comptes en banque ? Ce que décide le souverain en vertu de ses pouvoirs réglementaires.

Dans nos pays, les pouvoirs souverains émanent de la nation et sont, en matière monétaire, exercés principalement par les pouvoirs législatif et exécutif. La monnaie, ontologiquement réglée par ces pouvoirs, reste pourtant, dans le discours politique, un bien strictement privé sur lequel la collectivité n'a qu'une emprise très limitée.

Certes, les banques créent la monnaie par les crédits qu'elles accordent sur le mode scriptural et, si certains de leurs clients désirent des billets, elles se fournissent auprès de la banque centrale qui les leur prête à intérêt. Mais l'État vient au secours des banques, au cas où elles ne peuvent pas faire face à leurs engagements.

On en arrive au paradoxe que les bénéfices du commerce de l'argent sont privés, et les pertes publiques.

Mais il y a pire encore.

L'État crée maintenant de la monnaie en s'endettant auprès des banques ordinaires. Il en crée une quantité colossale pour rémunérer ses fonctionnaires et une multitude d'entreprises qui lui fournissent les biens et les services les plus variés, pour verser des allocations sociales en tous genres ou pour intervenir dans des entreprises en difficulté. Qui, finalement, ne profite pas des dépenses et des investissements des pouvoirs publics ?

Pourtant, lorsqu'il s'agit de payer les impôts qui permettront à l'État de rembourser ses dettes, l'argent de tous devient l'argent de chacun et la monnaie virtuelle retourne à l'âge des gros sous. C'est comme si l'informatique qui permet d'enregistrer n'importe quel mouvement monétaire (puisque même le porte-monnaie est devenu électronique) n'existait plus, ou alors de manière très elliptique. Ne sont effectivement taxés que ceux dont la rémunération peut être déduite à titre de frais, comme au bon vieux temps.

Une fois de plus, les bénéfices vont aux uns et les pertes aux autres.

La confusion des intérêts et des idées règne donc en maître chez nos théologiens monétaires. Ils chantent les vertus de la société de l'information mais ne lui en trouvent aucune en matière fiscale. La main droite monétaire ignore ce que fait la main gauche fiscale. Enfin passons, puisqu'un nombre suffisant d'électeurs pense trouver son compte dans le régime actuel à deux vitesses.

Tant qu'à faire, la Commission européenne, pourtant si ultralibérale en toutes matières, aurait dû imposer la privatisation du système bancaire.

Dans un régime libéral de banques, il n'existe pas de banques centrales nationales, et encore moins une banque centrale supranationale chapeautant les premières. Ce sont les entreprises bancaires qui émettent toute la monnaie.

Les banques, exclusivement privées, luttent entre elles pour acquérir la clientèle d'un maximum de déposants et d'emprunteurs. Elles se font concurrence sur la rémunération offerte pour les dépôts et sur les intérêts demandés pour les emprunts. Cette concurrence n'empêche pas les diverses monnaies de circuler de banque à banque.

Les virements interbancaires ont pour résultat qu'une autre banque devient débitrice d'espèces envers un titulaire de compte. À cet engagement de la deuxième banque envers le titulaire du compte, correspond une créance de celle-ci contre la première banque. Dans le même temps, la première banque peut être créancière de la deuxième en raison d'un virement en sens inverse. Au bout d'un certain temps (ou à tout moment), les banques procèdent à une compensation entre elles et ne se règlent que les soldes.

Il en va de même pour les billets. Un titulaire de compte remet des billets d'une banque A à son banquier B. Le banquier B crédite le compte de son client du montant des billets. Ces billets représentent une créance contre la banque A, dont le banquier B devient titulaire.

La circulation de la monnaie de papier aboutit au même résultat que la circulation de la monnaie scripturale. Les banques se retrouvent créancières les unes des autres et, au bout d'une certaine période de temps, font le décompte de leurs dettes réciproques et se transfèrent seulement les espèces qui représentent les soldes des comptes qu'elles avaient entre elles. Les espèces dont question ne sont autres que du métal précieux. Ce système a fonctionné en Écosse jusqu'au XIXe siècle, en Argentine et au Canada jusque dans les années trente. Il existe donc des modèles de systèmes bancaires ultralibéraux. L'écossais est considéré comme le modèle type. Il provient d'ailleurs de la patrie d'Adam Smith, père de l'économie politique et théoricien de l'économie de marché (la fameuse main invisible).

Dans ce système, une fois que les banques sont en faillite, ce sont les déposants qui essuient les pertes les plus importantes ; celles des actionnaires se limitent à leurs investissements non amortis. Voilà sans doute pourquoi aucun politicien, même ultralibéral, ne défend ce système.

Mais à l'opposé, personne ne milite pour une vraie nationalisation de la monnaie. Dans un régime nationalisé, la collectivité supporte les risques mais recueille surtout les bénéfices du commerce de l'argent ; elle a la pleine maîtrise des instruments monétaires.

Actuellement, les paiements par carte sont à ce point développés que la monnaie au porteur pourrait être totalement supprimée. Ainsi, chaque transaction laisserait une trace. La monnaie électronique pourrait donc être un véritable instrument de lutte contre la fraude fiscale et le blanchiment de capitaux.

Cependant, nos théologiens préfèrent s'en remettre au bon vouloir des organismes financiers privés, ainsi que c'est le cas dans le régime actuel de la directive du Conseil européen, relative à l'utilisation du système financier aux fins du (*sic*) blanchiment de capitaux.

Le Conseil entend lutter contre le terrorisme, la criminalité organisée, le trafic de drogue et d'armes, le trafic de main-d'œuvre clandestine et d'êtres humains, l'exploitation de la prostitution, le trafic des hormones, le trafic d'organes et de tissus humains, la fraude au préjudice des intérêts financiers de l'Union européenne, la fraude fiscale grave et organisée, la corruption de fonctionnaires publics, les délits boursiers, les escroqueries financières, la prise d'otages.

Comment ? Je vous le donne en mille : en demandant aux organismes financiers de « *prendre les mesures appropriées pour sensibiliser leurs employés et leurs représentants, notamment en les faisant participer à des programmes spéciaux afin de les aider à reconnaître les opérations qui peuvent être liées au blanchiment de capitaux et de les instruire sur la manière de procéder en pareil cas* ».

Les procédures de contrôle interne, de communication et de centralisation des informations sont établies par les organismes financiers eux-mêmes. Comme dans la législation sur les marchés publics, aucune sanction pénale n'est prévue. On s'en remet au bon vouloir des intéressés.

Quelle que soit, évidemment, l'efficacité des sanctions pénales, leur absence est symptomatique. Qui seraient les destinataires des sanctions pénales garantissant le respect des règles relatives aux marchés publics ou empêchant l'utilisation du système financier en vue de blanchir l'argent issu de diverses criminalités, dont celle qui est pratiquée en col blanc ? Poser la question, c'est y répondre.

Les moyens mis en œuvre pour lutter contre une criminalité gigantesque et mondialisée, utilisant les techniques les plus modernes de télécommunication, nous ramènent à la peinture de Quentin Metsys. L'œil averti remarque d'emblée que le banquier et sa femme sont vêtus de manière archaïque, comme l'étaient les gens un siècle plus tôt.

Cette manière de les dépeindre constitue une critique d'autant plus forte qu'elle est étayée par une autre : la femme abandonne sa pieuse lecture pour observer les manipulations d'argent de son mari, lesquelles sont péché. Le tableau devait rappeler à ses propriétaires que leurs activités n'étaient pas très catholiques, mais aussi que faute confessée est pardonnée.

Dans le régime européen de la bonne conscience, une « Cellule de traitement des informations financières » recueille secrètement les confessions de ceux qui veulent bien s'accuser de Dieu sait quels péchés. Les souverains pontifes de Bruxelles n'ont donc rien trouvé de mieux que le bon vieux rite du confessionnal pour lutter contre Mammon.

Le tartufe « ne pense pas l'argent », il le condamne. Il le juge mais ne l'affronte pas. Il l'aborde comme une abstraction morale, non comme une réalité concrète et active. Il lui fait la leçon avant de le laisser faire, jusqu'à sa prochaine incartade dont l'issue sera une prévisible absolution. Bref, il se contente d'une pédagogie de la remontrance.

C'est une pensée dissociée, où l'énoncé moral ignore la pratique qui le contredit. C'est une pensée religieuse, où la foi lave et purifie les péchés qu'elle dénonce. Et partant, ce ne peut être, face à cet adversaire éminemment laïque, qu'une impuissance politique. « *Se placer sur ce seul terrain moral, où l'on démonise une réalité quotidienne, omniprésente et nécessaire, c'est en effet se condamner à n'y rien comprendre et à n'y rien changer. Moraliser, c'est en fin de compte banaliser, normaliser et accepter. La vraie difficulté n'est pas morale, mais politique.* »[2]

À n'en pas douter, Bruxelles est devenue le haut lieu de la théologie scolastique et mystique.

Les moyens de repérer l'argent sale existent, mais surtout il ne faut pas les employer. L'argent doit rester secret, quel qu'en soit le prix pour les victimes individuelles ou la collectivité.

On ignore même combien de citoyens sont favorables à ce secret et à ses effets pervers : le débat sur cette question n'a tout bonnement pas eu lieu. Le respect de la vie privée est invoqué à tour de bras sans même demander l'avis des intéressés, c'est-à-dire vous et moi, par exemple, plutôt que monsieur Tout-le-Monde.

À l'heure actuelle, même la comptabilité publique (donc relative aux finances publiques) reste inaccessible par les moyens informatiques. Nous sommes pourtant entrés dans l'ère de la transparence, c'est du moins ce qu'affirme la propagande. Mais le citoyen ne peut pas contrôler *via* internet comment l'administration fiscale fait son travail vis-à-vis de chacun, ni si chacun respecte ses obligations envers le Trésor public, ni comment les fonds publics sont dépensés journellement. Tout cela a un caractère public mais n'est pas public !

À supposer même que les banques restent hybridement privées, comme elles le sont actuellement, l'ensemble des finances publiques d'Europe devraient pouvoir être contrôlées en temps réel par n'importe quel citoyen européen à partir de son terminal informatique. Or, à ce niveau-là, on ne trouve pas d'autoroute de l'information. La société de l'information encouragée financièrement par la Commission européenne est bonne pour les autres mais pas pour les institutions européennes.

Un système bancaire public, unifié au niveau communautaire européen, permettrait de lutter plus encore contre les fléaux dénoncés par les grands prêtres d'Europe. Il constituerait en outre l'outil économétrique par excellence.

Finances publiques ou finances secrètes ? Voilà quels auraient dû être les deux pôles du débat sur la monnaie européenne qui n'a pas eu lieu.

À qui profite le secret ? Certainement pas à ces millions d'Européens qui n'ont aucun revenu à cacher, à défaut même d'en avoir. Ni à tous ceux qui se trouvent tout simplement dans l'impossibilité matérielle de frauder, ou que ce genre de comportement n'intéresse pas. Combien de citoyens cela fait-il ? Nous n'en savons rien. On pourrait réclamer un référendum sur la question. Viendrait-il jamais ?

En attendant, les partisans d'un système financier public peuvent toujours fonder, sous la forme coopérative, une banque européenne à livres ouverts (exotérique) pour mettre en œuvre les bonnes paroles de nos moralisateurs professionnels. Cette banque fonctionnerait de manière tout à fait transparente, au sens véritable du terme, vis-à-vis des autorités. C'est-à-dire qu'elle garantirait sa loyauté et celle de ses clients envers la collectivité en ouvrant tous ses livres aux pouvoirs publics, en permanence.

Les officiers de police judiciaire, les inspecteurs du travail, les enquêteurs du ministère de la Santé publique, ceux qui luttent contre la fraude au préjudice des finances européennes, les agents du fisc, les inspecteurs des finances, les auditeurs de la Cour des comptes, le Comité supérieur de contrôle, la Commission bancaire et financière, celle qui contrôle les opérations de bourse, les juges de commerce, les statisticiens du ministère des Affaires économiques sont de toute façon tenus au secret professionnel.

Réservons une place spéciale à la Cellule de traitement des informations financières, instituée par la loi du 11 janvier 1993 relative à la prévention de l'utilisation du système financier aux fins du blanchiment de capitaux[3]. Une telle cellule existe dans chaque État membre de l'Union européenne, ainsi que le voulait la directive du Conseil du 10 juin 1991.

La politique monétaire ne dépend pas que des autorités politiques. Une banque privée peut mener une politique monétaire qui lui est propre (c'est doublement le cas de le dire), pourvu qu'elle reste dans les limites institutionnelles.

Le fonctionnement d'une banque privée est réglé par sa constitution, c'est-à-dire ses statuts. Ces statuts résultent d'un accord entre une série d'individus qui se réunissent en assemblée constituante. Cette assemblée est constituante dans la mesure où elle décide précisément de constituer une société qui fonctionnera comme elle l'aura décidé à l'unanimité, en respectant les normes auxquelles il est interdit de déroger.

Les moyens télématiques actuels (distributeurs de billets, paiements électroniques, virements par téléphone ou terminal électronique...) permettent à une nouvelle banque de se passer d'agences et donc d'éviter des frais immobiliers considérables. Dans le même ordre d'idées, elle opérera directement en euros sans être exposée aux frais de conversion des anciennes monnaies ; elle installera également son siège dans une région à bas niveaux de prix et d'emploi, de manière à éventuellement bénéficier en plus des aides publiques.

L'article 92 du traité de Rome prévoit, en effet, que peuvent être considérées comme compatibles avec le marché commun les aides destinées à :

– favoriser le développement économique de régions dans lesquelles le niveau de vie est anormalement bas ou dans lesquelles sévit un grave sous-emploi ;

– promouvoir la réalisation d'un projet important d'intérêt européen commun, ou remédier à une perturbation grave de l'économie d'un État membre (*a fortiori* de plusieurs).

Le contrôle permanent et intégral de cette banque par les autorités publiques garantit un traitement loyal et égalitaire des clients et actionnaires. L'usage limité des billets de banque centrale réduit les coûts de la banque : elle emprunte moins et doit donc moins d'intérêts.

Vu qu'elle enregistre déjà toutes les entrées et sorties de ses clients en numéraire et que ces mouvements d'argent sont intégralement connus des administrations fiscales, elle peut se charger des obligations fiscales et parafiscales de ses clients (comptabilité, déclaration et paiement des divers impôts, taxes et cotisations sociales).

Maîtrisant la réglementation fiscale et sociale, la banque exotérique peut aussi administrer les salaires et rémunérations diverses dus par ses clients. Elle les décharge ainsi de tâches que beaucoup trouvent fastidieuses et stériles, eu égard à leurs propres centres d'intérêt. Les clients peuvent consacrer leur énergie à d'autres activités que celles qui consistent à jouer au chat et à la souris avec le fisc.

Toutes ces activités sont à haute valeur ajoutée et génératrices de profits confortables. Peu de frais, beaucoup de bénéfices. Voilà qui devrait plaire aux coopérateurs et aux clients, sans déplaire aux autorités publiques qui y trouveraient leur compte. Tout le monde s'y retrouve : c'est le *mutual gain from trade*.

Le but ultime d'une telle démarche est d'éliminer l'argent secret et ses effets pervers. Parmi ceux-ci, il y a, en bout de course, le sabotage des politiques anticriminelle, économique et sociale adoptées par la collectivité dans le but d'assurer une existence décente à chacun.

À l'heure actuelle, par exemple, des actions et obligations au porteur passent toujours de mains en mains sans que les droits de succession ou de donation ne soient acquittés. Cette fraude est impossible dans le cas des titres nominatifs. Il suffirait donc à nos souverains de supprimer l'institution des titres au porteur (souvenons-nous que les billets et pièces en font partie) pour résoudre cette question. Ils ne le font pourtant pas, se contentant de législations qui font le bonheur et la fortune des casuistes mais ne résolvent qu'en bonnes paroles le problème posé.

Or, la Communauté a pour mission, par l'établissement d'un marché commun, d'une union économique et monétaire, et par la mise en œuvre de politiques ou d'actions communes, entre autres, de promouvoir un niveau d'emploi et de protection sociale élevé, ainsi que le relèvement du niveau et de la qualité de la vie (article 2 du traité de Rome). Pour tous. Fallait-il le préciser ?

René Meunier a été avocat, assistant en droit romain, conseiller juridique d'une holding semi-publique et traducteur.

Notes

[1] Plenel (Edwy), *La Part d'ombre*, Paris, 1992, p. 451.
[2] *Ibid.*, p. 343-344.
[3] Cet article se fonde sur une version déjà ancienne de la loi sur le blanchiment de capitaux. Elle n'a cependant pas dû faire l'objet de modifications bouleversantes, contrairement au présent texte dont la matière a été retraitée sous forme de dialogue érotique dans le prologue de *Cloaque maximum*, premier volume d'une trilogie satirique qui en comptera deux autres : *Croisade anti-nudiste en Adriatique* et *Stigmates*. Outre son « recyclage », *Théologie monétaire européenne* a été réarticulé en vue d'une meilleure intelligibilité des raisonnements, et rebaptisé « Club tantrique marxiste ». C'est aussi le nom du club libertin qu'anime l'auteur de ces lignes et qui vient de fêter, l'avant-veille de Noël, le premier anniversaire de sa conception.

Jean Claude Bologne

MAL DE CRÂNE

« Brady, il faut que tu me viennes en aide. »

Ce n'était pas une requête, ni même un ordre. Une simple constatation. Depuis le bac à sable, Brady venait en aide à John, comme le père de Brady venait en aide au père de John, avec une irréductible fidélité qui, de génération en génération, avait pris la patine de l'évidence. Brady était né pour venir en aide à John ; c'était inscrit dans ses gènes.

Aussi John s'était-il attendu à tout, tergiversations, remontrances, ironie, sauf à ce simple « non » proféré d'un ton neutre qui ajoutait au sacrilège. Une autre évidence dressée face à une tradition séculaire. Brady pouvait dire « non » ; c'était si stupéfiant que John se le fit répéter. Le deuxième « non » fut aussi placide, mais définitif, que le premier.

« Mais…, bredouilla John abasourdi, mais… tu ne peux pas ! Cette affaire, c'est toi qui l'as créée, avec moi, c'est toi qui l'as financée, tout seul, et… qui en as eu l'idée, non ? C'est ton œuvre, Brady, tu ne peux la renier comme ça, d'un simple…

– Non. »

Le troisième « non » était plus sec, agacé déjà. Pourtant, vrai de vrai, John n'aurait jamais imaginé tout seul ce parc d'attractions indien à deux pas de Los Angeles, la vieille cité espagnole. Jamais, vrai de vrai, il n'aurait cru qu'avant l'arrivée des Européens, visages pâles ou basanés, il y ait eu ici des… Wappos – comment peut-on être wappos ? Pour un passager du May-flower, tout ce qui n'avait pas le teint clair ne pouvait être que sauvage, donc indigène, et on l'eût étonné en lui révélant que les Mexicains à qui appartenait l'État jusqu'en 1848 s'étaient bronzés au soleil de l'Espagne. S'appeler « wappos », déjà, semblait un blasphème pour un Wasp jaloux de chacun de ses phonèmes. *White*, Anglo-Saxon, protestant, cela pouvait-il se partager avec une tribu autochtone ? Les Indiens, c'est des Indiens ; à peine John tolérait-il qu'ils se revendiquent sioux, apaches ou iroquois. « Kiow-was », « powhatan » ou « wappos » lui semblaient des injures plus que des noms de peuples.

Et pourtant, le parc d'attractions avait connu un succès inespéré, auprès des plus basanés même des Californiens. Chacun venait y respirer la nostalgie de ses ancêtres, à quelque camp qu'ils aient appartenu. Brady avait apporté les fonds, John le terrain. Double héritage qui ne demandait qu'à fructifier de conserve. John mettait dans la cagnotte le domaine de ses ancêtres et la respectabilité d'un nom lié à la terre depuis cent cinquante ans ; Brady, un siècle et demi d'économies familiales au service de la lignée de John. L'apport semblait équitable ; ils s'étaient associés. Brady était resté au service de John, qui voyait dans sa participation à l'entreprise une garantie de saine gestion.

Pourquoi avait-il fallu, peu après l'entrée en Bourse et la brusque flambée des actions, que John, poussé peut-être par la jalousie ou happé par la spirale de la richesse, n'ait eu de cesse de racheter les parts de son associé ? Celui-ci avait fini par céder, quand les actions étaient à leur plus haut niveau, et s'était retiré avec un vrai pactole, laissant son ami patrimonial endetté mais heureux, seul maître désormais d'une entreprise florissante. Par amitié, il donnait encore de judicieux conseils financiers.

« Au fond, tu as revendu au bon moment, non ?

– C'est mon métier.

– Oui… Tu savais exactement ce que valait le parc. Tu as bénéficié d'une plus-value considérable, plus de vingt millions, c'est ça ?

– Vingt-deux millions. Si l'on néglige les 67 434 restants.

– Mais tu ne pouvais prévoir le scandale, ni la chute brutale de la fréquentation !

– Non. »

Curieux, ce « non » ne sonnait pas comme ceux de tout à l'heure. Le scandale était né – pourquoi à ce moment ? – chez les descendants des Wappos, qui s'étaient soudain rappelé l'existence d'un cimetière de leur race à l'emplacement du parc d'attractions. Ils avaient perdu devant tous les tribunaux, bien sûr, ils n'avaient rien pu prouver, et les siècles témoignaient pour John. Mais les procès avaient coûté cher, même au vainqueur, et s'étaient égrenés sur de longues années. La rumeur et des souvenirs de nuit des zombies avaient fait le reste. Qui serait encore venu s'amuser dans un parc peut-être hanté par des générations d'Indiens ? À l'heure où les cultures primitives revenaient à la mode, l'entreprise avait soudain semblé attentatoire à la mémoire d'un peuple persécuté. Les actions avaient chuté avec les entrées, et John se retrouva en quelques mois au bord de la faillite. Les banques, qui l'avaient soutenu plus que de raison, avaient refusé d'un coup tout crédit et les échéances négociées par Brady étaient curieusement survenues au même moment. John ne savait plus comment payer un personnel devenu pléthorique, mais que Brady lui avait toujours conseillé de conserver, au cas où les affaires repartiraient.

Tout cela n'était pas grave, n'est-ce pas ? Il y avait l'ami Brady, avec ses vingt et quelques millions… Il suffisait de réaffecter le lieu à une activité plus rentable et sans rapport avec les maudits Wappos. Si Brady n'avait pas exhorté son ami à l'acharnement, voilà longtemps, d'ailleurs, que la décision aurait été prise. Cette fois, elle l'était. John avait prouvé ses qualités d'entrepreneur, l'argent serait bien placé. Le refus de Brady n'était pas seulement incongru, il était stupide.

« Cet argent est un argent sacré, John, il ne servira pas à te remettre à flot.

— Sacré ? Tu ne vas pas, toi aussi…

— C'est une dette, John, ta dette.

— Que veux-tu dire ?

— Sais-tu comment l'arrière-grand-père de ton arrière-grand-père a acheté ce terrain ?

— Comment veux-tu… ?

— Ta famille n'a pas de mémoire, John, parce qu'elle n'a pas de racines. La mienne a transmis la mémoire des racines coupées.

— Brady, tu ne veux quand même pas me faire comprendre…

— Brady est mon nom d'homme blanc. Cent cinquante ans à votre service n'ont pas effacé ma mémoire.

— Ta mémoire… wappos ? Mais… j'ignorais…

— Comment pouvais-tu savoir, quand nous avons tout fait pour te faire oublier ? Tes ancêtres se méfiaient de nous. La méfiance s'est transmise, atténuée à chaque génération. Ton père encore se méfiait, certains jours, mais cela était si vieux, et nous étions si fidèles… Alors, il ne t'a pas transmis la méfiance. C'était à moi de jouer. Je le savais. Mon père le savait. Il me l'a fait promettre avant de mourir. La vengeance coule dans mon sang depuis l'origine. Connais-tu ceci ? »

Brady tira de sa poche une petite tête de mort, grosse comme un poing d'enfant. Du joli travail, ancien, en verre moulé. John haussa un sourcil perplexe. Quel rapport avec une dette de vingt-deux millions ? Non, son père ne lui avait jamais parlé d'un tel objet. Il eut soudain un éclair. La tête de mort… le cimetière…

« Ce crâne en verre est une réplique à l'identique. Il n'a pas le même poids, mais la même masse.

– Et tu voudrais… C'est impossible !

– Même tes souvenirs d'école, tu les as oubliés ? Plongé dans un verre d'eau plein à ras bord, il l'a fait déborder d'un peu moins d'une demi-*pint*, très exactement 0,426 *pint*, qui correspond à 12,30 *inches* cube.

– Et alors ?

– Compte tenu de la densité de l'or, 11,16 *ounces* par *inch* cube…

– Arrête ! On croirait entendre Miss Peacock…

– … cela nous fait 137,3 *ounces*.

– Fichtre !

– Au cours actuel de 351 dollars l'*ounce*, nous en avons déjà pour 48 055 $.

– Tu veux un chèque ?

– Sans oublier les intérêts. Cent cinquante-quatre ans d'intérêt, pour être précis. Compte tenu de la crise actuelle et des fortes fluctuations, j'ai tablé sur un taux moyen assez bas, 5 % l'an.

– Tu es bien bon ! Cela multiplie quand même la somme par sept ou huit, non ?

– Nous parlons bien entendu d'intérêts composés. A = a (1 + r)n, c'est la formule. Dans notre cas, la dette est passée à 22 067 434 $.

– Escroc !

– Tiens, tu connais ce terme ? J'ai été plutôt honnête, conviens-en… J'ai revendu mes parts le jour où elles ont atteint le montant de la dette, et j'ai un objet sacré qui appartenait au cimetière, au peuple wappos tout entier, et à son gardien en particulier. Mais le nôtre était en or. »

Et Brady raconta l'histoire, si banale à l'époque. La ruée vers l'or, en 1849, après l'achat de la Californie au gouvernement mexicain. Les blancs arrivant sur la côte ouest, riches de leur fierté d'être blancs et de ruses qui avaient fait leurs preuves. Ils avaient parlé, en anglais, et les Wappos, dans leur effort pour les comprendre, avaient accepté tout ce qu'ils disaient. Le crâne en or qui gardait le cimetière avait attiré l'attention des va-nu-pieds conquérants. L'ancêtre de John était verrier de son état : il avait fondu le sable et confectionné un crâne en tout point semblable à celui du cimetière. Ébloui par cette verroterie hyaline comme la mort, le gardien avait d'enthousiasme accepté l'échange.

« Et ce gardien, c'était ton ancêtre ? C'est cela ? Et alors ! Il y a prescription, mon vieux, aucun tribunal n'examinera ta demande ! Tous les procès perdus ne vous ont pas suffi ?

– Ces procès n'étaient pas destinés à être gagnés, John, mais à rappeler la mémoire du lieu. Et rassure-toi, je n'ai aucune envie de passer par un tribunal pour me faire rendre justice.

– Que veux-tu, alors ? Le crâne en or, je ne l'ai pas ! Je n'en ai jamais entendu parler.

– Je sais. Il a été cédé à l'État en contrepartie d'un terrain qu'il nous avait confisqué, puisqu'acheté aux Mexicains. Ironie du sort : c'était ce cimetière.

– Eh bien, je te le rembourserai, ce bout d'or ! Combien en veux-tu ?

– Aujourd'hui encore, je serai honnête. Non, tu n'auras pas un cent pour un nouveau projet. Mais je réglerai tes dettes et je donnerai une confortable indemnité de licenciement au personnel.

– Et en échange, tu veux le terrain, c'est cela ? Il vaut encore cher…

– Il vaudra le prix que je t'en proposerai. Crois-tu avoir encore le choix ? Je t'en donne ce que tu en as donné à mon ancêtre. »

Et Brady tendit le petit crâne de verre au sourire sardonique. John le prit machinalement, signa machinalement des papiers jaillis tout rédigés d'un tiroir, et sortit machinalement…

Sur le pas de la porte, le poing serré sur la verroterie qui représentait désormais toute sa fortune, il releva la tête, se retourna et adressa à Brady un curieux sourire ravi.

Jean Claude Bologne est né à Liège en 1956 et il vit à Paris depuis 1982. Licencié en philologie romane (Université de Liège), il est professeur d'iconologie médiévale à l'ICART (Paris), journaliste et écrivain (essai, roman, nouvelle). Quelques publications : *Histoire de la pudeur* (1986) ; *La Faute des femmes* (1989) ; *Du flambeau au bûcher, magie et superstition au Moyen Âge* (1993) ; *Histoire du mariage en Occident* (1995) ; *Le Secret de la Sibylle* (1996) ; *Requiem pour un ange tombé du nid* (2001) ; *L'Arpenteur de mémoire* (2002).

Quand le vif saisit le mort
Une hypothèse sur les WAMPUM

« *Le mort saisit le vif par son hoir*[1] *le plus proche.* »
Ce vieil adage de droit signifie qu'en ce qui concerne les
héritiers légitimes et naturels, la succession se produit ins-
tantanément, par le fait même du décès, sans qu'il faille
passer par l'autorisation de quelque tierce partie. Ainsi, la
propriété du défunt est réputée passer, sans la moindre
seconde de déshérence, de lui à son légataire – comme si
le mourant lui passait le relais au moment exact de son
dernier souffle. Une grande partie des constructions juri-
diques héritées du pragmatisme romain traite des succes-
sions. Il s'agit là évidemment d'un des plus solides
maillons de l'ordre social. Mais il est d'autres traditions
qui ont pensé autrement le rapport entre la mort, la propriété, la dette, et qui ouvrent des perspectives fécondes
sur la symbolique de l'argent. Il est, en effet, des univers
étranges où c'est le vivant qui, tel un huissier, vient « saisir » le mort. En témoigne tout particulièrement la riche
culture des Indiens d'Amérique du Nord.

Pour les aborder, il faut laisser au vestiaire – comme à
l'entrée d'un saloon – les stéréotypes cinématographiques
qui nous tiennent lieu d'information. Celle-ci, en effet, va
rarement au-delà des images d'Épinal véhiculées par les
vieux westerns : peintures de guerre, « visages pâles »,
poteaux de torture, eau de feu, verroterie, fourrures,
attaques de pionniers par des guerriers à cheval… Histoire
narrée par l'envahisseur. Les chariots font cercle pour protéger femmes, enfants, cheptel, tandis que les coups de
feu éclatent en pourtour, couverts par le hurlement des

sauvages. Les « maudits sauvages », comme on dit encore quelquefois au Québec, ne cessent de hanter l'imaginaire nord-américain. Aux États-Unis, l'attaque du convoi continue. La National Rifle Association (NRA) le rappelle inlassablement : « *Mon fusil, c'est ma liberté.* » En réalité, peu de choses semblent avoir changé : simplement les communistes, puis les terroristes, ont succédé aux Indiens désormais parqués et exterminés.

Ce qu'on sait peu, c'est l'extraordinaire richesse des univers symboliques et sociaux des Indiens d'Amérique du Nord. Ainsi les « cinq nations » iroquoises (Seneca, Mohawk, Oneida, Onondaga, Cayuga) avaient-elles élaboré un système de type confédéral dont on dit qu'il inspira les pères de la Constitution américaine (et par ricochet, les concepteurs de la Confédération helvétique, largement inspirés par les États-Unis). Un des brillants fondateurs de la réflexion anthropologique, Lewis Henry Morgan (1818-1881), consacra une bonne part de ses recherches à la culture iroquoise. Les Senecas finirent par l'adopter sous le nom de Tayadaowuhku, « celui qui se trouve dans l'entre-deux, celui qui fait le pont ». Spécialement intéressé par les systèmes de parenté, Morgan nota de larges similitudes entre le système clanique iroquois et celui des lignages (*gentes*) de la Rome antique.

Une différence radicale néanmoins réside, à première vue, dans le thème du cannibalisme, omniprésent dans la mythologie et l'ethnographie des Amérindiens. Frappant l'imagination au niveau le plus archaïque, ce registre a, pour les Occidentaux, quelque chose de révulsif. Il constitue une sorte de démarcation par rapport aux altérités supportables. Il n'est jusqu'aux Amérindiens contemporains chez qui ce thème ne provoque un malaise. Pourtant, le registre cannibalique est fortement présent dans la culture occidentale elle-même : que ce soit au niveau de la mythologie (mésaventures d'Ulysse auprès du cyclope Polyphème), de l'imaginaire individuel (reconstructions fantasmatiques à la Mélanie Klein), ou de la réalisation symbolique (communion théophagique, à la « chair » et au « sang », chez les chrétiens catholiques). Par ailleurs, l'horreur moralisatrice professée à l'endroit des réalités cannibales est probablement moins vertueuse qu'il n'y paraît. Replacée dans un contexte plus large, elle témoigne plutôt de la réaction viscérale d'un univers « anthropoémique », « vomissant » d'instinct les corps « étrangers » (délinquants, marginaux, métèques, anormaux, fous, malades, morts), en regard des pratiques assimilatrices d'une culture « anthropophagique », toujours prête, quant à elle, à restaurer par un emprunt extérieur le potentiel réel ou symbolique de ses forces[2].

Chez les Amérindiens, en effet, le cannibalisme va de pair avec la coutume d'adopter des captifs étrangers. Ces deux pratiques en quelque sorte s'équivalent et constituent des variantes l'une de l'autre. Dans la première, toujours cérémonielle et liée à la torture, il s'agit de s'identifier, par incorporation concrète, à un ennemi valeureux qui vient de donner le spectacle de son courage. Dans l'autre, il est question d'assimiler autrement une force vive. Dans les deux cas, ce qui est en jeu, c'est l'entretien, la réparation ou l'optimisation des énergies d'un petit groupe nomade, toujours menacé par l'érosion de sa population. Une troisième façon de compenser une perte semble avoir consisté, chez les Iroquois, en l'offrande et l'acceptation de perles dénommées *wampum*. Par exemple, en compensation d'un meurtre. D'autre part, on retrouve étroitement associés, dans les mythes locaux, le thème des *wampum* et celui du cannibalisme. Le mythe n° 41 de la collection de Curtis et Hewitt[3], *Hodadenôn et Yenyenthwus*, s'avère particulièrement révélateur. Cette longue histoire à tiroirs peut se résumer comme suit : un héros – Hodadenôn – reconstitue sa famille décimée par les cannibales et, sauvant au passage une jeune fille menacée par les mêmes, trouve ce faisant une épouse. Son périple, en forme de quête marquée par les points cardinaux, le transforme progressivement de jeune enfant en héros viril, et se clôt avec la réintégration dans le village de la dernière de ses sœurs. L'histoire de Hodadenôn est extrêmement riche et possède des implications multiples, en particulier au plan matrimonial. Les *wampum* y interviennent de nombreuses fois et constituent même l'épicentre du village-cannibale qui a détruit la famille du héros. On peut extraire du récit une scène spécialement significative : on y voit le frère aîné de Hodadenôn détenu prisonnier chez les sorciers-cannibales. Chaque soir, le malheureux trouve la population du village rassemblée à ses dépens. Torturé par deux femmes, qui le tourmentent alternativement avec des brandons, la douleur lui arrache en effet des larmes de *wampum* – aubaine dont chacun entend profiter. En conséquence, on se garde bien de le torturer à mort. Tout se passe comme si, produisant du *wampum*, la torture n'avait nul besoin de déboucher sur le rite de l'incorporation cannibale.

Arrivé à ce point, on peut évoquer la réalité pragmatique du *wampum*. En fait, rien de plus commun dans l'univers indien que cette petite coquille cylindrique, blanche ou pourpre, montée en cordelettes ou en ceintures. Mais rien, en même temps, de plus énigmatique, car le *wampum*, dès qu'on veut le fixer, s'avère aussi insaisissable que le furet de la chanson. L'article le plus documenté, celui de Snyderman (1954), n'apporte à vrai dire que peu de lumière sur un objet fourre-tout dont la surface polie prête bien aux imaginations spéculaires. Ainsi de la perception du *wampum* comme unité monétaire locale, qui fut d'emblée celle du colonisateur (et trouva sa douteuse apogée dans les fabriques de *wampum* d'Amsterdam…), alors que la notion même de monnaie était absente de l'univers indien. En bref et de manière tout empirique, le *wampum* se présente à l'observateur sous quatre facettes principales :

1) mémorial de la tribu ou du sous-groupe : quelquefois moyen mnémotechnique ;

2) symbole socio-religieux : matériau rituel, partie prenante aux principales cérémonies de la vie sociale et religieuse – par exemple, lors de l'important « sacrifice du chien blanc », la victime, avant d'être brûlée, est ceinte d'un collier de feuilles de tabac et de *wampum* blancs ; autre exemple (essentiel, on le verra), l'emploi du *wampum* dans les rites de condoléances – ;

3) gage de foi et de sincérité : dans les négociations de la vie civile et guerrière ;

4) argent (tardivement) : monnaie, médium d'échange, troisième terme par opposition aux deux termes du troc.

Le mot qui semble le mieux unir sous un dénominateur commun les catégories qui précèdent est celui de « transaction », que les *wampum* en soient le moyen privilégié ou en gardent, avec le signe, le souvenir. Ce qui est certain, c'est que ces perles circulent dans un univers de rituel et qu'avec elles, nous évoluons en plein système symbolique. Dans les cérémonies, paroles et *wampum*, comme en des vases communicants, interagissent et s'équilibrent mutuellement[4]. De même que la clé de voûte du symbole est l'« absence », le concept-clé qui permet de saisir le fonctionnement du *wampum* semble celui de « perte » : manque à vivre ou à gagner, perte subie (décès) ou concédée (transaction) symboliquement compensée.

L'ethnographie de l'objet en tant que tel nous livre peu d'indications sur la signification et l'origine du terme. Citant Gordon (1829), Drake (1880) laisse voir dans le *wampum* un objet décoratif ou monétaire – ce que fondamentalement, il n'est pas. Il situe l'origine du nom dans le mot iroquois *wampumpeag* qui signifie « muscle »[5]. Morgan (1904) reprend cette étymologie en la rapportant à la langue algonquine. Sur la nature de l'objet lui-même, les auteurs conviennent de ce que les perles sont habituellement confectionnées à partir de coquillages, quelquefois aussi à partir de cornes, d'os ou de dents. Selon Gordon, à l'origine, elles auraient été de bois. Plus tard, les ersatz fabriqués en Hollande seront de porcelaine ou de verre. Tous les auteurs s'accordent pour diviser les *wampum* en perles blanches et pourpre foncé (cette dernière couleur allant, en fait, du violet-bleu jusqu'au noir). On admet en outre (mais c'est loin d'être une frontière stricte) que lesdites perles pourpres se rapportent plutôt au néfaste et à la guerre, les blanches au faste et à la paix. Les perles se présentent, soit en cordelettes (*strings*), soit en ceintures (*belts*) : c'est-à-dire en rangées parallèles attachées ensemble, de façon à former une surface rectangulaire et allongée propre à représenter (en jouant de l'alternance des coloris) l'un ou l'autre motif décoratif ou symbolique. Une ceinture compte en moyenne, selon Morgan, huit rangées de perles. Toujours selon Morgan, le fil sur lequel sont enfilées lesdites perles est tressé à partir de filaments d'écorce d'orme rouge (*slippery elm*)[6]. Antérieurement, il était constitué de tendons (*sinews*)[7]. Les perles pourpres seraient fabriquées, principalement, à partir du *muscle shell*[8], les blanches avec le *great conch sea shell* (coquillage). Attestée plus ou moins explicitement par la plupart des auteurs (en particulier Morgan et Snyderman), la fonction la plus remarquable des *wampum* semble être leur pouvoir d'équilibration de la balance des forces vives du groupe : un crédit de *wampum* compense un débit de vie humaine, les profits et pertes de l'existence peuvent, au budget du groupe, se réajuster moyennant *wampum*. Ainsi, en cas de meurtre, la famille lésée peut régler son compte avec le coupable par ce moyen plutôt qu'en sang – évitant par là la spirale destructrice de la vendetta. Chacun y trouvant son bon compte, les bons amis se félicitent de voir vérifiée dans la réalité l'équation *wampum* = vie, autrement dit : *wampum* = mort. Cela semblerait presque trop logique pour ne paraître « vue de l'esprit », si les faits ethnographiques n'attestaient cette parité. Les exemples concrets abondent où l'on voit un crime racheté par des *wampum* ou par la mise en esclavage du coupable dans la famille de la victime (LE BEAU, 1738, 11)[9]. Tout se passe comme s'il s'agissait de respecter – le cas échéant, de restaurer ou d'optimiser – un potentiel de forces donné, qu'il existait pour ce faire une diversité de moyens, et que ceux-ci s'échelonnaient sur un continuum allant dans le sens d'un degré croissant de symbolisation :

ADOPTION (ou esclavage) : réparation concrète ;

↓

TORTURE (avec cannibalisme) : incorporation imaginaire ;

↓

DON DE *WAMPUM* (selon accord) : compensation symbolique.

Transaction privilégiée et gage donné au créateur, l'important « sacrifice du chien blanc » récapitule apparemment, chez les Iroquois, ces trois degrés : le chien – homme métonymique, adopté parmi les humains – est brûlé – torturé – après que, fidèle messager de la fidélité, on l'a ceint de feuilles de tabac et de *wampum* blancs, afin d'en faire une offrande – un don – digne de l'au-delà. La notion de sacrifice épouse celle de transaction, comme l'illustre, chez les chrétiens, la notion de rédemption (rachat) et la théologie dite de l'« économie du salut ». Soulignons, par ailleurs, la logique identificatoire à l'œuvre dans le cérémonial de la torture. Côté « ennemis », il est exclu qu'on s'incorpore un couard ou un lâche. De façon générale, celui qui a commis un crime trop énorme (trop en dehors des « bonnes mœurs ») se verra exécuté, après sentence, sans autre forme de cérémonie. S'il s'agit d'un membre du groupe, la prohibition de l'endocannibalisme (parallèle à celle de l'inceste) interdirait de toute façon qu'on le mange. Le peu de surface qu'un criminel offre à une image positive interdit qu'on le torture. Cette pratique procède du spectacle ritualisé et de l'identification qu'il permet. C'est le cannibalisme qui lui est secondaire, non l'inverse. Il n'existe apparemment pas, dans l'ethnographie iroquoise, de cas avéré de cannibalisme sans torture. S'il s'en trouvait, il s'agirait probablement de conduite déviante : pas plus significative que le cannibalisme de disette, pratiqué sur une petite échelle, mais assez régulièrement, par les Occidentaux. Il existe, par contre, de nombreux cas attestés de torture sans mise à mort et sans cannibalisme : en particulier d'autotorture. Il va sans dire que les interprétations qu'on en propose parfois en termes d'expiation (si pas de bouc émissaire) paraissent, à tout le moins, importées.

Enfin, il semble que le *wampum* en tant qu'objet ait pu suivre, au fil du temps, une voie similaire à celle évoquée plus haut, et qui va du moins au plus de symbolisation. En superposant à la série de la restauration des forces du groupe (1), celle de la fabrication des perles et des fils (2), on concrétise un trajet menant de moins de contiguïté métonymique à plus de similarité métaphorique :

PÔLE MÉTONYMIQUE	*PÔLE MÉTAPHORIQUE*
(1) COMPENSATION CONCRÈTE ➤	RÉPARATION SYMBOLIQUE
– adoption du meurtrier ↓	– don de perles ↓
remplaçant métonymique de la victime	**remplaçantes métaphoriques de la victime**
(2) *WAMPUM* DES ORIGINES ➤	*WAMPUM* DES MUSÉES
– perle d'os ou de dent (humain [?] minéralisé) – fil de tendon (humain [?] desséché) ↓	– perle de coquillage, puis de verre (animal minéralisé, puis fabriqué) – fil de fibre d'écorce, puis de filature (végétal desséché, puis fabriqué) ↓
reliques concrètes	**reliques concrètes**

Dans le tableau ci-dessus, les points d'interrogation [?] marquent une non-certitude mais une raisonnable vraisemblance : en amont des rituels cannibaliques, on connaît le goût des guerriers indiens pour les trophées humains[10]. Côté symbolique, il existe encore une autre convergence, notée par Claude Lévi-Strauss : « *Sur les rapports du* wampum *et du cannibalisme, il y a, en effet, beaucoup à dire ; ainsi, chez les Algonquins de la côte Est, la croyance qu'on récolte les coquillages* à wampum *sur le corps de victimes humaines sacrifiées et immergées. Les* wampum *sont donc eux-mêmes des cannibales.* [...] »[11]

Par la médiation du *wampum*, la violence et la mort peuvent s'apprivoiser en devenant paroles ou, au moins, symboles manipulables. Ainsi des cérémonies de condoléances, où *wampum* et mots de consolation se confortent dans la tâche de « refaire l'esprit des éplorés » (LE BEAU, 1738, 11) et de panser symboliquement les plaies du défunt (SNYDERMAN, 1954, VI)[12]. Cette proximité qui s'impose, entre mort et *wampum*, s'éclaire encore à la lumière d'une étonnante observation de Claude Le Beau : « *Parmi les Nations qui font à la hauteur des terres dans la Nouvelle France, on a vu des Sauvages, qui ayant fait fècher les corps de leurs Parents, de leurs Ancêtres & des Personnes qui leur étaient chères, les confervoient précieusement dans leurs Cabanes & qui les mettoient quelquefois en dépôt entre les mains de leurs Créanciers, comme le gage le plus assuré qu'ils euffent leur à donner de leur parole* » (LE BEAU, 1738, 11).

Gage dans une transaction, c'est bien là le dénominateur commun des diverses facettes du *wampum*. Le mort faisant créditer le vif, c'est ce que nous soupçonnions des mécanismes de sa fonction et percevions de la pratique de son usage. Mais que le vif puisse concrètement donner le mort en gage, voilà qui heurte notre sensibilité au moins autant que le cannibalisme. Il est vrai que nous nous trouvons, en ce registre, fort démunis : il y a longtemps, chez nous, que le trépas se traite au niveau de la voirie. Consentirons-nous néanmoins à prendre quelque enseignement chez les sauvages ? Rien d'outré alors dans l'hypothèse qui voudrait voir, dans les *wampum* primordiaux, les reliques de grands corps. Aucun hasard non plus dans le fait que la sémantique d'un même mot – perte – puisse convenir aux mouvements de finances aussi bien qu'aux départs d'êtres chers. L'« être » et l'« avoir » ne sont pas des catégories étanches. S'il est vrai que « se faire avoir » n'est pas loin de « perdre la face » – que l'être peut se voir entamé par les défaillances de l'avoir – il reste que l'argent, à l'instar du *wampum*, s'avère capable de compenser bien des pertes. Certes, les petites perles blanches et pourpres n'étaient pas destinées au commerce, mais, devenus trappeurs, les pauvres émigrants y ont vite trouvé de quoi spéculer. Les Indiens, à leurs dépens, n'ont pas eu de mal à les suivre – les financiers, les héritiers, sont toujours vaguement cannibales. En Occident, certes, il n'est pas coutumier de laisser en gage le corps de son père. Il est assez courant, par contre, de « jurer sur la tête de sa mère ». Question d'accent. Le glissement du *wampum* vers la monnaie n'a rien d'une anecdote. Il renseigne sur l'essence même des rapports entre la mort et l'argent. Du moins, si l'on éclaire le basculement des perles de coquillage vers un usage monétaire à la lumière de la commune fonction de gage, et du *wampum*, et du mort.

Il y a longtemps, en Nivernais, que « le mort saisit le vif ». Tout aussi longtemps, en Flandre, que « la charrue passe sur les cadavres »[13]. Plus longtemps encore que se trament chez les humains d'étranges contrats : « *Après Mykérinos, raconte Hérodote, les prêtres me dirent que le roi d'Égypte fut Asychis. [...] Sous ce règne, m'apprit-on, comme l'argent se cachait, une loi fut établie en Égypte, par laquelle l'emprunteur, en contractant une dette, devait donner en gage le corps de son père ; à cette disposition s'en ajoutait une autre : le prêteur acquérait des droits absolus sur la sépulture de l'emprunteur ; si celui qui avait fourni un pareil gage ne voulait pas s'acquitter de sa dette, la sanction suspendue sur sa tête était de ne pouvoir à aucun prix, à sa mort, obtenir d'être enseveli, soit dans le tombeau de sa famille, soit dans quelque autre ; et si quelqu'un des siens s'en allait, il ne pouvait non plus lui donner de sépulture.* »[14]

Tout compte fait, l'argent et la mort partagent les mêmes coffres. Les « sauvages » nous content une histoire plus familière qu'il n'y paraît.

Francis Martens est psychothérapeute. Psychologue, anthropologue et praticien de la psychanalyse, il est membre fondateur de Caps freudiens, de l'Association des psychologues praticiens d'orientation psychanalytique et de l'Association des services de psychiatrie et de santé mentale de l'Université catholique de Louvain. Il a publié de nombreux articles dans le champ des sciences humaines et de la réflexion politique. Il est aussi l'éditeur du numéro de la *Revue de l'Université de Bruxelles* intitulé *Psychanalyse, que reste-t-il de nos amours ?*, 2000.

NOTES

[1] Héritier.

[2] Pour cette contribution (« anthropoémique » / « anthropophagique »), voir LÉVI-STRAUSS (C.), 1955.

[3] Voir CURTIS (J.) et HEWITT (J. M. B.), 1910-1911.

[4] On en veut pour indice cette remarque faite par un descendant de William Penn (fondateur de la Pennsylvanie) lors de la remise, par lui, à la Historical Society of Pennsylvania, de la ceinture de *wampum* offerte en 1682 à son aïeul pour sceller le « Grand Traité de l'Orme » : lorsqu'il s'agit d'offrir un simple collier de *wampum*, la cérémonie se soutient d'une inflation de paroles célébrant et situant le fait, lorsqu'il s'agit de toute une ceinture, la remise de *wampum* s'accompagne de très peu de mots mais particulièrement solennels. Voir ANONYME, 1857, et PROUD, 1797.

[5] Dans l'usage monétaire (qui finit par s'imposer malgré tout), une « blanche », selon Gordon, vaut deux « pourpres ». Les puissances coloniales seront amenées à élaborer un étalonnage visant à établir une certaine « équité du change », et à lutter – sur doléances des coureurs de bois – contre l'instabilité du cours du *wampum* (voir SNYDERMAN, 1954, p. 469-494).

[6] Il est à noter que l'écorce d'orme intervient largement dans la construction des cabanes. Elle constitue souvent l'essentiel de leur couverture supérieure et latérale (voir LE BEAU, 1738).

[7] De nos jours, les Inuits s'en servent encore comme fil ou comme lien. Pour Proud (1797, p. 548), les *wampum* étaient jadis enfilés sur du cuir.

[8] Vu l'imprécision d'auteurs comme Drake ou Gordon, il est possible que la traduction de *wampumpeag* en « muscle » soit à rapporter au coquillage (*muscle shell*) lui-même. Néanmoins, l'affirmation de Morgan sur l'emploi du tendon en guise de fil vient plutôt étayer cette traduction (le muscle est proche du tendon). Il se pourrait aussi qu'en matière de *wampum*, l'accent essentiel – ou initial – soit à mettre sur le fil plutôt que sur la perle. Cette interprétation cadre bien avec certains matériaux mythiques : particulièrement avec la description des préparatifs d'une offrande de *wampum* dans le mythe n° 41.

[9] Je ne peux trop recommander la lecture du passionnant récit d'un jeune ethnographe-malgré-lui, exilé en Nouvelle France par son père, fugitif, puis adopté par les Indiens : *Aventures du Sieur Claude Le Beau Avocat en Parlement ou Voyage curieux et nouveau parmi les Sauvages de l'Amérique septentrionale*, publié chez Herman Uytwerf, à Amsterdam, en 1738 (republication en fac-similé, New York - La Haye, 1966). Dans le contexte qui nous occupe, signalons que les limites semblent assez floues entre l'adoption, l'esclavage et la « mise en réserve » aux fins de torture ultérieure.

[10] Outre la guerre, la pratique de la torture – littéralement « émiettante », « émusculante », énervante – en fournit les éléments.

[11] Communication personnelle, 1975.

[12] C'est, dans la pratique, une des fonctions sociales principales du *wampum*.

[13] « *De ploeg gaat over de lijden.* » Ce proverbe est illustré par Pieter Bruegel dans *La Chute d'Icare* (Musée d'art ancien, Bruxelles).

[14] HÉRODOTE D'HALICARNASSE, *Histoires*, p. 136.

OUVRAGES CITÉS

ANONYME, *Presentation to the Historical Society of Pennsylvania of the belt of wampums delivered by the Indians to William Penn at the great treaty under the elm tree in 1682*, Philadelphia, Pennsylvania Historical Society, 1857.

CURTIS (J.) et HEWITT (J. N. B.), « Seneca Fictions, Legends and Myths », in *Annual Report of the Bureau of American Ethnology*, Washington, 1910-1911.

DRAKE (S. G.), *The Aboriginal Races of North-America*, New York, Hurst and Company, 1880.

GORDON (T. F.), *The History of Pennsylvania, from its Discovery by Europeans to the Declaration of Independence in 1776*, Philadelphie, Carey, Lea & Garey, 1829.

HÉRODOTE D'HALICARNASSE, *Histoires* (traduction H. Berguin), Paris, Garnier.

LE BEAU (Claude), *Aventures du Sieur Claude Le Beau Avocat en Parlement ou Voyage curieux et nouveau parmi les Sauvages de l'Amérique septentrionale,* Amsterdam, Herman Uytwerf, 1738. Fac-similé, Wakefield-New York-La Haye, S. R. Publishers Limited-Johnson Reprint Corporation-Mouton and Co. N.V., 1966.

LÉVI-STRAUSS (Claude), *Tristes Tropiques,* Paris, Plon, 1955.

MORGAN (Lewis Henry), *League of the Ho-Dé-No-Sau-Nee or Iroquois,* New York, Dood, Mead and Company, 1904.

PROUD (Robert), *The History of Pennsylvania,* Philadelphie, Z. Poulson, 1797.

SNYDERMAN (G. S.), « The Functions of *Wampum* », in *Proceedings of the American Philosophical Society,* Philadelphie, XCVIII, 1954.

Karl-Leo Schwering

PSYCHANALYSE DE L'ARGENT DANS SES RAPPORTS AVEC LE DON ET L'EXCRÉMENT

La signification psychologique de l'argent est un thème ancien en psychanalyse. Cela dans la mesure où la pensée freudienne s'en est saisie avec prédilection dans le cadre du dégagement des phases de développement de l'organisation sexuelle[1]. La postérité en retiendra une formule très abrégée qui « fera fortune » – si l'on peut dire : argent = excrément. Formule choc autant que choquante, le commun des mortels ne pouvant que s'émouvoir de la mise en rapport de deux matières aussi opposées. Comment concevoir, en effet, qu'une matière convoitée et précieuse – l'argent –, symbole même de valeur et de richesse, puisse être rapportée à un produit du corps marqué du sceau de l'opprobre ?

Nous allons essayer de répondre à cette question dans la suite de notre propos. Ce faisant, nous commencerons par revisiter les textes freudiens, avant d'envisager une conception plus large où l'équation mentionnée prendra une dimension plus fondamentale, bien au-delà de son caractère anecdotique.

ARGENT ET ÉROTISME ANAL CHEZ FREUD

C'est dans un petit texte de 1908[2] que Freud inaugure publiquement la discussion sur le rôle de l'argent en psychanalyse[3], le titre de l'article annonçant de la façon la plus explicite le contexte thématique dans lequel il vient à s'insérer : la réflexion sur l'argent va, en effet, se retrouver au cœur des réflexions freudiennes sur la sexualité, et en particulier sur les destins psychiques de cette dernière. Car, à compter de la découverte de la sexualité infantile suite au repérage de ses manifestations observables – en particulier le suçotement et les manifestations masturbatoires[4] –, Freud ne cessera de dégager les destins psychiques de cette dernière. Autrement dit, les avatars d'une sexualité dont la mise en acte se voit empêchée, sinon interdite, par les injonctions de la morale civilisée et qui, ce faisant, se trouve dans la nécessité de se détourner de ses objets « naturels » (les objets du corps que sont les zones érogènes et leurs produits) pour en investir d'autres. Autres objets investis non sur un mode aléatoire, mais bien plutôt selon le principe d'un lien symbolique renvoyant aux objets de plaisir premiers. Pour ne prendre qu'un exemple, référons-nous à la mise en rapport banale de la cigarette avec les objets perdus de l'oralité infantile (mamelon, doudou et autres pouces), pour y reconnaître un même opérateur symbolique constitué par l'emprise orale exercée sur un objet censé procurer une satisfaction pulsionnelle incorporative, à mi-chemin entre la réalité et le fantasme[5].

Mais alors qu'il est aisé de démasquer la filiation commune des objets précités en les rapportant à l'entrée en action d'une même zone érogène, on ne peut en dire autant de l'argent et de son alter ego archaïque que serait l'excrément. Là, point de confluence vers une zone du corps s'imposant d'évidence, l'objet vénal ne laissant nullement soupçonner un quelconque héritage somatique. Aussi est-ce par le détour du caractère que Freud se voit autorisé à concevoir une affinité profonde entre deux ordres de réalité dont il n'avait eu, jusque-là, que l'intuition. Il décrit ainsi un type de personnes qui « *retiennent l'attention par le fait qu'elles réunissent régulièrement les trois caractéristiques suivantes : elles sont particulièrement ordonnées, économes, et entêtées* »[6].

Il ne peut être question de développer ici les liens de correspondance étroits entre ces trois traits de caractère ; aussi allons-nous directement en venir au fait qui nous intéresse : le caractère économe, pouvant aller jusqu'à l'avarice, comme le précise Freud, nous met bien évidemment sur la voie de l'objet électivement traité de la sorte – l'argent. Freud se fait d'ailleurs fort de donner moult exemples de cette étroite correspondance symbolique entre argent et excrément[7]. Mais il accentue ce faisant leur statut d'objet partiel risquant, comme l'a bien vu Ilana Reiss-Schimmel, de restreindre la réflexion psychanalytique sur l'argent au cadre fixiste et univoque du symbole, ce dernier étant alors à concevoir comme le résultat d'un travail psychique situé au niveau collectif plutôt que comme le résultat toujours singulier d'un travail personnel de symbolisation[8]. Autrement dit, à trop insister sur l'évidence du rapport symbolique entre argent et excrément, on pourrait en venir à accréditer la thèse d'une symbolique universelle caractérisée par des rapports de signification constants entre tel contenu manifeste – le symbole argent, par exemple – et tel contenu latent – l'excrément, en l'occurrence. Il est d'ailleurs piquant de remarquer qu'une telle visée réductrice est précisément le but sexuel poursuivi par les pulsions partielles anales, à savoir de parvenir à isoler une bonne fois pour toutes l'objet de leurs convoitises – quelle que soit la nature de cet objet, sa conformation matérielle ou fantasmatique s'avérant parfaitement contingente –, se donnant ainsi l'illusion d'avoir mis la main sur du total, là où il faudra bien se résoudre à ne découvrir que du partiel.

LA RELATION ANALE : UNE AFFAIRE À DEUX

Plutôt que de suivre Freud dans ce jeu des correspondances d'objets, nous nous proposons de repérer dans son texte un courant mineur qui nous permettra de dépasser l'aporie des équations. Pour ce faire, il nous suffira d'y prendre au sérieux une longue note de bas de page et de constater qu'à l'origine, « les histoires de caca » – si on veut bien nous autoriser cette expression – sont une affaire à deux. Autrement dit, le propre de ce que Freud baptisera par la suite « organisation prégénitale sadique-anale » est de confronter le petit d'homme à l'ambivalence, et donc au dualisme dont sa vie affective restera marquée à jamais – l'amour et la haine, l'activité et la passivité –, autant qu'à la réalité inesquivable de cet autre dualisme qu'est la confrontation avec l'autre. Alors que jusqu'à cet instant, l'« *infans* » pouvait se bercer dans l'illusion de l'union avec l'autre – illusion qui fonde l'organisation orale qui précède –, l'organisation sadique-anale inaugure la confrontation irrémédiable avec l'autre, envisagé comme séparé, comme « *objet étranger* » pour citer Freud dans les *Trois essais*. Et c'est précisément de cette confrontation / opposition qu'il est question dans la note de bas de page évoquée plus haut. Freud y relate un somptueux souvenir-écran, lequel, après interprétation, nous fait découvrir l'image d'un enfant adepte de « séances » prolongées sur le pot et qui, bien conscient de l'impatience de sa mère, se demande quand cette dernière va le frapper (« *Wann haut'n die Mutter ?* »). Cet instantané nous fait découvrir l'obligation dans laquelle est l'enfant de souscrire à la relation avec l'autre qui s'impose à lui comme objet total, alors que ses désirs le portent à perdurer dans la jouissance de ses objets partiels. Au moment même où il s'aperçoit que quelque chose issu de son corps à lui s'en détache tout en lui procurant du plaisir, il s'avise que cette « *première possession* », comme l'appelle Freud, fait l'objet des attentes de l'autre parental.

L'excrément est donc dès son origine l'objet d'une relation. Toutes ses significations ultérieures – parmi lesquelles l'argent – en porteront la trace. Trace d'un désir dont il sera toujours difficile de déterminer s'il s'agit du mien ou celui de l'autre, car c'est précisément en découvrant l'intérêt maternel pour cet objet que l'enfant se prendra à son tour de passion pour lui ; lequel, dès lors, ne cessera de prendre de la valeur. En ce sens, l'excrément est décidément un bon placement, car il recèle des potentialités insoupçonnées : objet de plaisir sphinctérien à l'origine, il devient objet de rétention ou d'expulsion, de chantage et de manipulation, mais également de soumission et d'obéissance... selon les avatars de la relation duelle avec l'autre parental. Ce faisant, son univocité première évoluera vers une polysémie de représentations qui donneront naissance à de nouveaux objets, parmi lesquels d'abord et avant tout celui de « cadeau ».

C'est encore le mérite de Freud que d'avoir repéré qu'en effet, avant d'accéder à son statut symbolique adulte, l'excrément devient un objet d'échange qui « *représente le premier "cadeau", par la libération ou la rétention duquel peuvent être exprimés respectivement la soumission ou l'entêtement du petit être à l'égard de son entourage. De "cadeau", il prendra plus tard la signification de l'"enfant", qui, selon une des théories sexuelles infantiles, s'acquiert en mangeant et naît par l'intestin.* »[9]

Cette citation, extraite d'un passage ajouté aux *Trois essais* en 1915, atteste de l'évolution de la pensée freudienne en matière de symbolisme et rompt le lien de correspondance fixe reliant de façon univoque les fèces à l'argent. Les premières sont, en effet, susceptibles de donner lieu à de multiples transpositions symboliques – parmi lesquelles le cadeau et l'enfant, nous venons de l'apprendre –, sans qu'il faille faire l'hypothèse de destins symboliques préétablis[10]. Est de la sorte réintroduite une indétermination qui ouvre l'horizon singulier du travail de symbolisation personnel. Autrement dit, s'il y a bien une série consacrée d'objets partiels renvoyant l'un à l'autre selon un mode privilégié – nous voulons parler de la série « *excrément (argent, cadeau), enfant et pénis* » proposée par Freud dans son article de 1917[11] –, cette dernière doit être envisagée comme une matrice fondamentale qui verra éclore en son sein bien d'autres objets partiels. De sorte que l'objet partiel « excrément » pourra non seulement former une équation avec l'objet « pénis » ou l'objet « enfant »[12] au sein de la série fondamentale, mais qu'il pourra également établir des liaisons inédites avec des objets dérivés investis par le sujet selon les avatars de son histoire personnelle.

SORTIR DE LA RELATION ANALE...

Ce qui précède doit cependant être assorti d'une réserve, dont l'explicitation nous permettra de mieux cerner encore le rôle de l'argent tel qu'envisagé par la psychanalyse. Par la même occasion, cela nous permettra aussi de mettre en lumière un saut anthropologique par ailleurs largement théorisé par Freud, mais pas dans ce contexte précis.

L'accession de l'excrément au statut de symbole, c'est-à-dire à cette série de transpositions symboliques précédemment évoquées, ne peut se faire qu'à condition de sortir de la relation duelle propre à l'organisation sadique-anale. Car cette dernière, bien que mettant en scène un duo en apparence secoué par des luttes de pouvoir attestant de ses différences, n'est en fait que le théâtre des chamailleries d'un couple fondamentalement soudé, bien d'accord sur l'essentiel : mon désir est le tien, et vice-versa. Il ne faudrait pas perdre de vue, en effet, que tous deux convoitent le même objet, et qu'en deçà des apparences, la victoire de l'un sera en fait aussi celle de l'autre. Pour en revenir brièvement à l'image de l'enfant sur le pot, celui-ci supportera d'autant mieux la fessée d'ailleurs tant attendue que cette dernière le dédommage au même moment de la perte de l'objet savamment retenu. La fessée – et le mot est ici la chose même – est la mise en acte d'une passion anale commune où deux désirs se rejoignent pour mieux jouir du même. La seule différence réside dans la configuration de l'objet qui, à défaut d'être un et indivisible – comme lors de ce temps d'indifférenciation mythique qu'est l'organisation orale –, se mue en substituts cependant jamais perdus puisqu'ils font toujours retour selon le principe du troc : je te donne mes selles contre une fessée, ou tu me donnes ta patience contre mon affectueuse insolence. L'objet, donc, ne se transforme que pour mieux servir les jeux du désir partagé et n'a, dès lors, pas véritablement statut de symbole : il est pourvoyeur d'une satisfaction immédiate *sui generis* et n'est perdu que pour mieux être retrouvé par la pleine participation au plaisir de l'autre. Jamais vraiment manquant, point n'est donc besoin de le présentifier par quelque symbole.

S'il nous fallait à ce stade faire un raccourci rapide et appliquer ce qui précède à l'objet-argent dans ses formes pathologiques, il nous suffirait de convoquer ces scènes popularisées par le cinéma, dans lesquelles des voleurs de diamants ou des casseurs de coffres-forts prennent des bains de billets ou de pierres précieuses comme s'il était possible d'en jouir sur-le-champ. C'est dans ces scènes que l'on saisit au vif le caractère incongru de telles ivresses, sachant que ces plaisirs ne sont que parodie. Les voleurs, bien sûr, s'aviseront bien vite de ce que ces plaisirs sensuels, dont l'argent est la promesse, ne leur seront accessibles que plus tard. C'est plutôt la caricature de l'oncle Picsou veillant jalousement sur sa montagne de pièces d'or qui nous fournit l'image d'une passion anale immodérée, où l'objet vénéré n'est plus le moyen vers une fin – l'obtention de biens – mais une fin en soi. Nous en prendrons pour exemple ces scènes où le personnage plonge dans sa piscine remplie de pièces d'or, jouissant du « liquide » au sens propre du terme. Que cette passion, en apparence solitaire – détesté de ses semblables, l'oncle vit dans un splendide isolement –, semble déroger au principe énoncé plus haut d'une affaire toujours à deux personnages ne doit pas nous tromper quant aux multiples visages empruntés par cet autre. Et en effet, il faut se souvenir que l'oncle Picsou n'a de cesse de déjouer les plans d'infatigables cambrioleurs qui, on ne s'en étonnera guère, vouent une même passion à un même objet, et avec une même persévérance qui rappelle l'entêtement déjà repéré par Freud. Ici aussi, se reforme le duo sado-masochiste typique de la relation anale, où les deux protagonistes s'arrachent à tour de rôle et en pleine connivence l'objet de leurs plaisirs partagés.

… ET ENTRER DANS L'ŒDIPE

Pour que l'excrément fasse symbole, il faut qu'intervienne ce saut anthropologique annoncé plus haut et qui, chez Freud, n'est autre que l'Œdipe – ou, chez Lacan, la fonction paternelle. Nous ne nous étendrons pas, bien sûr, sur ce vaste sujet, sinon pour indiquer que son avènement a pour conséquence le redéploiement de la relation duelle propre à l'organisation sadique-anale. Et cela grâce à l'intervention d'un troisième terme qui brouille les cartes de la symétrie des désirs et des objets, et introduit la dissymétrie d'un désir désormais énigmatique. Que la mère désire ailleurs suffit, en effet, à désamorcer l'illusion de l'« *infans* » de posséder l'objet convoité par cette dernière – ce désenchantement entraînant par la même occasion une soudaine dévalorisation de l'objet fécal. Enjeu périphérique d'une action qui se déroule sur la scène interdite des passions parentales et que l'enfant découvre avec douleur, le domptage des selles perd pour l'enfant de son importance et se conclut, outre l'acquisition de la propreté, par une sorte d'oubli que la psychanalyse a rebaptisé « sublimation ». Car l'excrément n'est relégué dans les limbes que pour mieux renaître sous la forme d'autres objets censés pouvoir rivaliser avec les objets paternels – et nous voilà revenus à la série de transpositions laissée en suspens ci-dessus. En effet, le pénis, l'enfant ainsi que tous les autres objets plus ou moins fantasmatiques fabriqués par le petit d'homme le sont afin de regagner les faveurs perdues de la mère, ou du moins de l'autre qui en tient lieu. Pour le dire trivialement : puisque c'est un pénis qu'elle veut, ou un enfant, autant lui en fabriquer un. Autrement dit, la présence de ces deux opérateurs symboliques dans les formations inconscientes de l'enfant atteste de l'installation de la dramaturgie œdipienne.

La série excrément – cadeau – argent

Il nous faut maintenant examiner de plus près ce moment où l'excrément bascule vers le statut de cadeau. D'abord pour constater que la psychanalyse s'est peu intéressée au phénomène du cadeau, qu'il est d'ailleurs plus pertinent d'élargir à celui du don. Toute une étude psychanalytique du don serait à faire, celui-ci étant à considérer comme le chaînon manquant entre l'excrément et l'argent. Nous n'avons pas la prétention de nous essayer à une telle étude, et nous nous limiterons dès lors à quelques propositions – d'ailleurs largement inspirées des travaux de quelques sociologues post-maussiens, dont les analyses, nous semble-t-il, se rapprochent des vues psychanalytiques exposées jusqu'ici.

Les sociologues nous apprennent qu'un rapport de don implique une relative absence d'équivalence, d'égalité et d'équilibre, et que tout don suppose l'expérience de la perte. Car s'il est légitime de s'attendre, un jour, à un cadeau en retour de la part du donataire, l'assomption de la perte équivaut à l'acceptation de l'indétermination du temps que cela prendra, autant que de la forme qu'aura ce cadeau. À défaut, la relation de don en serait compromise. Il suffit pour s'en convaincre d'imaginer une scène dans laquelle, à une bonne bouteille donnée en cadeau, ferait suite, le lendemain, le contre-don d'une bouteille d'un prix et d'un millésime équivalents. Comment comprendre un tel geste, sinon sur le mode de la mauvaise farce ou, plus sûrement, du refus du donataire de s'engager dans une relation de don avec le donateur ? Tout don implique dès lors que ne soit pas réalisé mesquinement le calcul des équivalences, que les comptes ne soient justement pas bons à tout instant – bref, qu'il y ait de la dissymétrie. Dissymétrie des objets donnés – pas le même cadeau mais un autre et autrement – qui renvoie à la dissymétrie déjà évoquée à propos des objets qui se diversifient au sortir de la relation anale.

Le don serait donc « *le dépassement de l'expérience de la perte, alors que le marché est une phase intermédiaire où la perte est immédiatement compensée par l'acquisition d'un autre objet* »[14]. Système marchand qui, faut-il le préciser, à l'inverse d'un système de don, ne supporte point l'indétermination des délais et des choses : les équivalences y règnent en maître, les objets y ont une valeur vénale au centime près, et le temps y est monnayé. Dans le système marchand, en effet, soit il n'y a pas de délai et nous sommes alors dans une logique du donnant, donnant ; soit l'usure du temps est annulée par l'usure entendue dans son sens financier, qu'illustre bien la formule « *Le temps, c'est de l'argent.* » Là où, dans le don, le temps est ce troisième terme qui fait coupure entre donateur et donataire, et rend possible la relance du désir autant que l'émergence de nouveaux objets-dons, dans le système marchand, le temps génère des intérêts, c'est-à-dire de l'accroissement du même.

Excrément = argent ≠ cadeau

De là, il n'y a évidemment qu'un pas pour faire le rapprochement entre système marchand et relation anale, entre système de don et relation œdipienne. Un pas qui, une fois franchi, oblige à une révision qui bouscule quelque peu l'édifice freudien tel qu'il se présente dans le texte de 1917 : car selon nous, l'argent, à strictement parler, s'avère n'être en rien dans un lien de succession avec le cadeau et, plus radicalement encore, ne se prête en fait à aucune transposition symbolique. « Unité » de valeur, tout l'accent est à mettre du côté de son indivision fondamentale qui ne lui permet aucune fantaisie et lui assigne la morne tâche de rester à jamais fixe dans ses déterminations. C'est ce qui le rend identique à l'excrément qui, lui aussi, restera ce bout de matière inerte que nous ne cesserons de produire toute notre vie et qui nous restera collé... à la peau, comme au premier jour.

Mais alors, reconduite la bonne vieille équation excrément = argent, pourtant récusée d'entrée de jeu ? Pas vraiment, et ce pour deux raisons. La première, c'est qu'il ne s'agit pas là d'une équation au sens où l'entendait Freud, c'est-à-dire une équation voulant dire le rapport entre un symbole – l'argent – et la chose qu'il symbolise – l'excrément –, mais bien d'une équivalence de fond à caractère tautologique : argent et excrément, c'est la même chose. Tous deux servent des fins de satisfaction immédiate et complète, et ont cette fascinante propriété d'être des objets totaux. La deuxième raison est que cette équation ne débouche sur rien si elle n'est pas mise en tension avec une deuxième formule que nous venons de dégager : excrément / argent ≠ cadeau. Le cadeau / don est en quelque sorte l'antithèse de l'excrément / argent. Autrement dit, la condition humaine serait faite d'un rapport dialectique entre ces deux équations, sachant que la fixation à la première équivaudrait à s'engager dans la pathologie – jouir de l'argent comme d'une fin en soi – et que le basculement dans la seconde supposerait au contraire de ne traiter l'argent que comme un moyen. La fin restant d'ailleurs incertaine puisque, il ne faut pas l'oublier, le désir de l'autre reste toujours douloureusement énigmatique, la relation à lui s'avérant toujours mise en tension par ce troisième terme qui nous en sépare.

En fin de compte, l'argent est évidemment nécessaire pour acquérir des biens. Il n'y a pas là à « tourner autour du pot ». Simplement, chaque fois que nous l'utilisons, nous pensons que quelque chose de cette époque perdue de l'enfance ressurgit sous la forme d'un moment qui, à être on ne peut plus quotidien et banal, n'en est pas moins porteur de magie : donner quelques pièces de métal ou un bout de papier... et recevoir en retour ce quelque chose que l'on désire, même si ce n'est finalement que du symbole. Du symbole ? Qu'est-ce à dire ? Quelle que soit la chose concernée –

objet fonctionnel, objet alimentaire, objet relationnel –, elle est porteuse d'une valeur symbolique, dès lors fantasmatique, qui transcende sa valeur utilitaire et la rend désirable. On parle aussi de la valeur affective ou sentimentale d'un objet. Cela veut dire que passé ce bref moment d'allégresse tout anale où l'argent nous berce de l'illusion d'une toute-puissance d'achat – ne dit-on pas avec sérieux que, finalement, tout s'achète ? –, vient le temps de la désillusion où la chose ainsi obtenue nous donne un goût de trop peu, ou de « pas tout à fait ça ». Désillusion tout œdipienne, celle-là, mais combien riche de nouveaux désirs, de nouvelles tentatives, de nouvelles découvertes.

C'est à ce stade précis qu'il est possible de faire intervenir la polysémie du verbe « donner » qui, bien sûr, désigne la relation d'altérité entre un donateur et un donataire, mais peut également signifier de façon plus générale l'indétermination des choses que symbolise si bien la notion de don revue par les sociologues : le « qu'est-ce que ça donne ? » du parler argotique pointe cette incertitude mêlée d'attente quant à ce que l'objet va donner... même s'il a dûment été acheté. L'argent véhiculerait donc l'espoir d'une ivresse sans fin procurée par un objet pleinement satisfaisant, et ouvre en fait sur un espace de perte où l'objet se révèle un objet de don apte à inaugurer un nouveau cycle du désir... ou une nouvelle « spirale du don », pour parler avec les sociologues.

Karl-Leo Schwering est docteur en psychologie, psychanalyste. Il est maître de conférences à l'université de Paris VII Denis Diderot.

Notes

[1] Le sujet sera par la suite traité avec des fortunes diverses par toute une série d'auteurs. Voir à ce sujet les textes réunis par Borneman (E.), *Psychanalyse de l'argent*, Paris, PUF, 1978.

[2] Freud (S.), « Caractère et érotisme anal » (1908), in *Névrose, psychose et perversion*, Paris, PUF, 1973.

[3] Non sans avoir déjà formulé quelques intuitions essentielles à ce sujet dans ses lettres à W. Fliess, une décennie plus tôt.

[4] Voir à ce sujet les sections 2 et 4 du deuxième essai de Freud (S.), *Trois essais sur la théorie sexuelle* (1905), Paris, Gallimard, coll. « Folio », 1987.

[5] Freud lui-même n'hésite pas à procéder à ce rapprochement, non sans le corser du point de vue de sa signification sexuelle : « [...] *Ces enfants, une fois adultes, deviendront de friands amateurs de baisers, développeront un penchant pour les bai-*

sers pervers, ou, si ce sont des hommes, auront un sérieux motif pour boire et pour fumer », in *Trois essais sur la théorie sexuelle, op. cit.*, p. 106.

[6] *Ibid.*, p. 143.

[7] « *Il est bien connu que l'or dont le diable fait cadeau à ses amants se change en excréments après son départ*. [...] *D'autre part on connaît la superstition qui met en rapport la découverte de trésors avec la défécation*. [...] », *ibid.*, p. 147.

[8] REISS-SCHIMMEL (I.), *La Psychanalyse et l'argent*, Paris, Odile Jacob, 1993. En particulier les pages 49 à 55.

[9] FREUD (S.), *Trois essais sur la théorie sexuelle, op. cit.*, p. 112.

[10] Voici l'extrait significatif à ce sujet : « *Il est vraisemblable que ce n'est pas or-argent mais cadeau qui est la première signification à laquelle conduise l'intérêt pour l'excrément.* » In FREUD (S.), *ibid.*, p. 110 ; souligné par l'auteur.

[11] FREUD (S.), « Sur les transpositions de pulsions plus particulièrement dans l'érotisme anal » (1917), in *La Vie sexuelle*, Paris, PUF, 1969.

[12] Le rapprochement entre excrément et enfant, par exemple, est souvent attestable dans les fantasmes infantiles déjà évoqués par Freud. Mais les adultes ne sont pas en reste à ce propos. La désignation maintenant obsolète, mais dont nombre auront encore le souvenir, qualifiant la petite fille amoureusement de « petite crotte » en est un exemple.

[13] Nous pensons en particulier à Alain Caillé et Jacques Godbout, dont plusieurs ouvrages sont parus ces dernières années (*cf.* notre bibliographie).

[14] GODBOUT (Jacques), *L'Esprit du don*, Paris, La Découverte, 1992, p. 258.

CHOIX BIBLIOGRAPHIQUE

BORNEMAN (E.), *Psychanalyse de l'argent* (1973), Paris, PUF, 1978.

CAILLÉ (A.), *Sociologie du don*, Desclée de Brouwer, 2000.

FREUD (S.), *Trois essais sur la théorie sexuelle* (1905), Paris, Gallimard, coll. « Folio », 1987.

FREUD (S.), « Caractère et érotisme anal » (1908), in *Névrose, psychose et perversion*, Paris, PUF, 1973.

FREUD (S.), « Sur les transpositions de pulsions plus particulièrement dans l'érotisme anal » (1917), in *La Vie sexuelle*, Paris, PUF, 1969.

GODBOUT (J.), *L'Esprit du don*, Paris, La Découverte, 1992, p. 258.

REISS-SCHIMMEL (I.), *La Psychanalyse et l'argent*, Paris, Odile Jacob, 1993.

Religion, Église, Argent

Ignace Berten

L'ARGENT :
UNE LECTURE CONTEXTUELLE
DU CHAPITRE 16 DE L'ÉVANGILE DE LUC

L'argent n'a pas trop bonne presse dans le discours moral de l'Église catholique. Il occupe cependant une place importante dans sa pratique, nécessaire, honnête souvent sans doute, pas toujours très glorieuse néanmoins…

Que peut nous apporter une lecture contextuelle du texte évangélique le plus célèbre et le plus connu au sujet de l'argent : « *Vous ne pouvez servir Dieu et l'argent* » (Luc 16, 13) ? Une lecture doublement contextuelle : le contexte du Ier siècle et le contexte contemporain.

JÉSUS : LES RICHES, LES PAUVRES ET L'ARGENT

Chacun des quatre évangiles a sa tonalité propre. L'évangile de Luc est celui qui est le plus sensible aux pauvres et au jeu de l'argent. Tout le chapitre 16 de cet évangile tourne autour de cette question.

Ce chapitre comporte une parabole très connue : celle du riche qui festoie et du pauvre Lazare (Luc 16, 19-31). En résumé : un riche vit dans l'opulence, festoie grassement chaque jour ; un pauvre est à sa porte, couvert d'ulcères et ignoré. Les deux meurent. L'un, le pauvre, va au paradis, reçu par Abraham ; le riche est condamné au tourment du feu. S'appuyant sur cette parabole, de nombreux sermons ou lettres pastorales se sont adressés aux pauvres en les invitant à la patience et donc à l'acceptation résignée de leur sort, puisqu'ils pouvaient espérer le paradis après la mort ; ils se sont aussi adressés aux riches, en les invitant à l'aumône. Message de consolation et tout en même temps d'appui à l'ordre social dominant, qui donne raison à la critique de Marx à l'égard de la religion, opium du peuple. Une lecture plus attentive de l'ensemble du texte montre qu'il y a là un véritable détournement de sens, une inversion de sens.

Un gérant malhonnête en exemple !

Le chapitre 16 commence par une autre parabole moins connue, assez gênante à première lecture : la parabole du gérant habile (16, 1-8). Un homme riche a confié ses biens à un gérant. Celui-ci est accusé de gestion malhonnête et est mis à la porte. Il se demande alors de quoi vivre ensuite : cultiver, il ne s'en sent pas la force ; mendier, il en aurait honte. Il convoque donc chacun des débiteurs du maître et trafique leurs reçus en diminuant fortement leur dette. Service pour service, il pourra compter sur eux après son licenciement. Conclusion surprenante : « *Le maître fit l'éloge du gérant trompeur, parce qu'il avait agi avec habileté* » (16, 8). Et Jésus lui-même conclut : « *Ceux qui appartiennent à ce monde sont plus habiles vis-à-vis de leurs semblables que ceux qui appartiennent à la lumière* » (16, 9).

Dès le départ, il s'agit donc d'argent, de dettes, de gestion de cet argent, de rapport aux autres. Dans ses paraboles, Jésus prend souvent appui sur des relations et des pratiques de la vie quotidienne, telles que les gens en font l'expérience. Il ne se prononce pas sur la qualité morale ou non de ces situations (bien qu'en l'occurrence, l'opposition ce monde / la lumière ne soit pas tout à fait neutre à cet égard) : elles lui servent de tremplin imagé pour ouvrir à un questionnement. Le questionnement porte ici sur la gestion[1] de l'argent.

Jésus invite ses auditeurs (ou Luc invite ses lecteurs) à être habiles dans cette gestion. En quoi consiste cette habileté ? C'est ce que va suggérer la suite du chapitre.

Faites-vous des amis

Comment user de l'argent ? Jésus recommande : « *Faites-vous des amis avec l'argent trompeur pour qu'une fois celui-ci disparu, ces amis vous accueillent dans les demeures éternelles* » (16, 9). Lecture immédiate : l'aumône est importante si on veut gagner son ciel. Lecture trop immédiate et réductrice. Ce que suggère le texte est plutôt ceci : l'argent est moyen d'échange et de don. Il est capable de tisser des liens de solidarité et de reconnaissance réciproque si réels et si profonds qu'ils se prolongent et s'accomplissent au-delà même de la mort. Dans la perspective de l'évangile de Luc, l'accent de la prédication de Jésus n'est pas mis sur cet au-delà, toujours évident et supposé, mais bien sur le présent. La première prédication de Jésus, au chapitre 4, est un commentaire d'un texte d'Isaïe annonçant pour l'avenir une bonne nouvelle pour les pauvres. Jésus y dit explicitement : « *Aujourd'hui, cette Écriture est accomplie* » (4, 21). Ce qu'il fait dans le quotidien en est l'expression : accueil de l'exclu, guérison du malade, pardon offert à celui que la culpabilité enferme. Pratique exemplaire au sens propre : invitation adressée à chacun à faire de même.

Quant à l'usage de l'argent, l'exemple paradoxal du gérant malhonnête et habile de la parabole vient introduire cette invitation : faites-vous des amis... Mais pas n'importe comment ni n'importe lesquels : privilégiez ceux qui n'ont pas accès par eux-mêmes aux bienfaits de l'argent. Or, cela ne va évidemment pas de soi ; cela va plutôt contre la dynamique spontanée engendrée par l'argent qui ne circule qu'au profit de ceux qui en ont, leur permettant d'en avoir plus, à l'exclusion de ceux qui n'en ont pas. C'est pourquoi l'argent est ici nommé « l'argent trompeur ».

La tradition ancienne d'Israël, sur laquelle Jésus s'appuie, était bien consciente de cette dynamique perverse de l'argent et de la propriété. La législation prévoyait d'ailleurs un mécanisme social de rétablissement de l'équilibre et de répartition égalitaire : tous les sept ans, une sorte d'amnistie consistant en une remise de toutes les dettes ; tous les cinquante ans, une redistribution générale des terres, contre le processus naturel de concentration des propriétés (voir Deutéronome 15 et Lévitique 25). L'objectif était clair : assurer la participation de tous à la vie de la communauté, alors que le cours de l'existence a des effets cumulatifs de marginalisation et d'exclusion. Et c'est très précisément à cette symbolique de restauration des équilibres sociaux et de participation que Jésus se réfère lorsqu'il déclare : « *Aujourd'hui, cette Écriture est accomplie.* »

DIEU OU L'ARGENT

Jésus se méfie de l'argent et de son pouvoir. Il place ses auditeurs devant un choix éthique et spirituel : « *Aucun domestique ne peut servir deux maîtres : ou bien il haïra l'un et aimera l'autre, ou bien il s'attachera à l'un et méprisera l'autre. Vous ne pouvez servir Dieu et l'argent* » (16, 13)[2]. Quel que soit le contenu que l'on mette sous le vocable « Dieu » – j'y reviendrai –, le sens du choix auquel provoque cette parole est clair : si l'argent est la référence première de l'existence, si c'est lui qui remplit l'horizon de préoccupation et qui guide donc l'action, il n'y a pas de place pour Dieu. Cela ne veut pas dire que l'argent ne laisse plus de place pour la dévotion religieuse, mais qu'il ne laisse pas de place pour l'autre, pas de place pour le pauvre ou le plus faible, le moins bien nanti, ce que signifie Lazare dans la parabole qui suit[3].

Or, cela est profondément dérangeant. Ceux qui croyaient rendre un véritable culte à Dieu sont déstabilisés parce que Jésus met en cause leur rapport à l'argent, leur culte de l'argent. C'est ce que va montrer la suite du texte.

UN FOSSÉ QUI BRISE L'HUMANITÉ

En réaction à ce que dit Jésus, Luc note : « *Les pharisiens qui aimaient l'argent* [4] *écoutaient tout cela, et ils ricanaient à son sujet* » (16, 14). Jésus leur réplique de façon assez cinglante : « *Vous, vous montrez votre justice aux yeux des hommes, mais Dieu connaît vos cœurs : ce qui pour les hommes est supérieur est une horreur aux yeux de Dieu* » (14, 15)[5]. Et c'est ici que Luc introduit la parabole du riche et de Lazare.

Dans ce contexte, la parabole apparaît clairement dans sa fonction polémique. Elle n'est pas adressée en général à tout juif ou à tout croyant. Elle a très précisément pour destinataires ces riches pour qui l'argent ou la richesse, dans le concret de l'existence, sont supérieurs à tout.

À ces riches, la parabole déclare : vous êtes sourds et aveugles ; le pauvre est à votre porte et vous ignorez sa présence, vous ignorez pratiquement son existence. Dès lors, l'évocation de la destinée éternelle – la condamnation au feu pour le riche – a une fonction d'interpellation urgente en vue d'un changement ici et maintenant. Lorsque le riche en appelle à Abraham, afin qu'il lui permette d'aller avertir ses frères, la réponse est : « *Ils ont Moïse et les prophètes* » (16, 28) et « *même si quelqu'un ressuscite des morts, ils ne seront pas convaincus* » (16, 31). Autrement dit, seule la parole, si on veut bien l'écouter, est capable de changer le cœur et, par là, le comportement.

Autre élément significatif dans la parabole, Abraham déclare au riche : « *Entre vous et nous, il a été disposé un grand abîme* » (16, 26). Sans doute cet abîme évoque-t-il l'irrémédiable fracture de l'humanité, ici et maintenant, dès lors que l'argent et sa recherche s'instituent comme valeur déterminante. Or, pour Jésus, le sens même du monde autre dont il se fait le témoin est que chacun trouve sa place dans la communauté humaine, sans discrimination, qu'il soit bien portant ou malade, riche ou pauvre, juste (c'est-à-dire bien considéré) ou pécheur (tenu pour non fréquentable)… Quand on lui demande : « *Quand donc vient le règne de Dieu ?* », il répond : « *Le règne de Dieu ne vient pas comme un fait observable* […] *Le règne de Dieu est parmi vous* » (Luc 17, 20-21). Là où l'argent règne, il y a discrimination, exclusion et mépris (il en va de même quand règne la soif de pouvoir, le culte de la personnalité, etc.) ; là, il n'y a pas de place pour le règne de Dieu.

DANS UN MONDE OÙ L'ARGENT EST ROI

La phrase qui met en rapport de contradiction Dieu et l'argent a une tonalité évidemment religieuse, du fait même qu'elle nomme Dieu. Un texte sur l'argent comme celui-là peut-il avoir sens dans une société totalement différente de celle du Ier siècle en Palestine, dans un monde où l'économie joue un tout autre rôle ? Peut-il avoir sens dans une société plurielle, pour laquelle Dieu n'est plus une référence commune, avoir sens pour ceux et celles qui ne se réfèrent plus d'aucune manière à Dieu ?

Les textes évangéliques sont des documents fortement symboliques ; ils le sont *a fortiori* quand ils parlent en paraboles. Ils font partie du patrimoine culturel et littéraire qui a inspiré et marqué le développement de notre société et de la civilisation occidentale – ce « *patrimoine spirituel et moral* » auquel la Charte des droits fondamentaux de l'Union européenne se réfère et dont elle dit que cette Union est consciente lorsqu'elle « *se fonde sur les valeurs indivisibles et universelles de dignité humaine* » (*Préambule*). Ces textes parlent certes de Dieu, mais ils parlent aussi et en même temps, et d'abord sans doute, de l'être humain, de son existence, de son rapport aux autres, du vivre en société. Et cela, bien sûr, devant Dieu. Mais que veut dire « devant Dieu » ?

DIEU POUR PENSER

Deux citations pour ouvrir à une démarche interprétative.

La première est d'Adolphe Gesché[6] :

> « *L'idée est celle-ci. Que pour bien penser, rien n'est de trop. Que pour bien penser, il faut aller jusqu'au bout des moyens dont on dispose. Or, l'idée de Dieu, même comme pur symbole ou abstraction, représente dans l'histoire de la pensée l'idée la plus extrême, celle au-delà ou en deçà de laquelle il n'y a pas, faux ou vrai, de concept plus ultime. […] Après tout d'ailleurs, le mot Dieu appartient à la culture humaine et à l'intelligence que l'homme a pu prendre de soi-même et du reste des choses. […] La démarche ne pourrait être inadmissible que si elle se présentait comme dogmatique. Mais non, elle présente son Dieu telle une proposition qu'on peut consulter, pour y voir peut-être un signe qui peut éclairer tout homme venu en ce monde. Après tout, le mot "Dieu" existe, et il serait étonnant qu'il ne veuille rien signifier.* »[7]

La seconde citation est de Raimon Panikkar :

« *La question sur Dieu n'est pas d'abord la question sur un Être, mais la question sur la réalité. Si la "question sur Dieu" cesse d'être la question centrale de l'existence, elle n'est plus la question sur Dieu, et celle-ci se déplace vers la problématique qui a pris sa place. Nous ne discutons pas du fait de savoir s'il existe un Quelqu'un ou un Quelque chose avec tels ou tels attributs. Nous posons la question du sens de la vie, du destin de la terre, de la nécessité ou non d'un fondement. Nous nous demandons simplement : qu'est-ce qui est pour chacun l'ultime question ? ou qu'est-ce qui fait que la question ne se pose pas ? [...]* »

« *En d'autres termes, les chrétiens peuvent parler au nom du Christ, les bouddhistes peuvent invoquer Bouddha, les marxistes Marx, les démocrates la Justice et la Liberté, les philosophes la Vérité, les scientifiques l'Exactitude, les musulmans Mahomet, etc., et chacun de ces groupes humains peut se croire l'interprète d'une conviction qui vient de Dieu ou de la réalité elle-même, qu'on l'appelle foi, évidence, raison, sens commun ou tout autre chose. Mais si le nom de Dieu doit jouer un rôle en tout cela, il doit être un symbole d'un autre ordre, un symbole qui serve à déraciner l'absolutisme de toute activité humaine, un symbole qui mette au jour la contingence de toutes les entreprises humaines et rende ainsi impossible tout totalitarisme de quelque type que ce soit.* »[8]

Gesché et Panikkar, théologiens chrétiens, ne cachent pas que le symbole Dieu renvoie pour eux à un être personnel dont le Christ est la figure privilégiée, mais ils cherchent à manifester l'efficacité possible du symbole lui-même, au-delà de la différence des convictions et de l'adhésion ou non à ce à quoi il peut ou pourrait référer.

Il faut ajouter que ce symbole lui-même est fragile. Il peut être réduit, par ceux-là mêmes qui disent croire en Dieu, à une référence dogmatique et totalitaire, à un instrument de pouvoir, de manipulation et d'exclusion : la foi ou la croyance devient alors idolâtrie.

DIEU OU L'ARGENT ?

La relation difficile, le dialogue apparemment avorté qui se noue entre Jésus et quelques riches tout au long du chapitre 16 de Luc, évoque ce qu'il peut advenir quand une personne ou un groupe social fait de l'argent ou de la richesse la valeur première de l'existence.

La parabole du riche et de Lazare suggère d'abord que l'environnement créé par l'opulence ou la fortune a tendance à générer une bulle où on est heureux de retrouver ses semblables : le riche fait la fête avec ses amis. Mais cette bulle fait aussi tomber un voile qui empêche de voir ce que vit concrètement l'autre monde, celui des pauvres. Le risque est que se forme ainsi un abîme tel que les deux mondes en deviennent incommunicables. Quand l'argent ou le capital règne en maître, l'humanité ne peut accéder à l'unité, et sans doute se condamne-t-elle ainsi à la violence, cette violence de mort signifiée par le destin du riche.

Cette violence est-elle pourtant inéluctable ? Le texte suggère que non, par trois de ses traits.

La parabole du gérant malhonnête et habile se termine par cette conclusion : « *Faites-vous des amis avec l'argent trompeur pour qu'une fois celui-ci disparu, ces amis vous accueillent dans les demeures éternelles.* » Il y a certes une suspicion jetée sur l'argent : il est trompeur, il risque bien d'égarer celui qui lui fait trop confiance. Les événements récents, en particulier les faillites retentissantes de ces derniers mois, manifestent clairement combien une confiance aveugle fondée sur le seul principe de l'enrichissement financier le plus immédiat est trompeuse et peut conduire à des catastrophes. Mais au-delà de cette méfiance, le texte ne condamne pas l'argent : il suggère qu'un autre usage est possible. Il peut créer des liens de solidarité, c'est-à-dire de reconnaissance positive réciproque, qui sont comme une anticipation de l'humanité réconciliée qu'on espère, espérance signifiée dans le texte par les demeures éternelles.

À ceux « *qui aimaient l'argent* », Jésus dit assez brutalement : « *Vous montrez votre justice aux yeux des hommes, mais Dieu connaît vos cœurs : ce qui pour les hommes est supérieur est une horreur aux yeux de Dieu.* » En tout être humain bat un cœur, lieu de l'intuition et de la conscience. Ce cœur peut s'établir durablement dans la contradiction, au point peut-être de s'aveugler complètement. Cette « *horreur aux yeux de Dieu* » se fait plus ou moins sentir ou entendre au cœur de notre humanité. La Déclaration universelle des droits de l'homme est un signe à cet égard. Quelles que soient les pratiques réelles, il y a reconnaissance de principe d'une humanité une, au sein de laquelle chaque être humain, du seul fait qu'il est humain, a des droits. De ce point de vue, certains sont plus ou moins consciemment cyniques : la Déclaration n'est qu'une déclaration ; la réalité, c'est la pratique économique et le marché, le reste étant littérature. La plupart des gens vivent sans doute des compromis plus ou moins boiteux entre la sensibilité à la souffrance et au malheur de l'autre et les contraintes déclarées de la pratique économique. Et ce qui est vrai au plan des individus l'est davantage encore au niveau collectif… Cependant, parce qu'il y a le cœur, des changements sont aussi possibles. Le texte évangélique n'aurait pas de sens en dehors de ce présupposé.

En outre, il y a la finale de la parabole : « *S'ils n'écoutent pas Moïse, ni les prophètes, même si quelqu'un ressuscite des morts, ils ne seront pas convaincus.* » Conclusion en apparence très pessimiste. Il n'y a que la voix des témoins de la foi, des témoins de la dignité et de la fraternité humaines, qui puisse se faire entendre, qui puisse faire entendre le cri des pauvres... Mais cette voix n'est pas entendue. Conclusion pessimiste, sans doute. Mais curieusement, le chapitre 16 de Luc se termine sur ces mots, la suite du texte, au chapitre 17, traitant de tout autre chose (des questions concernant la foi). Il ne répète pas que ceux qui aiment l'argent ricanent, comme il l'avait relevé auparavant... Après tout, peut-être certains se laissent-ils quand même toucher ? La porte reste ouverte.

Le règne du marché ?

Le marché laissé à lui-même est aveugle. Doublement. D'abord en ce qui concerne la réussite de ses propres critères, à savoir l'augmentation du profit et donc de la richesse, censée soi-disant avoir au final des retombées au profit de tous en se redistribuant. C'est cette augmentation elle-même, au contraire, qui conduit de plus en plus à de cuisantes surprises quand la Bourse s'effondre et que certaines des plus grandes entreprises mondiales, louées par tous pour leur gestion d'avant-garde, sont conduites en quelques semaines à la faillite. Mais le marché est aveugle aussi dans son incapacité à rencontrer l'ensemble des biens non solvables, soit en raison du manque de ressources des gens, soit parce qu'ils sont de l'ordre des biens publics, comme l'environnement.

De ce point de vue, la situation de nos sociétés est très ambiguë : il y a pour le moins tension et souvent contradiction entre l'affirmation de principes et les déclarations d'intention, d'une part, et les pratiques économiques et politiques réelles, d'autre part. Ainsi, quand la Charte des droits fondamentaux déclare dans son préambule : « *L'Union se fonde sur les valeurs indivisibles et universelles de dignité humaine, de liberté, d'égalité, de solidarité ; elle repose sur le principe de la démocratie et le principe de l'État de droit. Elle place la personne au cœur de son action...* », on peut dire que, symboliquement, c'est « Dieu » qui est la référence, au sens où Panikkar entend la signification du mot. La réalité, c'est qu'on fait beaucoup de concessions au marché. Ou plutôt, sans doute, que l'économie, et donc le marché, est la référence première, mais qu'on lui impose quelques limitations en vertu des principes d'humanisme – concessions qui sont certes parfois significatives, mais qui restent très en deçà des principes déclarés : la personne mise au cœur de l'action.

Il faut se réjouir des déclarations du président de la Commission européenne, Romano Prodi, en vue du Sommet mondial sur le développement durable de Johannesburg (août-septembre 2002). Constatant que ce sont les populations les moins développées économiquement, et qui ont le moins de ressources pour réagir, qui sont les plus menacées par les changements climatiques, il affirme :

> « *La réponse, la seule réponse conforme à nos valeurs, est la solidarité. Notre monde est un et l'économie est de plus en plus globalisée. Nous devons démontrer que nous n'avons pas l'intention de la laisser gérer par les seules forces du marché, souvent sauvages, démontrer que nous sommes capables de régler les problèmes mondiaux, y compris ceux de l'environnement et du développement, par une gestion concertée, en appliquant le droit international et à l'aide d'institutions multilatérales efficaces et transparentes.* »[9]

La bonne foi de Romano Prodi n'est pas en cause, mais chacun sait que les décisions de Johannesburg, pour autant qu'il y ait réellement des décisions, seront très en deçà d'une telle intention. Sans doute, l'Union européenne cherchera à faire en sorte que le Sommet ne soit pas un échec et qu'il s'oriente dans le bon sens. Mais le marché imposera à la solidarité européenne des limites qui resteront très contraignantes. Et tant en ce qui concerne le développement que l'environnement, nous nous préparons peut-être des catastrophes sans précédent et bien des violences qui pourraient pourtant être évitées si la volonté politique de faire prévaloir les principes déclarés était plus forte…

De tout temps, l'argent se montre trompeur : lorsqu'il devient le maître, il conduit à la mort. Jésus et les évangélistes à sa suite l'avaient bien perçu : ils le déclarent dans leur langage abrupt. Ne contribuent-ils pas, à leur manière, à faire retentir la question dans l'aujourd'hui ? Mais sommes-nous personnellement et collectivement, politiquement prêts à entendre non pas l'évangile – à chacun de se situer en liberté – mais la question elle-même, essentiellement humaine et sociétale, dont il est l'un des échos majeurs dans l'histoire de notre culture ?

« *S'ils n'écoutent pas Moïse, ni les prophètes…* » La voix des prophètes, témoins de l'appel éthique, ne cesse de retentir au long des siècles, à partir de sources d'inspiration multiples. N'est-elle pas entendue ? Répondre simplement « *non* » serait faire injure à l'histoire et à l'humanité. Les prophètes ne sont pas assez entendus, certes. Mais dans de nombreux domaines, la conscience éthique progresse et de modestes décisions politiques s'ensuivent, décisions qui, bien souvent, brident le seul pouvoir de l'argent. La visée de l'égalité entre hommes et femmes, certaines décisions environne-mentales, le traité sur les mines antipersonnel en sont des exemples, de même que les débats sur les différentes possibilités de contrôler davantage et de taxer les transactions financières internationales. L'unilatéralisme des États-Unis est en même temps l'expression de la résistance de l'argent : les intérêts des entreprises et du commerce d'abord !

En cette année du bicentenaire de la naissance de Victor Hugo, je lui laisse la plume pour conclure :

> « *Je sais que les philosophes vont vite et que les gouvernements vont lentement ; cela tient à ce que les philosophes sont dans l'absolu, et les gouvernants dans le relatif ; cependant il faut que les gouvernants finissent par rejoindre les philosophes. Quand cette jonction est faite à temps, le progrès est obtenu et les révolutions sont évitées. Si la jonction tarde, il y a péril. Sur beaucoup de questions à cette heure, les gouvernants sont en retard. […]* »

> « *Il est urgent que les législateurs prennent conseil des penseurs, que les hommes d'État, trop souvent superficiels, tiennent compte du pro-fond travail des écrivains, et que ceux qui font les lois obéissent à ceux qui font les mœurs. La paix sociale est à ce prix. Nous philo-sophes, contemplateurs de l'idéal social, ne nous lassons pas.* »[10]

Août 2002

Ignace Berten est dominicain et théologien. Né en 1940 à Bruxelles, il est entré chez les dominicains en 1958. Il a été professeur à l'Institut national *Lumen Vitae* (Bruxelles) de 1969 à 1976 et formateur en milieux populaires de 1976 à 1993. Il a notamment publié : *Christ pour les pauvres. Dieu à la marge de l'histoire*, 1989 ; *Travail et solidarité. Éthique et spiritualité*, en collaboration avec Hugh Puel, Jef van Gerwen et John Sweeney, Rennes, 1996 ; *Travailler pour vivre ?*, en collaboration avec Jean-Claude Lavigne, 1997 ; *Figures bibliques et sens du travail*, 1998.

NOTES

[1] D'autres paraboles évangéliques s'appuient aussi sur l'image de la gestion de l'argent : la parabole des mines, chez Luc (Luc 19, 11-27) ou des talents, chez Matthieu (Matthieu 25, 14-30), mines et talents étant des monnaies de l'époque. Sous une forme un peu différente dans les deux évangiles, la parabole présente un homme riche qui, partant en voyage, confie sa fortune à ses serviteurs, ceux-ci ayant charge de la valoriser. Certains y réussissent plus ou moins bien, un autre enterre l'argent reçu et le laisse dormir jusqu'au retour du propriétaire. Ce dernier est vivement critiqué. En fait, dans ces paraboles, l'image de l'argent, de la banque et de l'intérêt ne parle pas de l'argent et de sa gestion (contre une interprétation immédiatement littéraliste), mais de la parole reçue, parole de sens, parole de Dieu, par rapport à laquelle il y a responsabilité de la faire fructifier. Le langage parabolique renvoie toujours à la question du sens du texte par et au-delà de l'image qui en constitue la trame.

[2] Cette phrase se retrouve identiquement dans l'évangile de Matthieu (6, 24). Elle semble bien remonter au fonds le plus ancien des paroles de Jésus dont on a gardé le souvenir sans doute à peu près littéral.

[3] La condamnation de la dévotion religieuse qui n'est pas l'accompagnement d'une pratique de solidarité concrète s'exprime à différentes reprises dans les évangiles : cf., à titre d'exemple, Matthieu (7, 21-23 et tout le chapitre 25) ; et aussi Luc (6, 46 ou 13, 27).

[4] Il s'agit ici d'une généralisation : tous les pharisiens n'étaient pas riches, loin de là ; tous n'étaient pas non plus hypocrites... Historiquement, il aurait sans doute été plus correct de dire : « *Certains juifs qui aimaient l'argent...* »

[5] Ce verset est suivi de trois autres qui n'ont rien à voir avec l'argent, mais qui sont probablement placés à cet endroit à partir du thème de l'hypocrisie dans la manière d'appliquer la loi.

[6] Adolphe Gesché publie un ensemble de petits volumes réunis dans une série qui a pour titre *Dieu pour penser*. Le premier volume de cette série, *Le Mal*, est introduit par un avant-propos qui explicite la démarche d'ensemble.

[7] GESCHÉ (Adolphe), *Le Mal*, Paris, Cerf, 1993, p. 7-9.

[8] PANIKKAR (Raimon), *L'Expérience de Dieu*, Paris, Albin Michel, 2002, p. 14 et 21-22.

[9] « Développement durable : la responsabilité de l'Europe », in *Le Monde*, 10 août 2002.

[10] HUGO (Victor), « La femme » (1872), in *Écrits politiques*, anthologie établie et annotée par Frank Laurent, Paris, Livre de Poche, 2001, p. 312-313.

Étienne Perrot

LA MONNAIE SCRIPTURALE, NOUVELLE ÉCRITURE

Banal est le rapprochement des vocabulaires de la finance et du monde religieux occidental. *Fides* et fiduciaire, credo et crédit, créance et croyance. Au XVIe siècle, Venise et Gênes fondent leur banque nationale « *sotto la fede pubblica* ». Les pièces de monnaie maltaises naguère portaient inscrit « *Non aeres sed fides* » (« *Ce n'est pas du métal, c'est de la foi* »). Sans parler des dollars qui professent « *In God we trust* » ! Est-il possible d'aller plus loin qu'un simple rapprochement des mots ? Oui. Au-delà du vocabulaire, il est souhaitable de rapprocher également le mode de fonctionnement des deux instances. En effet, institutions financières comme institutions judéo-chrétiennes combinent deux éléments contradictoires : outre une relative autonomie des individus qui, selon les analyses de Michel de Certeau, pratiquent autant qu'ils le peuvent la « perruque »[1] et le « braconnage » socio-économiques, argent et religions judéo-chrétiennes appellent une cléricature, celle des docteurs de la loi, prêtres, intellectuels ou hauts fonctionnaires, qui place « l'administrateur des biens de salut » en position de surplomb au-dessus de la société civile, pour lui assigner une direction. D'un côté, les autorités monétaires confisquent d'une manière toute cléricale les avantages symboliques de la création monétaire, au nom de la nécessaire régulation des échanges de créances. De l'autre côté, la société civile résiste, forte de son rôle essentiel dans une institution qui marche à la confiance.

L'argent, créance à vue sur une communauté de paiement, est le degré zéro de la finance. L'argent donne à celui ou à celle qui le possède, non pas directement une richesse, mais une créance sur la richesse à venir, créance qui peut être honorée à tout moment. Car l'horizon temporel de l'argent se présente comme échu potentiellement à tout instant, l'instant zéro pourrait-on dire, selon le bon vouloir de ce créancier particulier qu'est le détenteur d'encaisses monétaires.

UNE SUBSTITUTION HISTORIQUEMENT SITUÉE

Ces rapprochements formels et institutionnels entre l'argent et les religions judéo-chrétiennes ouvrent la carrière d'une hypothèse qui doit tout au caractère occidental de l'invention du papier-monnaie au XVIIIe siècle, hypothèse selon laquelle l'argent a pris la place de l'Écriture, non seulement dans l'imaginaire, mais également dans le fonctionnement et la dynamique contradictoire de la société moderne. L'hypothèse est banale, si l'on se rappelle que la monnaie inscrite sur le métal tout comme le papier-monnaie ne sont qu'une des formes primitives de la monnaie « scripturale », cette monnaie d'écriture dont le symbole se lit dans les livres des banques, au passif de leurs bilans, et dont la contrepartie, inscrite à l'actif du bilan, est justement les crédits accordés à la société civile. La monnaie dite fiduciaire, celle créée par les banques centrales, met en jeu des mécanismes scripturaires identiques. Outre les créances réescomptées issues de la société civile, les postes qui nourrissent l'actif des banques centrales sont, en effet, des créances sur l'État ou sur les pays étrangers, marginalement sur des métaux précieux[2].

En fait, qu'elle soit écrite sur du métal, du papier ou simplement dans les livres des banques, la monnaie scripturale rencontre les mêmes problèmes que l'Écriture dont elle prend la place. Selon un processus déjà bien repéré par Karl Marx, le médiateur a phagocyté les deux termes. « *Quand le doigt montre la lune, l'imbécile regarde le doigt* », dit le sage taoïste ; quand l'argent montre les valeurs marchandes à venir, l'imbécile regarde l'argent. Dès le premier chapitre de la première section du premier livre du *Capital*, Karl Marx, après avoir analysé la forme monnaie de la valeur d'échange, dénonce cette idéologie monétaire qui ne voit pas que les prix camouflent la réalité des rapports sociaux. Le « fétichisme de la marchandise », comme il dit, consiste à prendre pour de simples rapports quantitatifs ce qui procède en fait de la dynamique d'un système. Ce camouflage des rapports sociaux dans le texte chiffré de l'argent est indispensable au fonctionnement de la société capitaliste. L'illusion produite par le fonctionnement du système est donc une illusion nécessaire. « *Pour les producteurs, les rapports de leurs travaux privés apparaissent ce qu'ils sont, c'est-à-dire non pas des rapports sociaux immédiats des personnes dans leurs travaux mêmes, mais bien plutôt des rapports sociaux entre les choses. C'est seulement dans leur échange que les produits du travail acquièrent comme valeur une existence sociale identique et uniforme, distincte de leur existence matérielle et multiforme comme objet d'utilité* »[3] (souligné par Marx).

Cette existence sociale identique et uniforme est celle des chiffres inscrits sur le métal, le papier-monnaie ou les livres bancaires. Texte chiffré, dans les deux sens de l'expression. La particularité des travaux et la singularité des individus y sont cachées derrière l'homogénéité des chiffres. Mais en même temps, ce texte « chiffré » n'est pas le pur et simple reflet d'une société marchande plus lointaine ; il interprète la société en termes de valeurs économiques. Jean-Michel Servet parlerait ici avec raison de « la fable du troc ». Car l'argent n'est pas simplement un outil pratique pour faciliter le troc, pour mesurer ou conserver les valeurs d'échange ; il est, comme toute abstraction verbalisée, instituteur du social ; il participe à la reproduction et au développement de la société de marché, non sans effet sur les pratiques et les résultats économiques, comme en témoignent chaque jour et de plus en plus les effets réels des spéculations monétaires et financières. Bref, la monnaie scripturale, comme tout texte, est déjà une interprétation qui oriente l'action.

Cette interprétation des rapports sociaux occultés par la forme monétaire se coule avec bonheur dans son archétype biblique. Non pas pour des raisons contingentes de pauvreté de vocabulaire, par manque de concepts aptes à traduire l'inscription sociale de la monnaie, mais pour des raisons historiques. Au siècle des Lumières, l'argent apparaît nettement comme le substitut des religions judéo-chrétiennes en tant que principal vecteur du lien social en Occident. La substitution est d'autant plus facile que, depuis le XIIIe siècle occidental, l'État naissant remplace de plus en plus la religion comme socle institutionnel de la société[4]. Au siècle des Lumières, l'argent prend à son tour le premier rôle. Ce n'est donc qu'un apparent paradoxe que de rapprocher terme à terme les trois pôles anthropologiques de l'argent et ceux de l'Écriture judéo-chrétienne : le testament, la promesse et le symbole.

Le testament

Dans la tradition judéo-chrétienne, l'Écriture se présente comme un testament relu et réécrit à chaque génération, le second testament, celui que les chrétiens qualifient de nouveau, pouvant facilement être compris comme une interprétation de l'ancien, qui lui-même contient déjà maintes relectures du même type. Le testament, figé sur un support matériel comme la dernière parole du mort, désigne à des ayants droit un héritage. Dans la Bible, ce qui est ainsi transmis du mort au vif, c'est au premier chef la loi, gravée, selon la légende biblique, sur des tables de pierre ; puis la terre, signée par les tombeaux mythiques creusés dans des endroits acquis à grands frais[5] ; puis le temple, inscription, dans l'architecture, d'un cosmos parfait ; et enfin la cité, dont l'archétype est Jérusalem. Aucun de ces écrits (tables de la loi, territoire, temple, cité) ne peut être conservé. Le bon sens évoquerait ici la décomposition naturelle des supports les plus solides, ou encore les vicissitudes militaires. Plus fondamentalement, ces écrits ne peuvent jouer leur rôle de testament qu'en changeant de forme, pour laisser la place à un nouvel écrit. Car l'accomplissement de l'Écriture ne s'opère que dans un nouvel écrit. De même que les potentialités de l'argent ne se réalisent que si l'argent disparaît dans le tombeau du tiroir-caisse pour ressusciter sous la forme de marchandise.

Dans cette dialectique du mort et du vif, l'argent garde trace du sang versé en contrepartie. L'argent est le produit du travail mort, dirait Karl Marx en pensant au travail cristallisé dans le produit. Georg Simmel, de son côté, rattache l'ancien schilling anglo-saxon au tragique « skillan » (que l'on peut traduire par « j'ai tué », ou « j'ai blessé ») qui servait d'unité de réparation pénale[6]. Et nombreuses sont les unités monétaires, dont le denier, la drachme, le sou, qui représentaient le journalier anéanti. Plus généralement, l'argent naît du sacrifice passé. Poussant jusqu'au bout cette logique, l'univers sanguinaire du marquis de Sade fait jouer à l'argent ce rôle de fleur de lotus qui émerge de la fange. Non seulement les jeux libertins supposent de quoi payer l'amour vénal, comme l'analyse Georg Simmel à propos de la prostitution, mais plus encore, chez le divin marquis, la richesse monétaire témoigne des crimes accomplis. Juliette jouit de la contemplation de son coffre rempli d'argent et d'or, moins pour la richesse qu'il représente que pour la mémoire des bassesses dont il est la trace.

L'Écriture est d'abord un mémorial de la loi qu'il faut accomplir de toute nécessité. Dans la société monétarisée, la loi de la valeur marchande, pour parler comme Karl Marx, est une loi de l'accumulation monétaire. Dans les deux cas, la loi s'accomplit dans sa réécriture. Même la plus succincte analyse de l'échange monétaire met au jour le cadre imposé par l'argent. La société d'échange généralisé, où l'on produit, non pas d'abord pour soi-même quitte à vendre son surplus, mais directement pour le marché, fait de l'argent non seulement le moyen, mais aussi le but. Nonobstant les incohérences comptables du troisième livre du *Capital*, l'argent a une fonction d'occultation des contradictions sociales, ce qui lui permet d'être vecteur de promesses dont la réalisation passe par une réécriture permanente, l'accumulation de l'argent[7].

La promesse

L'Écriture biblique n'est pas seulement un testament, pas plus que l'argent n'est un pur reflet du travail passé. Ils se présentent tous deux également comme une promesse : Terre promise, Jérusalem céleste, messie. Voilà une problématique du retour qui fait irrésistiblement penser au retour sur investissement cher aux analystes financiers. Ce rapprochement verbal s'enracine dans l'expérience la plus générale qui veut que la valeur de l'argent dépende de la production et de la circulation des marchandises à venir. Je n'accepte un billet de cent euros que si je suis convaincu qu'il me permettra de payer plus tard une marchandise qui compensera le plaisir ou la santé sacrifiés pour obtenir le billet. Cette créance sur une communauté future présente un aspect de spéculation, au sens originaire du mot. Le spéculateur, dans les temps pré-modernes, était celui qui cherchait à voir plus loin. À la manière du spéculum médical, ou encore de la spéculation intellectuelle qui construit des concepts pour voir une autre réalité. Ce sens est resté dans le monde agricole où la spéculation, avant d'évoquer un jeu de hasard portant sur la hausse des prix, désigne d'abord les risques pris par l'exploitant qui choisit son emblavure et la rotation de ses productions selon les parcelles.

Spéculative aussi dans ce premier sens est donc l'attitude qui voit dans le signe monétaire les marchandises qu'il peut procurer. Attitude mise en scène avec brio par Denis Diderot dans *Le Neveu de Rameau* :

> « *L'or est tout, et le reste, sans or, n'est rien.* […] *Lorsque je possède un louis, ce qui ne m'arrive pas souvent, je me plante devant mon fils. Je tire le louis de ma poche. Je le lui montre avec admiration. J'élève les yeux au ciel. Je baise le louis devant lui. Et pour lui faire entendre mieux encore l'importance de la pièce sacrée, je lui bégaye de la voix ; je lui désigne du doigt tout ce qu'on peut acquérir, un beau fourreau, un beau toquet, un bon biscuit. Ensuite je mets le louis dans ma poche. Je me promène avec fierté ; je relève la basque de ma veste ; je frappe de la main sur mon gousset ; et c'est ainsi que je lui fais concevoir que c'est du louis qui est là que naît l'assurance qu'il me voit.* »[8]

Comme pour l'Écriture, la promesse portée par le signe monétaire est d'autant plus grande qu'est indéfinie la forme des marchandises qu'il désigne de loin. Comme Protée, l'argent, de par sa liquidité, peut prendre n'importe quelle forme. Du coup, son pouvoir d'acquisition semble n'être limité que par l'imagination. *Le Neveu de Rameau* en témoigne à sa manière. Le louis peut acquérir de multiples marchandises (fourreau, toquet, biscuit), mais il ne peut les obtenir toutes à la fois. Seule la conservation intacte du signe monétaire produit dans l'imagination cette illusion du pouvoir illimité. L'argent promet tout. C'est une promesse écrite sur du métal précieux, sur du papier, dans les livres bancaires, promesse à la fois institutionnelle et anonyme. Promesse chiffrée, car elle traduit en chiffre la richesse et le pouvoir de demain.

Cette promesse est faite à chacun des détenteurs de monnaie. Et ce n'est pas le moindre de ses charmes que de réaliser à sa manière les valeurs individualistes du capitalisme, tout en dépendant pour sa réalisation de l'état du monde économique et social futur. Avec de l'argent, chacun peut tout. Chacun est libre sur le marché. Le mendiant qui a faim préfère sans phrase les trois euros du sandwich que le sandwich de même valeur. Car avec les trois euros il peut acheter le sandwich, ou autre chose. L'argent est la liberté frappée, disait Dostoïevski. Liberté doublement limitée, au demeurant, par la quantité disponible, d'une part, et par les conditions du marché, d'autre part. Liberté conditionnée, qui plus est. Sans attendre les analyses psychosociologiques des consommateurs, Karl Marx faisait remarquer que l'ouvrier qui désire des pommes de terre et la femme entretenue qui désire des dentelles sont persuadés l'un comme l'autre d'obéir à leur seul libre arbitre, alors qu'ils ne font que souhaiter ce qui correspond à leur fonction dans la société. Bref, l'argent comme l'Écriture portent des promesses dont la réalisation est toujours circonscrite dans les limites de la société. Mais ces promesses, toujours repoussées à plus tard, rendues indéfinies par l'abstraction du chiffre monétaire, produisent des effets très actuels, ceux du symbole.

LE SYMBOLE

De nombreux chrétiens, notamment parmi les catholiques, ne se reconnaissent pas membres d'une « religion du livre », comme disent les musulmans, mais plutôt d'une religion de la tradition. L'Écriture n'est pour eux qu'une référence commode, symbole, signe de reconnaissance d'une communauté. Dans ce cadre, l'Écriture, dans sa matérialité de papier, n'est qu'un témoin que l'on se passe d'âge en âge, réinterprétant en permanence son contenu et jouant sur ses contradictions internes et sur la variété de ses genres littéraires. L'argent fonctionne de la même façon comme symbole monétaire, au sens premier du mot « symbole » : c'est un gage reçu pour les travaux et sacrifices passés, et garant des richesses à venir ; c'est donc un vecteur qui unit la communauté de travail du passé à celle de l'avenir. Dans la mouvance des Lumières, les premiers libéraux découvrent dans l'argent cette institution magique, non cléricale en apparence et cependant productrice de lien social. Car l'argent, « *seconde humanité* » après le langage, comme disait John Locke, permet l'échange. Le « commerce », échange de mots entre gens d'esprit tout autant qu'échange de marchandises, est alors réputé non violent. « *Doux commerce* », disait Montesquieu en l'opposant à la violence des armes religieuses ou politiques. L'argent apparaît comme le vrai fondement du lien social universel. En témoigne Voltaire, regardant la Bourse de Londres :

> « *Entrez à la Bourse de Londres, cette place plus respectable que bien des Cours ; vous y voyez rassemblés les députés de toutes les nations pour l'utilité des hommes. Là, le juif, le mahométan et le chrétien traitent l'un avec l'autre comme s'ils étaient de la même religion, et ne donnent le nom d'infidèles qu'à ceux qui font banqueroute ; là le presbytérien se fie à l'anabaptiste, et l'anglican reçoit la promesse du quaker... »*

Tirée de la sixième *Lettre anglaise*, cette analyse audacieuse prétend que le fondement de la société, la véritable religion qui relie au lieu de diviser, c'est l'argent. L'argent capable de concilier, comme le Christ dans une certaine théologie, valeur universelle et homme singulier... Sans rejeter systématiquement cette référence au Christ, les premiers héritiers des Lumières, francs-maçons du XVIIIe siècle, partagèrent cette conviction. La Bourse d'Édimbourg fut construite à l'aide des subsides payés par les loges écossaises ; elle fut inaugurée en grande pompe par le Grand Maître des maçons écossais, revêtu de ses décors, en 1753.

C'est encore le XVIIIe siècle qui, au nom du principe d'égalité, fit faire au calcul actuariel ses progrès les plus décisifs. Faiguet de Villeneuve, auteur de l'article « Épargne » dans l'*Encyclopédie* de Diderot, publie l'un des premiers ouvrages de mathématiques financières, l'arithmétique politique, disait-on alors, car elle servait surtout à calculer le service de la dette royale. Faiguet mobilise le calcul des intérêts composés au service de l'enrichissement et du perfectionnement de l'humanité. Ce genre de calcul passionne ses contemporains. Il vise à répondre à une question de justice : comment faire en sorte que les prestations futures et les versements d'aujourd'hui soient équivalents ? La réponse fournie par la technique de l'actualisation montre bien la dualité de l'argent et de la durée. Mais qui dit durée dit aléas. Il ne restera plus qu'à combiner ces techniques avec celles des probabilités mises au jour par Blaise Pascal, résolvant avec élégance, un siècle auparavant, le problème dit des partis, pour fonder scientifiquement la finance contemporaine.

Malheureusement, l'avenir brillant promis par l'argent est tout aussi impénétrable que celui annoncé par les Écritures. Beaucoup d'évènements géologiques, climatiques, sociaux, culturels, politiques, économiques, où s'incarneraient les promesses de l'argent, ne sont pas probabilisables. L'élargissement de l'espace économique accentue l'incertitude et la volatilité des prix sur les marchés. La complexification croissante des réseaux économiques rend les contrôles plus difficiles, engendrant de multiples rentes économiques qui nourrissent la corruption du corps social. Certes, les modèles économiques multiplient les variables et tiennent compte de mieux en mieux des relations non linéaires ; cela renforce leur pouvoir explicatif mais diminue en même temps leur pouvoir prédictif. Sur certains segments du marché, la visibilité diminue au point de disparaître tout à fait. Cette opacité de la vie économique favorise les attitudes que l'on croyait réservées à l'univers religieux, attitudes spéculaires à base de mimétisme. Face à un avenir totalement incertain, il est rationnel en effet d'agir par imitation. De tous les acteurs, l'un au moins sera plus éclairé, entraînant les autres dans la bonne voie. Aussi rationnelle soit-elle, cette hypothèse conduit à des évaluations monétaires parfaitement conventionnelles. Non pas arbitraires, comme si les évaluations dépendaient du libre arbitre des acteurs individuels, mais fruits d'une convention sociale à laquelle n'est imposée que celle de l'interaction mutuelle.

L'ARGENT OU LE PRIX DU TEMPS

« *Le temps, c'est de l'argent* »[9] : le temps a donc un prix exprimable en monnaie. Mais pourquoi le prix du temps s'établit-il, par le truchement du taux d'intérêt, à 4 % plutôt qu'à 6 % ou à tout autre niveau ? La réponse des économistes a quelque chose de trivial. Ils invoquent les lois du marché, la concurrence entre l'offre et la demande, ici entre les épargnants et les emprunteurs. *Obscurus per obscurius* ! L'explication est plus obscure que le phénomène expliqué. Car les motifs des uns et des autres sont étroitement conditionnés par l'idée qu'ils se font de l'avenir. Si je crains la faillite de l'emprunteur, ou simplement l'inflation des prix, je n'accepterai de prêter qu'à un taux qui couvre ces risques. L'incertitude est plus grande encore lorsque la créance porte non pas sur un montant déterminé à l'avance, comme dans l'exemple précédent, mais sur des revenus qui dépendent de la conjoncture économique. Le profit des entreprises dépend non seulement de la bonne gestion des dirigeants, mais également de mille autres événements politiques, réglementaires, économiques, monétaires, voire militaires, sur lesquels les gestionnaires n'ont guère de prise. Le taux d'intérêt demandé détermine ainsi un prix du temps qui intègre dans la durée chronologique tous les aléas imaginables et qui incorpore le risque subjectif tel qu'il est fantasmé par les épargnants. Il en va de même pour les emprunteurs. Ils ne s'engagent généralement à payer le prix convenu que s'ils ont l'espoir, fondé sur des conjectures évanescentes, de pouvoir rembourser en gardant un surplus. Si les profits envisagés semblent trop faibles, ils s'abstiendront.

Sur ces difficultés à percer le brouillard de l'avenir, se greffe la pratique spéculaire qui consiste non pas à prévoir l'état du monde économique futur, mais à anticiper ce que les intervenants sur le marché imaginent de l'état futur du marché. C'est tout différent ! À l'instar de la mauvaise spéculation intellectuelle qui, plutôt que d'élaborer des concepts afin de mieux percevoir une réalité cachée sous le voile des apparences, fait travailler les concepts comme autant de miroirs dans un labyrinthe, l'attitude spéculaire utilise le marché comme un auto-référent des événements futurs. Toutes les formes de gestion boursière dites « chartistes » fonctionnent en fait sur ce principe. Elles tirent des prix passés des informations sur les prix à venir. Si je pense que Nestlé est une entreprise bien gérée dans un secteur porteur d'avenir, j'achèterai peut-être des actions Nestlé. Cependant, si je suis persuadé que les gestionnaires de fonds parient sur une baisse de l'action Nestlé, je n'achèterai pas, éventuellement même je vendrai en attendant que les intervenants changent d'opinion. Si tous les intervenants raisonnent de la même façon, la question rationnelle à poser est moins « Sont-ils haussiers ou baissiers ? » que « Pensent-ils que je suis haussier ou baissier ? » Cette logique spéculaire m'entraîne irrémédiablement vers une troisième question préalable, tout aussi rationnelle : « Pensent-ils que je pense qu'ils pensent être haussiers ou baissiers ? », etc. *ad nauseam.*

Cette régression indéfinie est comparable à deux miroirs placés face à face et qui se reflètent sans fin, dans une sorte de construction « en abyme », comme disent les théoriciens de l'art. Keynes pensait qu'une telle situation angoissante, née de l'incertitude radicale sur les marchés boursiers, trouvait sa solution spontanée dans ce qu'il nommait une « convention ». En cas d'incertitude absolue, le moindre signe, le moindre événement, permet, disait-il, de cristalliser le prix boursier sur un niveau conventionnel. Le taux d'intérêt se prête particulièrement bien à cette logique en abîme. Car l'évaluation du temps intègre la crainte de maints événements inconnus qui n'ont d'autre réalité que l'imaginaire des intervenants.

LES MANIPULATEURS DE SYMBOLES

L'avenir professionnel du monde appartient, selon Robert Reich, aux manipulateurs de symboles[10]. Les manipulateurs de symboles désignent, selon lui, non pas d'abord les prêtres ou les francs-maçons, mais les conseillers, les experts, les publicitaires et, au premier chef dans le contexte économique d'aujourd'hui, la caste des financiers qui, nouvelle sibylle, interprète les signes fugitifs et les traduit en valeurs monétaires. Pour mettre de l'ordre dans un monde embrouillé et permettre ainsi une analyse opératoire, les manipulateurs de symboles développent les trois qualités intellectuelles propres à toute cléricature. D'abord, une grande capacité d'abstraction, indispensable pour formuler les « bonnes » questions. Il s'agit de manier les formules, les analogies, les modèles, les constructions intellectuelles, les catégories et les comparaisons pour accéder au royaume de l'interprétation et ordonner ainsi le chaos des phénomènes. Les manipulateurs de symboles se montrent donc créateurs de significations, selon la voie du premier chapitre de la Bible judéo-chrétienne dans lequel la création se déploie, non pas à partir de rien, mais à partir d'un tohu-bohu primitif que l'on ordonne par séparations successives : ténèbres / lumière ; humide / sec ; minéral / végétal ; plante / animal ; animal / être humain ; homme / femme. Deuxième qualité des manipulateurs de symboles, ils sont aptes à penser les systèmes, ces structures complexes avec leurs *dialogies*, leurs causalités circulaires que les pédants nomment « récursions organisationnelles », et leur composition hologrammatique qui permet de repérer le tout reflété dans chacune des parties. Enfin, ils ont le sens de l'expérimentation des phénomènes. C'est dire qu'ils ont la capacité de formuler des hypothèses réfutables, capacité nourrie du travail en équipe indispensable pour répondre à la spécialisation des tâches, et qui permet de découvrir les procédures de subsidiarité réciproque.

Bref, les manipulateurs de symboles forment la véritable cléricature de la société de marché, capable de catalyser les conventions sur lesquelles se cristallise leur propre vision du monde futur. Leur interprétation du monde incertain n'est pas moins arbitraire, ni plus efficace, que celles des autorités religieuses de jadis. Comme les anciens docteurs de la loi, leur efficience est liée à l'adéquation de leurs représentations aux conventions dont ils sont les intellectuels organiques, comme dirait Antonio Gramsci, disons tout simplement les fonctionnaires. Cette nouvelle cléricature mélange praticiens et théoriciens des sciences sociales. Les économistes y ont une place de choix, à côté des politologues (État oblige) et des sociologues (médias obligent), portés qu'ils sont par la valeur dominante de la société de marché, la valeur d'échange. Leur interprétation du chiffre monétaire structure ainsi les programmes d'action tant publics que privés. L'ordre qu'ils projettent sur le tohu-bohu de la société de marché fonctionne d'autant mieux que, si sciences économiques il y a, ce ne peut être que sous la forme d'une science herméneutique, c'est-à-dire une science de l'interprétation. Faute d'expérimentations menées dans des conditions parfaitement maîtrisées, l'économiste doit, en effet, se contenter de rapprochements fondés sur des similitudes, sur des schémas préconçus dans le cadre de paradigmes rarement critiqués : paradigme biologique le plus souvent, mécanique dans le pire des cas, thermodynamique dans le meilleur. C'est la raison qui fait qu'aucune interprétation en science économique n'est définitive. En dépit de sa référence rationaliste, l'économie reste une science morale, comme le rappelle Armathya Sen[11]. Chaque analyse économique repose nécessairement sur un point de vue non critiqué, qui met en valeur certains éléments du système au détriment des autres. Du coup, aucune interprétation économique ne peut se garantir contre la mise au jour future d'autres valeurs autour desquelles sélectionner et ordonner les phénomènes. Comme l'explique Julien Freund : « *Au fond, c'est parce que le rapport aux valeurs est sans cesse présent dans le travail du spécialiste qu'aucune explication ne sera jamais définitive et qu'elle sera toujours et nécessairement interprétative. Les sciences économiques et sociales sont inévitablement des herméneutiques.* »[12]

LA CONVERSION DU XVIIIᵉ SIÈCLE

Le XVIIIᵉ siècle occidental connut les premières grandes tentatives d'imposer le papier-monnaie comme acteur de l'économie (et pas simplement comme moyen pratique pour remplacer la monnaie métallique). D'abord en 1815, avec la tentative de la Banque royale de John Law. Ensuite sous la Révolution française, en 1892, avec généralisation des assignats. Ce furent deux échecs, preuve que la valeur de la monnaie ne peut se fonder sur le seul diktat du pouvoir politique. Mais ces échecs n'en comportaient pas moins des visées contemporaines touchant le rôle positif de la monnaie de crédit et les effets de la création monétaire sur la croissance économique. Les écrits de John Law sont sur ce point sans aucune ambiguïté.

Les rapprochements formels et superficiels entre l'Écriture et le papier-monnaie ne tiennent pas simplement à des questions de vocabulaire. L'analyse sémantique révèle la trace d'une connivence plus profonde, repérable dans diverses relectures de l'histoire. Dans son *Histoire de la Révolution française*, Jules Michelet fonde l'efficacité économique et sociale des assignats sur la piété révolutionnaire : « *Quiconque recevait un assignat faisait acte de foi ; c'était comme s'il eût dit : Je crois à la Révolution. Et quiconque achetait du bien national disait en quelque sorte : Je la crois durable, éternelle.* » La vieille religion de la terre, la dévotion sincère qu'eut toujours pour elle le paysan de France, se confond ici avec la foi révolutionnaire. Ailleurs, Michelet, très conscient de la substitution de l'argent aux religions judéo-chrétiennes désormais hors-jeu, identifie l'assignat, tout comme le papier de John Law, avec l'hostie (*sic*)[13], identification qui nourrit bien des approches sociologiques de l'argent.

En s'imprimant sur le métal, le papier ou les livres de banque, l'argent provoque les mêmes dérives idolâtriques que l'Écriture biblique. Le qualificatif « idolâtrique » vient d'Edmund Burke dans ses *Réflexions sur la Révolution en France*. Idolâtrie de la toute-puissance fallacieuse de l'argent. Du coup, le salut par la parole inscrite dans les tables de la loi a fait place, au siècle des Lumières, au salut par l'argent, véritable sacrement de la citoyenneté moderne. Avec quelques dollars de plus, non seulement je pourrais satisfaire tout le monde et son chien, mais je me sentirais pleinement membre du corps social. Cette idolâtrie de la « seconde humanité » appelle la même critique que la précédente. Au XVIIIᵉ siècle, Condillac témoigne à sa manière de la substitution qui, dans la société moderne, laisse parler l'argent comme les westerns de série B laissent parler la poudre. Condillac s'étonne d'un paradoxe : pourquoi ses contemporains prennent-ils grand soin de vérifier la valeur de l'argent, alors qu'ils ne vérifient pas avec la même minutie la valeur des mots ? La réponse est simple, la foi publique avait changé d'objet, tout en gardant la même illusion.

Étienne Perrot est jésuite, économiste, spécialiste des phénomènes de rente et de corruption. Il travaille actuellement à Genève pour la revue *Choisir*. Il a publié *Le Chrétien et l'argent* (Assas-édition, 1994), *La Séduction de l'argent* (Desclée de Brouwer, 1996), *L'Argent* (Salvator, 2002).

NOTES

[1] La « perruque » consiste à détourner, à des fins purement individuelles, ce qui appartient à la collectivité.

[2] La distinction habituelle entre monnaie métallique, monnaie fiduciaire (papier-monnaie) et monnaie scripturale fondée sur la matérialité du support, ignore la dimension proprement fiduciaire de toutes les formes de monnaie. Les monnaies primitives (queue de girafe, coquillage, fer, argent, or), aussi pesants en soient les signes, étaient déjà des créances sur une communauté de paiement.

[3] MARX (Karl), *Le Capital* (1867), in *Œuvres complètes*, Paris, Gallimard 1982, coll. « La Pléiade », t. I, p. 607.

[4] Le XIIIe siècle occidental marque le premier ébranlement sérieux de la chrétienté médiévale : émergence du mouvement d'urbanisation européen qui se prolonge, non sans à-coups, jusqu'à la mondialisation d'aujourd'hui, émancipation du joug pontifical par les Hohenstaufen, du Saint Empire romain germanique, à l'époque de Frédéric II Barberousse.

[5] Le lien entre argent et territoire est souligné par l'insistance d'Abraham à payer le bout de terrain de la grotte de Makpela, où il veut enterrer sa femme et où il sera lui-même enterré. Passage étonnant que celui du livre de la Genèse (Gn 23, 16) où l'on voit Abraham forcer la main du Hittite et lui verser 4 kilos d'argent. Car il ne s'agit manifestement pas d'un commerce où l'on achète pour revendre. Il s'agit de l'inscription d'Abraham dans un territoire particulier. Ce quitus exigé est à la fois signe de propriété et sceau de souveraineté sur le bout de terrain. S'il en est ainsi, on comprend les réticences du propriétaire hittite.

[6] SIMMEL (Georg), 1905, *Philosophie de l'argent*, PUF, coll. « Quadrige », 1999, p. 446.

[7] Le problème dit « de la transformation » est la croix des économistes marxistes (plus économistes que marxistes) depuis l'incohérence comptable du troisième livre du *Capital* dénoncée par Borkiewicz voilà déjà plus d'un siècle. Le rapport entre les valeurs exprimées en travail et les prix de production est le type même du faux problème. Faux problème, car le modèle économique marxiste, tel qu'il se présente dans le deuxième livre du *Capital*, est coulé dans la pensée classique qui fait des prix de marché le reflet des prix de production, dans un monde rendu cohérent par l'argent. Or, l'argent ne rend pas le monde capitaliste cohérent, il lui en donne simplement l'apparence – cette apparence faisant d'ailleurs partie du système. Le procès d'exploitation du travail vivant par le travail mort ne peut donc pas être pensé dans l'univers homogène des prix de marché. Les deuxième et troisième livres du *Capital*, qui nourrissent la querelle épistémologique de ce faux problème, furent rédigés, pour leurs morceaux essentiels, avant le premier, publié en 1867. Bien qu'écrits avant 1867, ces morceaux litigieux ne furent jamais rendus publics par Marx (mort en 1883). Avec juste raison, car leurs présupposés épistémologiques interdisent de penser l'exploitation du travailleur.

[8] DIDEROT (Denis), *Le Neveu de Rameau* (1805), Éd. sociales, 1972, p. 176.

[9] FRANKLIN (Benjamin), *Lettre à un jeune commerçant*, 1848.

[10] REICH (Robert), *L'Économie mondialisée*, Dunod, 1993.

[11] SEN (Armathya), *L'Économie est une science morale* (1990), Paris, La Découverte, 1999.

[12] FREUND (Julien), « La neutralité axiologique », in *Économie et sociétés*, Cahiers de l' ISMEA, série M, n° 29, mars 1977, t. XI, n° 3 « Jugements de valeur et sciences sociales », p. 459.

[13] Cité par REY (Jean-Michel), *Le Temps du crédit*, Desclée de Brouwer, 2002, p. 177-178.

Les Juifs et l'Argent

Jacques Sojcher – *Vous avez écrit plusieurs livres qui traitent de la question de l'argent ou de la valeur de l'argent. Je pense, par exemple, à* L'Anti-économique[1] *ou à* Économie de l'apocalypse[2]. *La question de l'argent vous préoccupe depuis bien longtemps.*

Jacques Attali – J'ai surtout écrit un livre uniquement sur ce sujet, *Histoire de la propriété*, où je traitais, sur six cents pages, de l'histoire de la propriété, de l'histoire de la valeur, et de l'argent en particulier.

– Les Juifs, le monde et l'argent, *sous-titré* Histoire économique du peuple juif[3], *c'est aussi une histoire quatre fois millénaire de l'argent.*

– C'est aussi une histoire de l'argent, dans la mesure où le peuple juif a été mis en situation d'accompagner, de devancer cette histoire.

– *Votre connaissance de l'hébreu vous permet d'explorer certains mots en retrouvant leurs racines, notamment le mot « valeur » :* shaan. *Tout ce qui compte pour juger la valeur en argent de toute chose est indissociable de la valeur éthique.*

– La langue dit toujours la vérité des choses. En latin, par exemple, le mot « valeur » est associé à la notion de courage ; il a aussi une dimension éthique. Ce n'est pas seulement en hébreu que le mot « valeur » renvoie à une notion d'éthique. Dans la conception juive, on trouve l'idée que l'argent est un instrument essentiel à la survie de la civilisation. Nous sommes alors dans une éthique, sur deux plans différents. D'une part, l'argent est un substitut à la violence. L'idée juive est de remplacer l'« œil pour œil » par « l'indemnisation de l'œil ». L'argent permet ainsi d'éviter les représailles, d'arrêter le cycle de la violence, et donc d'éviter sa propagation dans la société. Deuxième dimension très importante, l'argent est un instrument qui va permettre de réparer le monde, puisque dans la conception juive de l'histoire, le monde est un vase fêlé. Le rôle de l'homme sur la terre est de réparer le monde. L'argent va lui permettre d'initier des recherches nouvelles pour l'aider à remettre le monde en état, en lui permettant de maîtriser la nature. L'argent – à condition que ce soit de l'argent créé, une richesse créée, et non une richesse conquise, volée ou extorquée à une colonie, à des esclaves – est une bénédiction.

– Il y a quand même des dérives, la plus connue étant celle du veau d'or. C'est l'idolâtrie de l'argent, qui va donner naissance peu à peu à ce que vous appelez le triangle infernal sang / dieu / argent…

– Il est très intéressant de voir que, dès que le peuple juif retrouve sa liberté, certains la pensent comme une liberté totale, y compris à l'égard des règles morales. Au lieu de se construire comme simplement affranchis de l'esclavage, certains vont considérer qu'ils le sont aussi des devoirs moraux. Ils font de l'argent, non pas ce qu'il est dans la conception éthique juive, c'est-à-dire un moyen de liberté, mais ils en font une fin, il remplace Dieu. Cette conception du veau d'or est naturellement blasphématoire puisque l'argent, dans la pensée juive, est un moyen de servir Dieu. Il est dit : « *Tu aimeras Dieu de toutes tes forces* », ce que les grands auteurs traduisent par « *de toutes tes richesses* ». Les richesses sont un moyen de servir Dieu, et améliorer le monde, c'est servir Dieu. Tandis que là, il ne s'agit plus de servir Dieu mais de *se* servir, ce qu'il faut absolument proscrire… D'où ce triangle infernal entre l'argent, la violence et le sang, qui est une association d'idées très pertinentes puisque – les physiocrates l'ont montré au XIXᵉ siècle – le sang, c'est la vie, et que l'argent circule comme le sang.

– C'est même une racine hébraïque : dam, damou, *l'argent et le sang.*

– L'argent et le sang ont le même sens : le sang comme source de vie…

– L'antisémitisme va détourner cette idée dans le sens « les Juifs buveurs d'argent », alors qu'il y a un refus du sacrifice. C'est un contresens prodigieux… Autre rétablissement historique, vous montrez dans votre livre la valeur importante du travail. Celui-ci est une priorité absolue, et spécialement le travail manuel. Dans le discours antisémite, on assimile rarement le Juif au travail manuel…

– Parce que le discours antisémite veut cantonner le Juif aux métiers qu'il a été forcé d'exercer pendant deux siècles, entre le XIᵉ et le XIIIᵉ siècle, alors qu'en réalité, la quasi-totalité des Juifs étaient des travailleurs manuels. Il leur fallait à tout prix gagner leur vie, et gagner leur vie comme travailleurs manuels : vignerons, médecins, menuisiers, charpentiers, paysans… Je crois même qu'il existe des textes précis qui disent que le travail passe avant la prière et avant toute forme d'activité religieuse.

— Vous citez les Pères de l'Église, saint Augustin, saint Jean Chrysostome... « Il y a un anti-juisme chrétien immédiatement inséparable d'une dénonciation économique. » Dès les débuts du christianisme, c'est une malédiction que de manipuler l'argent.

— Au départ, le christianisme n'est qu'une secte juive parmi d'autres, mais dans cette secte juive se développe l'idée que la richesse est malsaine. Alors que le judaïsme dit qu'il faut accepter les richesses à condition de tout redistribuer, cette secte juive va dire : « On n'arrivera pas à les redistribuer, donc la richesse est malsaine » ; elle va inverser la hiérarchie des valeurs juives. Pour les Juifs, le scandale, c'est la pauvreté ; pour le christianisme, le scandale, cela va être la richesse. Il va donc y avoir une condamnation de la richesse, de la valeur de l'argent, y compris l'interdiction absolue de prêter à intérêt.

— C'est en quelque sorte la conception chrétienne qui crée le prêteur forcé...

— Dans la conception juive, le prêt à intérêt n'est pas un problème puisque l'intérêt permet de créer des richesses nouvelles ; il est donc autorisé. Mais en même temps, entre Juifs, on doit faire acte de charité et donc, on ne prête pas à intérêt. Le christianisme aurait pu adopter la même doctrine et dire : « Le prêt à intérêt est interdit, mais le prêt sans intérêt, entre chrétiens, est recommandé... »

— Cela se fera plus tard, avec Calvin et Luther...

— Non, Calvin et Luther ont accepté le prêt à intérêt. Mais la conception juive des prêts sans intérêt entre Juifs n'a pas été adoptée par les chrétiens. On aurait eu un capitalisme radicalement différent si cela avait été le cas. Mais cela ne l'a pas été, et on se retrouve donc avec un vide, puisque les chrétiens entre eux ne peuvent se faire de prêts ni avec ni sans intérêts. Quand les prêts vont devenir officiels, ils vont être obligés de se tourner vers les Juifs.

— Dans le Talmud, on trouve une éthique de l'argent : par exemple, le juste prix, la compensation des dommages corporels...

— Le Talmud va permettre d'actualiser ce que les textes premiers disent, en tenant compte de l'évolution qui s'est produite entre le moment où les premiers textes ont été mis au point – c'est-à-dire autour des VIIe et Ve siècles avant notre ère – et le Ve siècle de notre ère. Toute une jurisprudence économique s'est mise en place, à partir de laquelle sera défini un prix juste, c'est-à-dire un prix qui favorise le consommateur, qui est finalement le maître, celui qui est privilégié. Dans le capitalisme, celui qui passe avant, c'est le producteur, puis vient le travailleur, puis le consommateur. Dans le judaïsme, c'est d'abord le consommateur, puis le travailleur, puis le producteur, et donc le juste prix, c'est celui qui privilégie le consommateur. Il est interdit de faire des profits supérieurs à 16 % (un sixième), il est interdit d'exploiter la vente de produits frelatés. Par ailleurs, il existe toute une réglementation extrêmement précise concernant la publicité, la qualité des produits…

– *Au fond, les chrétiens ne connaissaient pas cette jurisprudence du Talmud… Est-il fondé de dire qu'à un moment donné, le Juif devient complètement usurier, comme on le voit chez Marlow ou dans* Le Marchand de Venise *?*

– Le mot « usurier », à l'époque, voulait dire « prêteur à intérêt » ; il n'avait pas la connotation négative qu'il a aujourd'hui. Mais le Juif devient « prêteur à intérêt » sur ordre de l'Église, parce qu'on lui dit : « Si vous n'acceptez pas de prêter à intérêt, vous êtes expulsé. »

– *L'intérêt devient abusif à un moment donné…*

– Il n'est pas forcément abusif, car tout ce qui est prêt est appelé « usure ». On parle même d'« usure » pour désigner le commerce, pendant un moment. Au début, le taux d'intérêt est très élevé, parce qu'il y a des pertes, que beaucoup de prêts ne sont pas remboursés, et aussi parce que l'argent est rare. Du xe au xiie siècle, les taux d'intérêt plafonnent à 50 % ou 60 %, ce qui est élevé, mais praticable, car les taux de croissance de l'économie permettent de justifier de tels intérêts. Les gens sont très contents de trouver des prêteurs, même à taux d'intérêt élevés. Le judaïsme est finalement pendant longtemps bien accepté dans cette position. Simplement, on va rapidement détester les gens qui rendent service et on va donc voir apparaître des règles contre les Juifs, en particulier la possibilité de les chasser pour ne pas les rembourser.

– *Il y a une chose qui tient du fantasme : « Le Juif, c'est un empoisonneur, il apporte la peste, toutes les maladies. » La mort des rois, les assassinats du xiie au xixe siècle, ce sont les Juifs qui sont derrière.*

– Les Juifs sont honorables aux xiie et xiiie siècles, après ils sont expulsés. Par la suite, le mythe va perdurer pour chasser le Juif. Qu'est-ce qu'on lui reproche ? On lui reproche non seulement d'être prêteur, mais surtout d'avoir prêté son Dieu. Les Juifs ont inventé le monothéisme et on leur reproche d'avoir été ceux qui ont prêté Dieu à l'univers.

– *Il y a un mélange entre le théologique et l'économique ?*

– Absolument, c'est inséparable.

– *Vous vous portez en faux contre l'affirmation selon laquelle les Juifs n'ont joué qu'un petit rôle dans la révolution industrielle. Vous dites : « Pas du tout, ils ont joué un rôle plus important…»*

– C'est une évidence. D'abord, parce qu'il n'y a pas d'industrialisation sans finances ; ensuite, parce qu'ils ont joué un rôle considérable dans la mise en place de tous les mécanismes de circulation financière des systèmes bancaires hollandais, puis anglais, puis dans l'ensemble du système bancaire américain, ce qui a été absolument déterminant, puisque la moitié de ce système bancaire a été inventée par des immigrants venus sans un sou aux États-Unis. Mais les Juifs ont aussi joué un rôle dans d'autres secteurs, en particulier dans tous ceux liés à la circulation : le commerce, les grandes chaînes de distribution, le cinéma, la presse et tous les médias de transmission essentiels, sans lesquels il n'y aurait pas de circulation...

– *Même si la banque va jouer un rôle important dans le domaine de l'industrie, de là à dire que les banquiers sont les maîtres du monde, il y a un pas qu'il ne faut pas franchir...*

– D'abord, les banquiers ne sont pas les maîtres du monde ; ensuite, les banques juives n'ont jamais représenté une part majeure du système bancaire américain, ni européen.

– *Une autre forme d'antisémitisme se manifeste chez Marx, qui consacre un très grand nombre de pages à la question juive.*

– Sa thèse consiste à dire que le monothéisme a enfanté le capitalisme ; il faut donc détruire le monothéisme pour détruire le capitalisme, et comme le monothéisme a été inventé par les Juifs, il faut détruire le mal à sa source.

– *Cette haine de l'argent, et du Juif associé à l'argent, se retrouve chez Freud : L'argent est anal, l'argent est sale... Y a-t-il une haine de soi ?*

– Il y a non pas une haine de soi, mais une haine de l'image de soi qui est portée par les Juifs. On va donc voir apparaître chez Freud cette volonté juive de la fin du XIXe siècle viennois de ne plus identifier le Juif et l'argent. Pour ce faire, il faut détester l'argent et s'investir dans d'autres métiers : la psychanalyse, mais aussi et surtout le théâtre, et un peu plus tard le cinéma.

– *Les Juifs ont joué un rôle important dans le développement du capitalisme, surtout aux États-Unis. D'où l'assimilation juif = riche...*

– La distribution entre riches et pauvres est la même que partout ailleurs : il se trouve qu'il y a beaucoup d'intellectuels, beaucoup de gens qui ont avancé ; mais aussi beaucoup de gens pauvres ou dont la fortune est dérisoire.

– *Il y a aussi un antisémitisme lié au juif « diasporique ». Il n'a pas de patrie, donc il est traître. C'est l'étranger, c'est Dreyfus...*

– C'est une caractéristique générale que de détester le nomade...

– *Vous dites :* « Pour en finir avec la mystique de l'argent, si on peut trouver des domaines comme le vêtement ou le diamant où les Juifs sont encore majoritaires, il faut en finir avec ce fantasme... »

– Je crois que nous entrons dans une économie de la gratuité qui correspond bien aux valeurs juives. Je disais que ces valeurs étaient fondamentalement l'idée que la richesse est inutile, mais aussi que toute richesse est bonne pour autant qu'elle soit bonne pour les autres d'abord, avant de l'être pour soi. L'économie de la gratuité, c'est l'idée selon laquelle, pour trouver son bonheur, il faut participer au bonheur de l'autre.

– *C'est une façon de voir l'élection comme un devoir...*

– Un devoir de participer au bonheur de l'autre. Et c'est exactement ce qui se met en place avec l'économie du don : j'ai trouvé quelque chose d'intéressant sur internet, eh bien, je vous le donne, je me fais un plaisir de vous le donner ; ou encore je fais un acte de charité, je m'intéresse à une ONG, je donne à Médecins sans frontières, je me fais plaisir en payant. Nous entrons dans une économie où une part majeure de l'activité va consister à trouver du plaisir...

– *C'est paradoxal parce que l'on pourrait croire que l'on entre dans l'ère de la mondialisation, et là, l'économie du don est un peu différée...*

– Il y a deux mondialisations : la mondialisation marchande, qui est en marche depuis longtemps, et une nouvelle mondialisation que personne ne voit vraiment, qui est une mondialisation de la gratuité.

Jacques Attali est docteur d'État en sciences économiques, diplômé de l'École polytechnique, de l'Institut des sciences politiques de Paris, de l'École des mines, et de l'École nationale d'administration. Entre 1981 et 1990, il a été conseiller spécial de François Mitterrand. En 1991, il fonde la Banque européenne pour la reconstruction et le développement et en assure la présidence jusqu'en 1993. Il fonde et préside également PlaNet Finance, une organisation internationale utilisant internet pour lutter contre la pauvreté en soutenant l'économie locale. Il est à l'origine, entre autres, d'Action internationale contre la faim, d'Eurêka et de la Très Grande Bibliothèque. Il a écrit plus de 30 ouvrages (romans, essais, biographies et pièces de théâtre) et a enseigné dans plusieurs grandes écoles et universités.

NOTES

[1] ATTALI (Jacques) et GUILLAUME (Marc), *L'Anti-économique*, Paris, PUF, 1975.

[2] ATTALI (Jacques), *Économie de l'apocalypse*, Paris, Fayard, 1994.

[3] ATTALI (Jacques), *Les Juifs, le monde et l'argent, Histoire économique du peuple juif*, Paris, Fayard, 2002.

Anne Morelli

L'ÉGLISE CATHOLIQUE ACTUELLE ET L'ARGENT : LES SUITES D'UNE LONGUE SCHIZOPHRÉNIE

L'ÉGLISE ACTUELLE EST-ELLE ENCORE RICHE ?

L'Église catholique a conservé des signes extérieurs de richesse : les trésors de ses musées, ses ornements liturgiques, les voitures du pape, une garde-robe récente dessinée par le couturier Castelbajac ou des calices signés Christofle. Mais ces signes extérieurs de richesse sont souvent des cadeaux (telle la Lancia valant 1,5 million d'euros offerte au pape par la firme pour le jubilé de l'an 2000)[1], leur acquisition est souvent ancienne et ils ne sont guère susceptibles d'être réalisés. On peut difficilement imaginer, en effet, comment, à qui et dans quelles conditions on pourrait, par exemple, vendre les collections des musées du Vatican pour que le produit aille aux plus pauvres, sans que ces œuvres d'art soient soustraites au patrimoine accessible au plus grand nombre et confisquées par quelque milliardaire qui serait seul à en jouir. De même, les biens immobiliers, que ce soient ceux du Saint-Siège ou des Églises locales, peuvent être importants, mais ne génèrent pas nécessairement d'argent frais, et ne sont que rarement susceptibles d'être loués ou vendus. Malgré l'effondrement de la pratique religieuse dans nos pays et même si les cas se multiplient, peu d'Églises locales acceptent la transformation d'anciens lieux de culte en salles de spectacle, musées, centres culturels, voire hôtels[2]. Par habitude ou révérence, on manque sans doute d'imagination en ce domaine, mais les couvents et les églises ne sont par ailleurs pas des lieux aisés à louer ou à réaffecter.

Dans le domaine mobilier, la situation diffère selon les Églises.

Pour le Vatican, son budget n'a été en équilibre que de 1993 à 2000. Il affichait auparavant un solde négatif et est retombé dans le rouge en 2001[3]. Certes, un solde négatif peut, comme dans toute entreprise ou même ASBL, dissimuler des dépenses somptuaires. Ainsi, les diplomates du Vatican, le train de vie des nonciatures et le traitement des responsables des médias (*Osservatore romano*, CTV, Radio-Vatican…) et des institutions du Saint-Siège participent à son déficit. De l'autre côté, les recettes proviennent des Églises locales et des congrégations, des fondations américaines et de l'IOR (Institut des œuvres religieuses). Le président de la préfecture des Affaires économiques du Saint-Siège est une sorte de ministre des Finances qui gère l'immobilier et le portefeuille des valeurs. Lorsque la Bourse a généré d'importants gains, les finances du Saint-Siège ont été largement en bonus, mais depuis 1998, la rentabilité du portefeuille du Vatican a subi l'impact de la baisse généralisée des intérêts boursiers. Par ailleurs, les étrennes pontificales, qui restent une tradition en Belgique, ne rapportent plus que deux à trois millions de francs belges par an[4] et, contrairement au passé, elles ne sont plus affectées directement au Saint-Siège, mais bien à des projets de développement menés dans le Tiers Monde par des religieux et des laïcs catholiques[5]. En outre, des dons faits au pape sont presque immédiatement reversés par lui à des œuvres, tels ces 500 000 euros reçus de la municipalité de Milan à l'occasion du jubilé[6].

Sur le plan local, il est des Églises plus riches que d'autres.

L'Église allemande est parmi les mieux nanties ; l'Église catholique des États-Unis aussi, mais elle vit essentiellement de dons et ceux-ci ont beaucoup diminué depuis qu'elle doit consacrer des sommes importantes à indemniser les victimes des prêtres pédophiles. En Belgique, les ministres du culte sont rétribués par l'État et les lieux de culte entretenus par les pouvoirs publics, mais cela n'engendre pas d'afflux d'argent liquide.

En France, si les lieux de culte sont aussi entretenus par les pouvoirs publics, les prêtres, eux, ne peuvent compter que sur les donations récoltées par les deniers du culte et sur le casuel[7]. Mais la crise des vocations entraîne l'Église de France à engager de plus en plus de laïcs pour officier à la place des prêtres. Ils sont de moins en moins bénévoles et le traitement qui leur est versé est supérieur à celui qui était autrefois alloué aux prêtres.

L'Église de France est aussi confrontée à des succès tels que les Journées mondiales de la jeunesse (JMJ) de Paris, en 1997, qui furent un triomphe médiatique mais un four financier se soldant par 3,5 millions d'euros de déficit.

En Espagne et en Italie, les finances des Églises dépendent du choix des contribuables en leur faveur ou non, et l'idée a donc germé dans divers pays de « moderniser » l'appel à la générosité des fidèles.

« Moderniser » le rapport de l'Église à l'argent ?

Très souvent, on a reproché aux Églises de rester figées dans des comportements passéistes. Faut-il aussi leur jeter la pierre lorsqu'elles adoptent un comportement en phase avec celui de leurs contemporains ?

Alors que toutes les œuvres, fondations et ASBL se calquent sur le modèle américain et consacrent une part importante de leur énergie à des campagnes publicitaires et des récoltes de fonds, ces méthodes sont-elles prohibées pour les Églises ?

En d'autres termes, des affiches pour Médecins sans frontières sont-elles légitimes mais pas des affiches demandant de financer l'Église de France ? Ou encore, est-il plus inconvenant de chercher des sponsors pour financer la visite du pape qu'un événement culturel ? Répondant indirectement à ces questions, à différents niveaux et en divers lieux, l'Église catholique tente d'utiliser les méthodes du management.

En France, les recherches de subsides et de fonds de l'Église se font *via* trois agences de communication. Bruno Dardelet dirige l'une de ces agences (BD Consultant), qui a conçu cinq millions de dépliants pour l'Église de France. Dans l'ouvrage qu'il a consacré aux difficultés de celle qui est cliente depuis vingt-deux ans[8], il parle de mieux « coller » au public actuel de l'Église. Une cliente qui a par ailleurs confié la conception et la diffusion d'affiches et de tracts à une autre agence appelée – providentiellement ? – Magnificat[9]. Au niveau diocésain aussi, 68 % des évêques français ont recours à une agence de publicité pour récolter des fonds *via* des affiches, des conférences de presse, des annonces à la radio, des dépliants ou des relances postales[10].

En Suisse, des récoltes de fonds spéciales sont organisées par le chapelain de la garde suisse pour restaurer la chapelle des gardes à Rome[11].

En Pologne, le voyage du pape en 1999 a été sponsorisé par diverses entreprises privées, sollicitées par l'épiscopat polonais, qui investit par ailleurs en Bourse pour financer des œuvres ou des restaurations d'églises[12].

En Italie, comme j'ai pu le constater il y a de nombreuses années déjà, des publicités dans des abribus rappellent aux contribuables de ne pas oublier de désigner l'Église catholique comme destinataire d'une partie de leurs impôts.

Une filiale de la BNP Paribas s'est spécialisée dans le financement des Églises aux États-Unis. *La Croix*, qui présente – par exemple ? – le travail de cette banque à ses lecteurs, assure que des évêques américains flanqués de leur directeur financier n'hésitent pas à venir fréquemment la consulter et lui demander des conseils pour leurs levées de fonds[13].

En France, les prêtres se voient proposer une formation en économie afin de gérer leur paroisse comme une entreprise et de ne plus mépriser les entreprises. Il s'agit, selon *La Croix*[14], de « *réhabiliter dans le monde chrétien l'économie* » et d'offrir en échange aux entreprises la satisfaction de leurs besoins spirituels. Les économes diocésains français sont invités à « professionnaliser » les modes de collecte, bien au-delà des classiques appels chaire de vérité[15].

En Belgique aussi, l'actualité religieuse est parfois teintée de finance. Au niveau paroissial, c'est le curé de l'église Saint-Jacob à Anvers qui fait appel à un « marketing manager » pour attirer fidèles et sponsors[16]. À Namur, c'est Mgr Léonard qui jongle avec les capitaux de la presse catholique *via* Mediabel, entraînant une perquisition – sans doute infondée – du parquet[17].

Par ailleurs, à plusieurs reprises, la presse économique s'est fait l'écho de la constitution de sicav belges destinées à financer des causes religieuses. Rappelons qu'une sicav est un portefeuille constitué d'actions, de monnaies et d'obligations très diverses afin d'éviter les risques.

En 1999, *L'Écho de la Bourse* signale en première page la possibilité de souscrire à une sicav chrétienne *(sic)* intitulée « *L'Évangile pour nos enfants* »[18] et commercialisée par la Communauté missionnaire Saint-Paul de Louvain-la-Neuve. La gestion de ce fonds chrétien, qualifié par le quotidien de « *très défensif* », est assurée par une filiale de la Générale de Banque[19].

La Communauté Saint-Paul, soutenue par l'Église belge, a commencé son activité en septembre 1997. Son but est de former des moniteurs capables de catéchiser des enfants qui, en Belgique, ne reçoivent pas de formation religieuse. Elle produit aussi, en vue de la catéchèse, des vidéos, un journal, un site internet et s'investit dans une radio. Les souscripteurs versent automatiquement leurs dividendes à la Communauté, qui décide avec le gestionnaire du fonds quels sont les investissements souhaitables ou pas.

En 2002, *L'Écho* précise[20] que cette sicav, intitulée « Evangelion », exclut de ses investissements notamment les secteurs de l'armement et ceux de la biotechnologie susceptibles de pratiquer des manipulations génétiques. Le directeur de la Fondation Saint-Paul, Xavier Cornet d'Elzius, confie au quotidien financier son projet de créer un compartiment plus agressif *(sic)* destiné aux congrégations en difficulté. Le journal titre sur la nécessité de produits financiers adaptés et se réjouit au passage de ce mariage « légitime » de la religion et de la finance.

Mais il ne semble pas que tout le monde accepte – dans l'Église catholique comme au-dehors – la légitimité de cette union.

En 2000, *Le Ligueur*, hebdomadaire de la Ligue des Familles, avait déjà réagi, sous la plume de Wesoly, aux moyens utilisés par la Communauté missionnaire Saint-Paul pour trouver des fonds[21]. Disposant de fonds propres d'un montant de 173 millions de francs belges pour employer trente-trois personnes, la Communauté se lançait, pour arrondir ses rentrées, dans ce que l'auteur n'hésitait pas à appeler la « *spéculation éthique* » – une de ces nouveautés contradictoires que crée notre monde, au même titre que le cancer volontaire ou le viol affectueux. Comparant ensuite la « *spéculation éthique* » aux ventes d'indulgences d'autrefois, Wesoly assurait qu'éthique ne voulait rien dire ici, « *sinon qu'ils s'interdisent probablement de prendre des parts dans des usines de préservatifs ou les* Eros-Center *d'Hambourg* ». Ironisant sur la devise de la Communauté Saint-Paul qui est de « *trouver les mots pour dire Dieu* », l'article du *Ligueur* suggérait que les mots pour dire Dieu semblaient bien être ici « *dividendes* », « *taux directeurs* », « *rendements obligatoires* »… Et Wesoly de rappeler que, évidemment, tous les princes de l'Église ne sont pas l'abbé Pierre et ne comptent pas vivre comme ce « *sans-abri de Jésus* »…

UNE « MODERNITÉ » INFIDÈLE À L'ÉVANGILE ?

Le malaise de Wesoly exprime tout haut ce que beaucoup pensent tout bas. C'est que pour bien des catholiques, la pauvreté choisie est une part centrale du christianisme, donc incompatible avec les compromissions de la religion du profit[22]. Certes, l'Église catholique doit avoir de l'argent pour vaquer à ses œuvres et subvenir à ses besoins, mais cette fin – honnête sans doute – justifie-t-elle *tous* les moyens ? Ou, en d'autres termes, des spéculations, même prétendument éthiques, sont-elles conciliables avec le message du Nouveau Testament ?

Les livres sacrés des diverses religions sont si touffus que le fidèle peut généralement y puiser pour justifier des comportements très contradictoires. Ainsi, on peut trouver dans la Bible, le Coran ou le Nouveau Testament tout et son contraire pour justifier le recours à la guerre et à la violence (« *Je ne suis pas venu apporter la paix mais le glaive* ») ou, inversement, pour déclarer divinement établie la non-violence et la compétition basée sur le seul exercice des vertus et de l'amour du prochain.

S'il est pourtant un domaine où les textes de référence du christianisme semblent clairs, ce sont bien les allusions faites à l'argent dans le Nouveau Testament. N'est-il pas dit dans les évangiles – même si l'étrangeté de la comparaison a fait dire à certains qu'il s'agissait certainement d'une mauvaise traduction – qu'il sera plus difficile à un riche d'entrer au paradis qu'à un chameau d'entrer par le chas d'une aiguille[23] ? Au riche qui dit à Jésus qu'il observe soigneusement les dix commandements et l'aime, le Christ répond qu'il doit encore lui apporter une preuve d'amour : « *Va, vends ce que tu as, donne-le aux pauvres, et tu auras un trésor au ciel ; puis, viens, suis-moi.* »[24] D'autre part, les Actes des apôtres, qui relatent la vie des premiers chrétiens, nous décrivent ceux-ci comme vendant leurs biens, les mettant en commun et partageant selon les besoins de chacun[25]. Plus précisément, Amanie, qui avait vendu ses biens mais avait dissimulé une partie du fruit de la vente à la communauté chrétienne, est frappé par Dieu de mort violente pour punition de cette dissimulation[26].

Le Créateur ne semble pas prêt, à ce moment-là, à tergiverser : pour être chrétien, il faut se débarrasser de ses biens matériels.

Avec le triomphe du christianisme, cet impératif va devenir de moins en moins ferme, de plus en plus limité à des petits groupes de chrétiens, montrés en exemple à la majorité des fidèles qui n'en ont cure. Vœux de pauvreté, ordres mendiants semblent des réminiscences des premiers chrétiens qui n'ont jamais risqué de se généraliser. Au contraire, lorsque des groupes importants de chrétiens rappelaient l'exigence de pauvreté du Christ, ils étaient rapidement persécutés en tant que dangereux hérétiques.

L'Église au XIXe siècle fourmille aussi de contradictions par rapport à l'argent. Certes, on exalte le dévouement de religieuses telles que les Petites sœurs des pauvres, mais par ailleurs, l'encyclique *Rerum Novarum* de Léon XIII (1891) considère l'enrichissement comme positif et conforme aux desseins de Dieu. Il doit seulement être tempéré par la charité des riches envers les pauvres. Ce devoir de charité ne peut être réglementé par les lois humaines mais l'est par la loi bien supérieure de Dieu[27]. Au XXe siècle, Jean-Paul II ne dira pas autre chose dans *Centesimus Annus* (1991). Le capitalisme, écrit-il, est une bonne chose si sous ce nom « *on désigne un système économique qui reconnaît le rôle fondamental et positif de l'entreprise, du marché, de la propriété privée et de la responsabilité qu'elle implique dans les moyens de production* »[28]. Certes, il dit simultanément aux jeunes de ne pas être esclaves de l'argent[29]. Mais nous sommes loin du « *Va, vends tes biens et suis-moi.* » L'exaltation de quelques saints de la pauvreté tels l'abbé Pierre, Mère Teresa ou Sœur Emmanuelle, doit rappeler au simple fidèle que l'engagement inverse au sien (?) est aussi chrétien, mais réservé à des chrétiens d'exception et non à la majorité.

L'Église actuelle – contrairement à une multitude de domaines qui vont de la prophylaxie du sida au divorce en passant par le célibat des prêtres – ne délivre aucun message clair concernant l'argent et la responsabilité économique du chrétien. Les messages sibyllins, contradictoires et à double sens équivalent à se taire. Ce silence débouche sur une série de choix et de comportements souvent étonnants de divergence et de confusion.

Des questions sans réponse

Obsédée par une politique du juste milieu, l'Église catholique évite de heurter la droite comme la gauche.

Tantôt le pape réunit à Rome le gouverneur de la Banque d'Italie et les secrétaires des trois grands syndicats italiens[30], tantôt il est accusé par le *Corriere della Sera* d'avoir appuyé le mouvement contre la mondialisation sauvage qui s'était exprimé à Gênes[31] en demandant l'annulation de la dette des pays les plus pauvres. Pourtant, même à ce sujet, l'encyclique *Centesimus Annus* est très ambiguë : il est juste d'exiger le paiement de la dette mais pas « *au prix de sacrifices insupportables* »[32].

Beaucoup de catholiques demandent au magistère un message clair en matière économique. Mais peut-il (doit-il) y avoir un point de vue catholique sur l'action du FMI et de l'OMS ? Le protectionnisme agricole ou le droit absolu de propriété sur les découvertes pharmaceutiques, droit qui s'oppose à la généralisation de certains médicaments, doivent-ils faire l'objet d'un point de vue chrétien[33] ?

Comment concilier pour un patron chrétien ses engagements temporels et spirituels[34] ? Ou encore, comment rester responsable au sein de l'anonymat des pratiques financières et économiques mondialisées ? Si le monde économique est en manque de spiritualité, n'y a-t-il pas un risque immense à la lui fournir en échange d'avantages pécuniaires ? Point de réponse à toutes ces questions précises.

En réalité, la défiance catholique face à l'argent n'est pas conséquente et ne débouche sur aucune option politique transparente. L'Église catholique oscille entre une dénonciation frénétique et une véritable démission. Entre chasser les marchands du Temple et recueillir les miettes de la table de Bill Gates, l'Église n'a jamais pu faire son choix.

Anne Morelli est docteur en histoire et professeur à l'ULB, où elle enseigne notamment l'histoire des Églises chrétiennes contemporaines et les textes chrétiens contemporains.

Notes

[1] Voir par exemple *Le Soir*, 30 décembre 1999.

[2] C'est le cas pourtant à Marche-en-Famenne pour une église de jésuites, désaffectée il est vrai depuis le XIXᵉ siècle et transformée en hôtel.

[3] *La Croix*, 8 juillet 2002.

[4] 3 244 296 francs pour la campagne 2001 (voir *La Libre Belgique*, 21 février 2001).

[5] Neuf projets de ce type pour 2001.

[6] Par exemple pour la lutte contre le sida en Ouganda (voir *Le Figaro*, 14 février 2001).

[7] C'est-à-dire l'argent provenant des messes, des baptêmes, des mariages et des enterrements.

[8] Dardelet (Bruno), *Alerte sur le denier de l'Église*, Source et Images, 2000.

[9] *Le Figaro*, 26 janvier 2001.

[10] *La Croix*, 3 juin 1998.

[11] *Id.*, 4 août 1999.

[12] *Le Vif-L'Express*, 4 juin 1999.

[13] *La Croix*, 9 mars 1999.

[14] 28 avril 1999.

[15] *La Croix*, 3 juin 1998.

[16] *La Dernière Heure*, 26 août 1999.

[17] *Id.*, 19 janvier 2001.

[18] *L'Écho*, 2 mars 1999.

[19] Fimagen Belgium. Par la suite, c'est Fortis Investment Management qui l'a géré.

[20] 3 octobre 2002.

[21] Wesoly (Ouri), « Dieu est amour, avec des sous autour », *Le Ligueur*, 10 mai 2000.

[22] C'est le point de vue de Philippe Van Parijs, directeur de la chaire Hoover d'éthique économique et sociale de l'UCL (*Le Soir*, 1ᵉʳ février 2000).

[23] Mc, 10–25.

[24] Mc, 10–21.

[25] Ac 4, 32 : « *Nul ne disait sien ce qui lui appartenait, mais entre eux tout était commun.* »

[26] Ac 5, 1–6.

[27] *Rerum Novarum*, p. 31-33.

[28] *Centesimus Annus*, p. 79-80.

[29] *La Croix*, 9 août 1999.

[30] Le 1ᵉʳ mai 2000 (voir *Le Monde*, 3 mai 2000).

[31] *La Croix*, 22 août 2001.

[32] *Centesimus Annus*, p. 67.

[33] Voir, par exemple, le point de vue de Mᵍʳ Diamuid Martin, nonce apostolique, observateur permanent du Saint-Siège à l'OMC et à l'ONU, à Genève (*La Croix*, 13 novembre 2001).

[34] *La Croix*, 11 juillet 2002.

VERTIGE

Jean-Luc Outers

L'ARGENT EN MARCHANT

Et si l'argent était tout, songez-vous, alors que vous marchez dans les rues chaudes de cette ville du sud. On vous a recommandé la prudence et vous avez laissé votre portefeuille à l'hôtel. Car l'argent est tout pour celui qui pourrait vous en délester. Que représente-t-il pour vous dont le salaire de prof tombe chaque mois sur votre compte en banque avec une régularité de métronome qui vous dispense même d'ouvrir les enveloppes de vos extraits de compte ? N'empêche que, sans un balle en poche, vous vous sentez nu, d'une extrême nudité. Non seulement vous marchez incognito dans cette ville étrangère où vous ne connaissez personne, mais vous n'avez sur vous pas le moindre sou pour acheter ne fût-ce qu'une glace, de l'eau minérale ou un journal. Sans monnaie d'échange, sans pouvoir d'achat, vous vous sentez réduit à votre seule identité telle qu'elle figure sur votre passeport laissé lui aussi à l'hôtel. En traversant, tel un vagabond, le parc ombragé de l'université américaine qui descend jusqu'à la mer, croisant des étudiants en tenue de sport, vous vous interrogez sur le montant du minerval exigé par cette université prestigieuse, cela ne doit pas être donné, comme on le dit d'une chose chère, le coup de fusil, en somme. Et vous songez qu'il y a à peine plus de dix ans, cette ville était en guerre, une guerre dont elle porte encore les stigmates : immeubles calcinés, anciens repaires de snipers, villas de style italo-ottoman criblées de balles, attendant une hypothétique restauration, peut-être même la résurrection de leurs propriétaires. Et vous voilà sur la corniche longeant la mer, sous un soleil de feu. Vous n'avez vu nulle part ailleurs une telle concentration de Jaguar, de Mercedes, de Range Rover, de BMW 4X4 défilant sur ce boulevard planté de palmiers comme si l'argent gagné on ne sait trop comment n'existait que pour être exhibé. Vous n'avez plus qu'une envie, vous baigner dans la mer. Les rochers que vous apercevez en contrebas vous semblent inaccessibles. Et pourtant, des pêcheurs y lancent leurs lignes, quelques nageurs y plongent. Inaccessible aussi, un peu plus loin, un club nautique gardé par un molosse en uniforme vous enjoignant de passer votre chemin. Vous atteignez une plage de pierres où deux hommes entretiennent un feu pendant que des femmes coiffées de foulards nettoient le poisson prêt à être grillé. Des enfants s'ébrouent dans des flaques laissées par la mer toute proche qui s'écrase sur les rochers. Ces hommes et ces femmes vous semblent d'un autre monde que celui que vous venez à peine de traverser, avec ses téléphones portables, ses joggers, ses bagnoles rutilantes. Ce que vous saviez déjà, en l'occurrence que toute ville en compte au moins deux, vous apparaît dans une évidente clarté. Vous vous sentez observé d'un drôle d'œil, la mer vous tente, mais les ordures, les tessons de verre et une odeur d'égout vous dissuadent de vous y aventurer. Vous repérez au loin une plage conforme à celles que vous connaissez, avec ses transats, ses pédalos, ses baigneurs. Mais un militaire en armes vous refoule, car l'endroit, strictement interdit, est réservé, semble-t-il, aux ébats exclusifs de l'armée.

Le centre-ville a été totalement anéanti par la guerre. Seule une rue est restée intacte, la rue des banques, que pas un impact de balle n'a égratignée. C'est que les banques, vous a-t-on dit, entretenaient les multiples factions qui s'entre-déchiraient. Vastes négoces de blanchiment d'argent et de trafics d'armes, les banques étaient bien trop utiles à la guerre pour être inquiétées par les belligérants. La guerre elle-même n'est-elle pas la dépense absolue poussée jusqu'à la ruine ? Là où il ne restait à peu près rien, ni maison ni âmes, seul l'argent subsistait encore, comme les insectes ou les rongeurs sur les charniers, uniques survivants parmi les décombres de la vie. Le centre est partiellement reconstruit à l'ancienne. Églises, mosquées, parlement ont repris leurs activités. La place de l'Horloge sert à nouveau de point de repère dans l'ordre de l'espace et du temps. Le désordre de la guerre semble oublié. Le temps est à nouveau de l'argent. La beauté des immeubles de pierre à arcades ne vous échappe pas. Le luxe des boutiques non plus. Il n'y a, en effet, ni épicerie ni boulangerie, mais Gucci, Armani, Dior, Cartier, Boss, etc. y ont leur officine. Des bureaux attendent locataires. Qui peut bien vivre ici, songez-vous, alors que, le soir tombant, les terrasses commencent à se peupler ? Mais vous n'avez toujours pas votre portefeuille et vous vous sentez de plus en plus nu.

Le soir, vous êtes invité avec les membres du colloque chez une femme brillante qui fut l'épouse d'un président éphémère, assassiné après quelques jours de règne. La chaleur de son accueil ne laisse rien paraître d'un deuil ou d'une quelconque douleur, fût-elle ancienne. Elle vous reçoit au bord de la piscine en vous disant que vous êtes là chez vous et vous goûtez à la douceur du soir que parfume l'odeur des pins et des cèdres. Pour dire quelque chose, vous l'interrogez sur un palmier mal en point qui fait piètre figure parmi cette végétation centenaire. Elle vous répond avec une pointe de mélancolie que c'est un obus qui l'a endommagé ainsi, l'obligeant à le soigner à l'aide d'une attelle, opération délicate. Son mari, pensez-vous, n'a pas eu cette chance. Vous l'imaginez un instant, un verre à la main parmi les convives, le corps enserré dans une attelle. Et vous voilà présenté à l'ambassadeur du Brésil, d'Arabie Saoudite, de France, d'Espagne, du Japon, au directeur général de la Banque du Moyen-Orient, au ministre des Déplacés, à la doyenne de la faculté de Dentisterie de l'Université, à un membre éminent de la Compagnie de Jésus, au PDG de Nissan venu en droite ligne de Tokyo… On parle du climat de la ville, une bénédiction, le contraire de celui de Londres, se lamente une femme obligée d'y vivre trois semaines par mois, le bagne. On parle du système fiscal exceptionnel de ce pays où les impôts directs n'existent pas ou si peu, renchérit quelqu'un avec un sourire en coin, autre bénédiction. Dans un bruissement ininterrompu de conversations dont, la nuit même, la trace se sera effacée, on boit du champagne ou des jus de fruits exotiques, on mange du taboulé, de la purée de pois chiches, du caviar d'aubergine, du falafel et autres mets étonnants que des serveurs vous apportent sur de petites assiettes. Vous aimeriez vous jeter dans la piscine bleue, vous à qui la mer fut refusée. Mais déjà le bruit des moteurs automobiles vous rappelle à l'ordre. Vous saluez votre charmante hôtesse qui a été ravie de faire votre connaissance et vous lance une pressante invitation à venir la voir lors de votre prochain séjour dans la ville.

Avant de vous endormir, vous avez une pensée pour tous ces couples séparés qui s'entre-déchirent à coups de lettres d'avocats, comme si seul l'argent avait été au centre de leur vie commune, unique rescapé du naufrage de l'amour. Une ultime pensée enfin pour votre frère, fonctionnaire au département de la dette publique du ministère des Finances de l'État belge. Il manipule lui aussi des sommes qui se comptent en milliers de milliards, mais c'est pour combler un trou, celui du déficit public. L'État belge, ayant, dans une totale insouciance, claqué l'argent par portes et fenêtres, s'est trouvé le plus endetté d'Europe et contraint par l'Union européenne de réduire coûte que coûte sa dette monstrueuse. Scrutant sur son ordinateur les fluctuations des taux d'intérêt, votre frère passe ses journées à contracter des emprunts pour en apurer d'autres, comme les bagnards autrefois forcés de creuser des trous pour en reboucher d'autres. Pour lui, l'argent représente des chiffres, des courbes, bref une abstraction sans rapport avec des billets de banque que l'on sort de sa poche. Et le gouffre de la dette publique n'est qu'une ligne diagonale traversant l'écran de son ordinateur.

Vous songez que décidément l'argent, qu'il soit réel ou virtuel, est indissolublement lié au vertige et, la nuit, vous rêvez à d'immenses rapaces blancs survolant les gouffres pendant que des humains minuscules vaquent comme si de rien n'était à leurs quotidiennes occupations.

Jean-Luc Outers (1949) vit et travaille à Bruxelles. Études de droit à l'université de Louvain. Il dirige, depuis 1990, le Service des lettres du ministère de la Culture. Romancier : *L'Ordre du jour* (1987), *Corps de métier* (1992), *La Place du mort* (1995), *La Compagnie des eaux* (2001).

LA REVUE DE L'UNIVERSITÉ DE BRUXELLES

À la rencontre des contradictions

La Revue de l'Université de Bruxelles n'est pas, malgré son nom, une revue académique. Dirigée depuis une vingtaine d'années par le philosophe Jacques Sojcher, elle s'est affirmée comme un haut lieu de débats contradictoires et de réflexion passionnée.

La Revue livre deux numéros par an, de deux cent cinquante pages environ. Ces véritables livres collectifs réunissent à chaque fois une vingtaine d'auteurs d'engagements différents, autour d'une thématique particulière. Transgressant les habituelles catégorisations, voyageant de l'esthétique au politique, de la philosophie à la sociologie, de l'histoire à la littérature, de la physique à la psychanalyse, la Revue se veut aussi lisible par l'*honnête homme* et conjugue rigueur et clarté.

CONDITIONS D'ABONNEMENT

Tarif au numéro (en librairie)

Belgique   21,20 euros   Prix TVAC

Tarif abonnements   2 numéros par an

Belgique   37,20 euros TVAC (frais de port inclus)
Union européenne   42,14 euros TVAC (frais de port envoi non prioritaire inclus)
Autres pays d'Europe 44,62 euros TVAC (frais de port envoi non prioritaire inclus)
Reste du monde   46,85 euros TVAC (frais de port envoi non prioritaire inclus)

Procédure   Paiement du montant de l'abonnement sur le compte de la banque Fortis Belgique n° 210-0416956-05 avec la mention « Abonnement Revue de l'ULB »

Pour s'abonner, s'adresser à :

Revue de l'Université de Bruxelles
50, av. F. D. Roosevelt – CP 175, B-1050 Bruxelles, Belgique.
Tél. (32) (0)2 650 45 65 – Fax (32) (0)2 650 45 64
E-mail : revulb@skynet.be

Revue de l'Université de Bruxelles

Achevé d'imprimer
en février 2004
sur les presses
de l'imprimerie SNEL Grafics
en Belgique (UE)

© Éditions Complexe 2004
SA Diffusion Promotion Information
24, rue de Bosnie
1060 Bruxelles

 n° 995

Si vous désirez recevoir le catalogue des ÉDITIONS COMPLEXE,
découpez ce bulletin et adressez-le à :

ÉDITIONS COMPLEXE
24, rue de Bosnie
1060 Bruxelles
BELGIQUE

Nom . . . .

Prénom . . . .

Adresse . . . .

. . . .

Profession . . . .

Âge . . . .

Livre duquel vous avez tiré ce bon . . . .

. . . .

Suggestions :

. . . .

. . . .

. . . .

. . . .

Nom et adresse des personnes auxquelles vous nous suggérez de faire
parvenir notre catalogue :

. . . .

. . . .

. . . .

. . . .